JN233868

文化と心理学

比較文化心理学入門

Culture and Psychology
people around the world

D. マツモト 著
David Matsumoto

南 雅彦・佐藤公代 監訳

北大路書房

CULTURE AND PSYCHOLOGY: PEOPLE AROUND THE WORLD
BY
David Matsumoto

Copyright © 2000 Wadsworth, a division of thomson learning, Inc.
Japanese translation published by arrangement with Thomson learning of berkshire
House through The English Agency (Japan) Ltd.

監訳者まえがき

　今日の社会では，地球的規模での共存が叫ばれるようになって，異文化理解がますますその重要性を帯びている。たとえば，日米間の政治的，経済的結びつきが強くなるにつれ，二国間の人的レベルでの交流が深まるのも当然のことである。残念ながら，文化的相違に基づいた誤解は枚挙にいとまがない。こうした誤解で絡まりあった糸をほぐすため，異文化コミュニケーションに卓越した人材を育成することが急務となっている。

　本書は，David Matsumoto, Culture and Psychology：People Around the World（2nd ed., Wadsworth, 2000）の抄訳である。サンフランシスコ州立大学で教鞭をとる私の同僚マツモトは，異文化比較を中心として研究をすすめてきた優れた心理学者の1人である。今回，マツモトはCulture and Psychologyの改訂にあたり新しい研究成果を多々追加している。どの章を翻訳するかに関しては，今回の共同監訳者である愛媛大学の佐藤公代先生に御意見を伺ったが，特に重要と思われるものを私が個人的判断で取捨選択した。

　今回の日本語版出版に際しては個人的に感銘深いものがある。初めてマツモトのCulture and Psychology（1996, Brooks/Cole Publishing）に出会ったのは，私がハーバード大学での発達心理学の分野での博士課程を終え，マサチューセッツ大学ロウエル校の心理学部で「言語と文化」と「発達心理学」のコースを教えていた1997年の春であった。当時，私はロウエル校の心理学部でただ1人のアジア系教員として何か説明のつかない心理的疎外感を感じていた。よく似た文化的背景をもつマツモトの日米比較を中心とした本とその章立ては，アメリカ心理学の中だけでなく比較文化心理学の中ですら珍しいものであるが，私はその珍しさに非常に興味をそそられ共鳴し，すぐにでもその本の著者マツモトに連絡を取りたいと思ったものである。ほどなく私自身がサンフランシスコ州立大学に転出することになり，赴任してまず最初に会うことを申し入れたのがマツモトだったのである。その後，佐藤先生が研究員としてサンフランシスコ州立大学に滞在されていた1998年秋に，マツモトがたまたま改訂版の準備・執筆をしていたことから今回の翻訳の話が進んだのである。まさに奇遇と言うしかない。

　私自身は長く米国東海岸にあるボストンの近郊に住んでいたので，美術絵画の類を除いては東洋文化のアメリカ文化への影響をそれほど感じていなかったのである。ところが，西海岸に移り住んでみると，米国がアジアに面していることをいろいろな意味で痛切に感じることがある。おおげさに言えば，東海岸から西海岸に移り住んでみると，これまであまり知らなかった別の顔をした米国があることを発見したのである。まず，サンフランシスコにはいたる所に大小の中華街が点在し，中国人，中国系米国人が非常に多い。また，

日本町もあり日本人，日系米国人が非常に多く住んでいる。ところが同時に，日本町周辺からは日系人が流出し，日本町の空洞化の危機が叫ばれている。オグブはモデル・マイノリティ（模範的少数民族）という概念を用いて（日系人を含む）東洋系アメリカ人とアフリカ系アメリカ人の行動の相違を心理的要因の結果である，と論じている。しかしながら，アメリカ社会への融合が進行するという意味では，仮にモデル・マイノリティが好ましい姿であるとしても，同時に，異なる民族が文化的に融合し取り込まれてゆく，ということは悲しむべき現実なのである。特に日系米国人の場合，永く土地所有を許されることがなく，土地を賃借しながら移動していた時代もあったのである。その上，第2次世界大戦中は，米国市民権をもちながら敵国民とみなされ，強制収容所に送られたのである。強制収容所から帰って来た後も，以前住んでいた場所からどこか別の場所へ移動しなければならなかった。こうした事情のため，よりアメリカ社会への融合・同化がすすんだという説すらあるほどである。アメリカ心理学の本流となっている心理学と比較文化心理学という対立図式で話が展開する本書が，こうした米国という国の成り立ちと文化的背景をもって生まれたのだ，ということを日本の読者の方々には理解していただきたい。

　矛盾するように聞こえるかもしれないが，日本の読者の皆さんに本書から同時に味わってもらいたいと望んでいるのは，ヴントの構成主義に端を発する西洋心理学，ジェームズに代表される機能主義に端を発しワトソンからスキナーの行動（経験）主義，さらにはバンデュラの社会化アプローチへと引き継がれていったアメリカ心理学のとうとう流れる神髄・醍醐味である。本書は抄訳であるので残念ながら含んでいないが，1960年代最後から1970年代初頭にかけて論争の的になったジェンセンの知能指数と学業成績の関連性の研究にみられるように，アメリカ心理学の歴史は後天的なものを強調する「経験主義（empiricism）」と生得的なものを強調する「自然主義（nativism）」の葛藤のくり返しでもある。もちろん，アメリカ心理学と総称する体系には西洋心理学で開花したピアジェやエリクソンの人間発達観が含まれていることは言うまでもない。たとえば，ボウルビィからエインズワース，またバウムリンドの研究に取りあげられた親子関係といったものに，マツモトは比較文化心理学の視点から再考察のメスを入れようと試みるのである。

　ここで私の専門分野である言語にも少し触れておきたい。本書でマツモトは，サピア・ウォーフ仮説にみられる「言語が思考を左右する」という概念を再考察しているが，これも異文化比較からのものであって新しい。たとえば，土居健郎の「甘えの構造」で一躍注目されるようになった「甘え」の概念を思い起こしていただきたい。「甘え」という感覚

はアメリカ人にも存在するが,「甘え」という感覚そのものを端的に表現する単語は英語には存在しない。このことを比較文化心理学の見地から考えると,「甘え」という感覚が日本社会においては特に重要な意味をもち,また重要な役割を果たしているのだ,とマツモトは主張するのである。マツモトはさらに一歩踏み込んで,人間行動のユニークな特徴としての言語は,文化を創造することを可能にするばかりでなく,文化そのものを記号化したものだ,と論じるのである。

　従来の心理学で試みられてきたのは,普遍性もしくは汎文化性(すなわち生得的要因)と個人的差異という二極分割であった。しかしマツモトをはじめとする比較文化心理学では,その中間に社会的・文化的差異(すなわち文化的要因)を認める必要性を強調する。私はハーバードの博士課程に在籍していたとき著名な文化人類学者レヴァインの指導を受けたことがあり,レヴァインもいつもこのことを力説していた。つまり,心理学が文化的変数を考慮に入れる必要性がある,とするマツモトの姿勢は,ある意味で文化人類学と共通しており,比較文化心理学のもつ新しい視点を端的に示しているといえよう。また,本書で述べられているさまざまな基本的概念,たとえば,エティック(外部の人間にもわかる方法で行動を研究する)・エミック(内部の人間にしかわからない方法で行動を研究する)の区分,ホールの提唱するハイ・コンテクスト文化とロウ・コンテクスト文化の対比なども比較文化心理学を理解する上で一助となるであろう。こうした概念を用いて,マツモトが本書で鋭く批判するのは,文化的相違を理解する上でよく提示される「東洋 対 西洋」という構図である。マツモトが強く主張するのは,「個人主義社会 対 集団主義社会」という対立構図によってこそ,さまざまな文化的相違は説明・解釈されるべきであるということであり,マツモトが専門とする「感情」分析と異文化コミュニケーションの章で,その筆致はより鋭さを増すのである。すなわち,この「個人主義社会 対 集団主義社会」という対立図式上でこそ,人間発達,自己,あるいはアイデンティティの形成は説明されるべきだ,とマツモトは主張するのである。もちろん,本書でマツモト自身も指摘しているように,こうした対立図式には時としてあまりに単純で大きな限界があり,もっと複雑な社会的要因も考慮しなければならないのである。これについては,社会的要因を考慮した「社会的相対性(social relativism)」という概念を,私自身は提唱している。

　さて,アメリカ社会に立ち返ってみると,社会的・文化的要素が想像以上に複雑であることを感じずにはおれない。国際教育到達度評価学会が数年おきに測定している数学と理科の教育到達度の国際比較では,米国は主要先進国の中では常に最下位レベルである。こ

れは，米国にとって深刻な社会問題なのであろうか。もし，そうであるとするなら，それは家庭環境が原因なのだろうか。学校での教育が原因なのだろうか。人種的差異はあるのだろうか。いささか，古色蒼然とした表現ではあるが，「アメリカ社会は人種のるつぼ」という表現がある。しかしながら，米国のような多民族社会の諸様相はそれほど簡単に説明できるものではない。人種・民族ごとに集落を形成する傾向があることからも，うかがい知ることができるように，アメリカ社会は「るつぼ」と称されるほど均質に混ざり合っているわけではないので，最近では「人種のモザイク」という表現すらあるほどである。卑近な例として，本書でも指摘されている「文化の再確認」という心理的行動がある。私がボストン近郊からサンフランシスコに転居していちばん最初に感じたのは日本語テレビ番組の豊富さであった。最初はこれがとても心地よかったのであるが，しばらくすると日本で見るテレビ番組との違いが非常に気になるようになった。番組それ自体は，そのほとんどが日本から輸入したものであるので，2，3か月遅れとか少し古いというだけなのだが，何かが違うのである。ほどなくして気がついたのは，番組の中途，もしくはある番組と別の番組の間に挿入される宣伝・広告の類が，とにかく古い，ということであった。それは，2，3か月単位の遅れではない，もしかしたら10年，いや20年くらい古いのである。日本ではもう名前も聞かなくなったような演歌歌手の歌謡ショーが幅を利かせている。本書のマツモトの説明によれば，日系人なら日系人という移民集団では自分がもち込んだ文化を結晶化するため，その心理的文化が代々引き継がれる傾向がある。ところが，自国すなわち日本の文化は時が経つにつれて変化してゆく。言い換えれば，自国文化の変化のスピードのほうが移民がもち込んだ自国文化の変化のスピードよりもずっと早いのである。この解釈を当てはめると，日系人は日本人よりもていねいさ，義理人情という点においてより日本人らしいともいえるのである。これは，私の個人的体験ではあるが，サンフランシスコ州立大学で教鞭をとるようになって以来，数多くの日系人の学生から折につけ感謝のカードや季節のあいさつ状をいただいたりするが，日本から来た学生からそういったものをあまりもらったことがない。しかも，そうしたことはその学生の年齢にはさほど関係がないのである。社会言語学でも，このことはよく取り上げられていてcenter of innovation（革新の中心）という概念として説明されている。（たとえば，アメリカ英語はイギリス英語より古く，カナダで話されているフランス語はフランスのフランス語より古い。日本で言えば，柳田国男の「方言周圏論」を思い起こしてみるとよいだろう。）

　本書は，私と佐藤先生の共同監修であるが，実際には，私と次のサンフランシスコ州立

監訳者まえがき

大学大学院生の方々との共同翻訳の結果であり，佐藤先生には総合監修をお願いした。
　　比較文化心理学への導入：中東益映
　　文化の理解と定義：中東益映
　　文化と自己：中東益映，マイケル佐藤
　　文化と発達：深谷恵子，木股由香子，浦山宏美
　　文化と感情：今瀬　博，松下景子，矢走　敦
　　文化と言語：細谷路子，上野真澄，永松文美
　　異文化間コミュニケーション：中東益映

　2000年8月末から12月中旬までの毎週木曜日の午後の3時間あまり，私の技術翻訳のクラスを利用して，この作業を推し進めた。皆でスナック等の食べ物持参で集合し，どのように日本語に訳出するかについてかんかんがくがく意見交換をした。こうしたミーティングでいったん，合意しておきながら翌朝になってみると，「いやそうではなかった，こう訳出すべきだった」と思い立って，電子メールで共同翻訳者の皆さんに伝達することもたびたびであった。特に，中東益映さんには今回の抄訳にあたって一年以上おつきあい願った。上記でおわかりのように，中東さんには半数以上にわたる4つの章の翻訳に携わっていただき，その上くり返し草稿の書き直しをお願いし，たいへんご迷惑をおかけしたことを特記しておきたい。また，浦山（西田）宏美さんには用語の確認という作業も手伝っていただいたということを付記しておきたい。

　本書を世に出すにあたり，深い御理解と温かい激励をいただいた共同監訳者の佐藤先生，北大路書房のスタッフの方々に，心からの感謝と御礼を申しあげたい。暑い盛りの2000年8月初旬，私は文部省基盤研究「日本語獲得および第二言語習得における言語発達指標の開発と日英対照言語発達研究」の打ち合わせのために京都に滞在していたのであるが，コープイン京都までわざわざ足を運んで下さった編集部の薄木敏之氏に最後に感謝の意を表わしたい。

2001年夏
カリフォルニア州サンフランシスコにて

訳者を代表して　南　雅彦

Contents

監訳者まえがき

第1章 比較文化心理学への導入 … 1

心理学とはいったい何なのか … 2
科学における知識と真理の創造 … 3
心理学における調査のプロセスを理解するということ … 5
研究と理論　5
方法と知識の関係　6
比較文化研究と心理学 … 8
比較文化心理学の影響：多文化的観点をもつということ … 12
心理学の真理：心理学における文化改革　12
自己の生活および他者との相互作用　14
本書の目的 … 15

第2章 文化の理解と定義 … 19

文化を定義することの重要性 … 19
日常言語における「文化」という用語の使用 … 20
頻繁に使われる用語「文化」　20
文化に影響されている生活の側面　21
一般人のもっている文化の概念　22
抽象概念としての文化　23
周期的で活発な文化の性質　23
文化の定義 … 25
過去の定義　25
本書における文化の定義　26
どういった要素が文化に影響をおよぼしているのか　29
「個人としての文化」と「社会的構成概念としての文化」　31
文化 対 人格（パーソナリティ）　31
文化と多様性 … 33
文化と大衆文化　39
普遍的文化の原理 対 文化特有の相違：エミックとエティック … 39
自民族中心主義とステレオタイプ（固定的概念）への導入 … 42

文化を測定可能な構成概念に変えること ································ 44
　文化を抽象的で不明瞭な構成概念から，
　　具体的で有限の要素に整理し分類すること　45
文化の多様性における重要な「次元」の追求 ···························· 46
心理学における文化の影響 ·· 53
結論 ··· 55

第3章　文化と自己　59

文化と自己概念 ··· 60
自己における異文化的概念化の一例：
　「自立している自己」と「相互依存的な自己」 ·························· 63
　自立的観点からの自己観　63
　相互依存的観点からの自己観　64
　認知，動機，感情の影響　65
批判的思考および自立した自己と相互依存的自己の分析評価 ·········· 75
自立的観点からの自己観と相互依存的観点からの自己観を超えて：
　相関した自己概念と孤立した自己概念 ····································· 78
多文化アイデンティティ ··· 80
結論 ··· 82

第4章　文化と発達　83

「自文化」化と社会化 ··· 83
　文化と気質　85
　文化と愛着行動　87
　文化，育児，親であること，家庭　90
　気質，愛着行動，育児：まとめ　95
　文化と教育　96
　総合して考えると：文化と文化アイデンティティの発達　103
発達における文化と心理学的プロセス ····································· 105
　認知発達　105
　道徳的推論　111
　社会的感情の発達　114
　その他の発達過程　117
結論 ··· 117

第5章 文化と感情 ……………………………………………… 119

生活の感情の重要性 ……………………………………………… 119
文化と感情表現 ……………………………………………… 120
顔の表情による感情表現の普遍性　120
表情の中でみられる文化的相違：文化表示規則　124
最近の感情表現と表示規則についての比較文化研究　126

文化と感情の知覚について ……………………………………………… 129
感情認識の普遍性　129
感情の知覚におけるさらなる異文化間類似性についての証拠　130
感情知覚における異文化間に存在する相違性の証拠　132
感情の普遍性に対して感情知覚における文化的相違の意味するもの　136

文化と感情経験 ……………………………………………… 140
感情経験の普遍性　140
感情経験上での文化的相違　143

文化と感情契機 ……………………………………………… 146
感情契機の文化的類似　147
感情契機の文化的相違　148
感情契機の類似と相違の共存　148

文化と感情評価 ……………………………………………… 149
感情評価の文化的類似　149
感情評価の文化的相違　151

文化とその概念と感情のことば ……………………………………………… 153
アメリカ人の日常生活における感情　153
アメリカ人心理学者の観点からの感情　154
感情の概念における異なる文化間における類似性と相違性　156

総括 ……………………………………………… 160

第6章 文化と言語 ……………………………………………… 163

言語と言語習得の要素 ……………………………………………… 164
言語の特性　164
言語の習得　165

文化間の言語の相違 ……………………………………………… 168
文化と言語における語彙　168
文化と語用論(プラグマティクス)　171
要約　172

言語と世界観：言語相対性の例 ··· 174
　　サピア・ウォーフ仮説　174
　　サピア・ウォーフ仮説を支持する初期の研究　174
　　サピア・ウォーフ仮説に異議を唱える初期研究　176
　　サピア・ウォーフ仮説を支持する最近の研究　178
　　サピア・ウォーフ仮説へさらなる異議を唱える研究　179
　　サピア・ウォーフ仮説：結論　179

バイリンガルにおけることばと行動様式 ································· 181
　　バイリンガリズムとバイリンガリズムに関するサピア・ウォーフ仮説の見解　181
　　バイリンガリズムと米国　182
　　バイリンガルにおける言語相対論の再考　183
　　バイリンガルに関する誤解　184

結論 ··· 186

第7章　異文化間コミュニケーション ················ 189

コミュニケーションの定義 ··· 190
コミュニケーションを構成している要素 ···································· 191
　　コミュニケーションの2つの形態　191
　　符号化（エンコーディング）と符号解読（ディコーディング）　191
　　伝達経路，シグナル，メッセージ　192
コミュニケーション・プロセスにおける文化の役割 ·················· 193
　　言語的および非言語的行動エンコーディングにおける文化的な影響　193
　　ディコーディング・プロセスにおける文化的な影響　194
同一文化内コミュニケーション 対 異文化間コミュニケーション ······ 197
　　クロス・カルチュラル（比較文化）研究と
　　　インターカルチュラル（異文化）研究の相違点　197
　　同一文化内コミュニケーション　198
　　異文化間コミュニケーションのユニークな側面　200
効果的な異文化間コミュニケーションに向けて ························· 205
　　効果的な異文化間コミュニケーションの障害物　205
　　異文化間コミュニケーション能力　206
　　異文化感受性　210
　　異文化間摩擦の対処法　212
結論 ··· 215

引用文献　217
人名索引　238
事項索引　239

【編集部注記】
ここ数年において，「被験者」(subject)という呼称は，実験を行なう者と実験をされる者とが対等でない等の誤解を招くことから，「実験参加者」(participant)へと変更する流れになってきている。本書もそれに準じ変更すべきところであるが，執筆当時の表記のままとしている。文中に出現する「被験者」は「実験参加者」と読み替えていただきたい。

文化と心理学

第1章
比較文化心理学への導入

　文化の多様性というのは，今日の米国でもっとも重要な話題の1つである。学校，会社，家庭などさまざまな場面で，多様性は確実に増加しつつあり，また異文化間の誤解によって生じる混乱や怒りは常に絶えることがない。グループに属することによって，人は自分のグループを守りたいと思うようになるのである。そもそも，英語の「多様性（diversity）」という語句は「相違（difference）」の少しもったいぶった言い方である。実際のところ，相違によって矛盾や誤解が生じる場合がほとんどなのである。

　アメリカ人が現在抱えている最大の課題は，「文化の多様性」である。米国では国が一体となって，職場での多様性という課題に重点をおき，国民に対して研修会やセミナー等の教育の機会を与えている。また，職場での教育システムとして，有色人種の職員の雇用や雇用維持を推進し，異なる文化に関する資料を教育カリキュラムで使用したりするという試みが続けられている。政府としても，「差別修正措置法」または「機会均等法」等の政策を通して，多様性という問題に対処しているのである。

　文化の多様性，異文化交流等，アメリカ人が直面している問題を解決することは，結果として絶好の機会にもなりうるのである。これらの問題にうまく対処し，自分たちにとってよい方向にもってゆくことができれば，文化の多様性や異文化交流のもっている可能性を大いに発揮することも可能なのである。これを実現することができれば，世界を構成している多様な個々の人間のただ単なる総和より，はるかに実り多い結果が生まれることになるのである。

　つまり，「多様性という課題を何とかして好機に変えるのだ」という信念をもって，今，本書を書いているのである。確かにこの信念を実現することは容易ではない。多様性という課題に対応するためには，まず自分自身の文化背景または境遇を，長所や限界も含めて，直視しなければならないのである。自分自身を評価しようとする際に，恐怖や硬直，また

時として頑固なプライドが，さまざまな形でじゃまをしてくる。しかしながら，自己を評価することなしに，多様性という課題に対応したり，異文化交流を発展させることなどありえないわけである。

学術的な分野で評価を行なうことによって，「今日の大学では学生にいったい何を教えているのだろうか」という基本的な疑問が浮かびあがってくる。文化の多様性が，どのようにして人間行動の真理や原理を特徴づけているかということは，われわれが今住んでいる世界や人間の行動に関する知識に疑問を投げかけているのと同じである。時として自分の知識をゆさぶり，自分の知識がどれほど堅固なものかということを，あらためて見つめなおすことがわれわれにとって必要となるわけであり，このことは社会科学の分野，とりわけ心理学の分野において必要不可欠である。心理学とは，つまり人間の精神的または行動的な特性のありのままの姿を考える学問なのである。

心理学とはいったい何なのか

心理学は，他のどの学問よりも文化の多様性という課題に対応する準備が整っている分野である。現在も比較文化心理学という名の分野で，課題を解決する方向に進んでいるのである。「比較文化心理学とは何か」ということを知るために重要なことは，まず「心理学が何か」ということをよく知ることである。

心理学には大きく分けて2つの目的があると考えられる。まず，第一の目的とは人に関する知識の創造である。心理学者は，いつも人間に関する知識をより多く身につけたいと願っているのである。この知識によって，何か問題が起こる前に予期できたり，原因が何であるかを説明できたり，人間の行動を理解できるようになるのである。この目的を達成するためには，重要な側面が2つある。1つは心理学研究を行なうことであり，もう1つは，人間の行動に関する理論的モデルを構築することである。心理学の分野では，研究と理論はしっかりと結び合って進んで行くのである。

心理学の第二の目的は，第一の目的とは少し異なっている。じつは，第一の目的で得た心理学の知識に関係しているのだが，その知識を用いて人の生活に介入し，最終的に人の生活をよりよいものにすることが第二の目的である。この目的を達成するために，個人，家族，共同組織に対しては治療専門家（セラピスト）として，ビジネス組織や労働機関においては職業訓練士として，警官，弁護士，法廷関係者，スポーツ機関関係者，運動選手や運動チームのメンバーに対してはコンサルタントとして，といったように心理学者はいろいろな面で重要な役割を演じているのである。心理学者は常に最前線で働いており，人と直接的な形でかかわり合いながら，人の人生をもっとすばらしいものにするように心がけているのである。

人間に関する知識の創造およびその知識の利用といった2つの目的は，じつはお互いに

矛盾したものではなく、きわめて緊密な相互関係をもっているのである。たとえば、いつも最前線で働いている応用心理学者は、外界と離れて暮らしているわけではない。他の人と協同し、人間の行動について学んで得た知識を、自ら応用したり、他者の生活に介入したりする方法の基礎として使っているのである。大学で学位を取得する際に、応用心理学者はカウンセラー、治療専門家、コンサルタントとしての特別実習を経験しなければならない。応用心理学者の将来にとって、こういった実習はきわめて重要な意味をもつのである。かようにして、応用心理学者は、大学を卒業した後も、学校に通ったり、研究文献の審議に参加したり、学会に参加したり、また専門組織の一員になったりして、学ぶということを生涯をかけて続けてゆくのである。すなわち、学ぶことは応用心理学者にとって一生続いてゆくプロセスなのである。

同様に、調査や理論の創造に常に従事している心理学者、自らの調査の実用的または応用的な意味合いをよく理解している研究者や理論家のほとんどは心理学理論の真の価値を理解しており、そうした人たちによって行なわれる調査は、ほとんどの場合、世間から高い評価を得ているのである。じつは、科学という領域だけにとどまらず、街のあちらこちらで常に理論の正当性を問う実験が行なわれている。街では思いがけないことがよく起こるため、いったん構築された理論でさえも何度も見直し修正が加えられることが頻繁に起こっているのである。

以上が、心理学における一般的な2つの目的である。心理学者の中には、学者であると同時に実践に従事している者もいれば、どちらか1つのみに従事している者もいる。どちらの道を選んでいるかということには関りなく、個々の心理学者にとって重要なのは、心理学全体としてこうした目的達成を認識しているかどうかということである。これら2つの目的や2つの目的の間にある密接な関係は、心理学を勉強する上で、きわめて重要なポイントである。こういった目的がゆえに、比較文化心理学が主流心理学におよぼす影響は特別な意味合いをもつのである。この点については下記に論じることとする。

科学における知識と真理の創造

ここでまず最初の目的についてもう少し深く論じることにする。まず、われわれは心理学における知識をどうやって得ているのだろうか。じつは、人間の行動は心理学だけではなく、他の社会科学の分野にも関係しているのである。たとえば、ビジネス、コミュニケーション、経済、さらには生態学や化学の分野においても、人間の行動は重要な要素である。こういった社会科学の分野は、それぞれ異なった方法で人間の行動にアプローチ（接近）し、また異なった見方で人間の行動を理解しているのだが、じつは共通点が1つある。その共通点とは、いずれの分野でも形式的、体系的、科学的な調査方法をおもに使用しているということである。

データを理解したり解釈したりするのに，おのおのの分野では独自の科学的アプローチ，モデル，または理論的枠組みが使用されている。たとえば，心理学の分野で人間の行動について知りたい場合，まず被験者を集めインタビューや実験を行なう。観察実験，ケース・スタディ，書面における調査や研究などは，すべて心理学において重要な調査方法である。たとえ，分野によってアプローチ方法が異なっても，目的は「知識の創造」というように似たような目的となるのが常である。心理学研究者は，個人レベルでデータを解釈し，理解しがちである。こういった特性がゆえに，人間の行動に関連している他の社会科学から，心理学は遠ざけられてしまうのである。

　知識とは，けっして1つの分野だけで生み出されるものではない。おのおのの分野での調査結果が他の調査結果と同じであった場合に初めて，その発見は多くの人にとって一般化されているのだ，と認められるのである。つまり「一般化」とは，真理から成り立っている場合と，組織的な調査から選りすぐられた信念で成り立っている場合があるのである。信念は，研究者たちばかりでなくより多くの人に認められるものでなければならない。心理学の調査において，一貫した発見結果を「レプリケーション（replication：反復・再生）」とよんでおり，真の人間の行動を追求する際に，この反復・再生は不可欠な要素となっている（図1-1を参照のこと）。

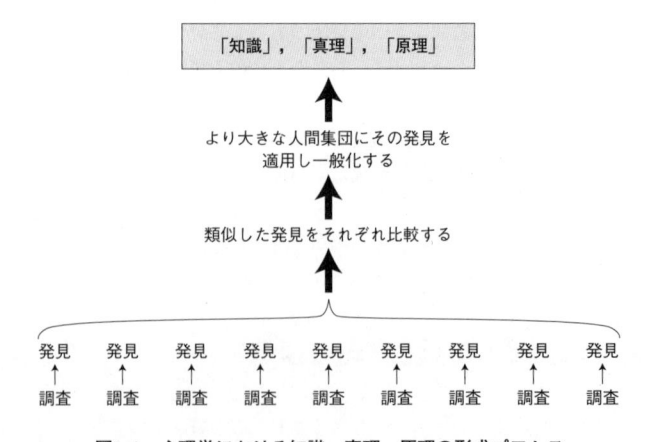

図1-1　心理学における知識，真理，原理の形成プロセス

　人間の行動について勉強している心理学専攻の学生や，社会科学専攻の学生は，心理学における真理や主義といった「心理学の基礎知識」を評価できなくてはならない。図1-1を見るとわかるように，個々の研究や調査は，知識を構築する上での第一の手段なのである。調査のプロセスやその知識における貢献を，学生は常に理解していなければならないのである。調査とは，研究の重要な要素である。学生はどのようにして調査が構成され，

実行されているかということを理解しておく必要があるし，また使用されている方法論の要因が，真理の創造にどのように影響をおよぼしているのか，ということも理解しておく必要がある。真理や原理をそのままうのみにして受け入れる，というのは避けるべきである。真理，またその真理が生み出されたプロセスに対して常に健全な疑い，すなわち批判的思考（critical thinking）をもつことが必要となってくるのである。この批判的思考は，心理学だけではなく他のどの分野においても，科学的なプロセスにおいて中心となってくるものである。要するに，調査方法や研究と理論の関係，また調査方法と調査の発見との関係を理解しておくということが，われわれにとってきわめて重要になってくるのである。最終的にこういった発見が集大成され，心理学の知識となる。

心理学における調査のプロセスを理解するということ

研究と理論

　研究のすべては理論から始まる。理論とは人間の行動モデル，本質的には人間に対する人間の推測なのである。心理学の教科書を読むと，心理学には感情，考え，知能，言語発達，利他主義などいろいろな理論があるということがすぐにわかる。

　理論とは，組織的で，かつ筋の通った真理，または仮定の集合体をいう。真理や仮定の中には，実際それが正確なものかとか，人間に関することかということを検査できるものもあり，そうしたものを「仮説（hypothesis）」とよんでいる。理論の中にはまだ検証されていないものもあるが，そういった理論は仮説のみで成り立っているのである。

　仮説は調査を通して検証される。ここで，もっとも重要になってくるのが，研究によって検証される仮説には，誤りを立証できる可能性がなければならないということである。すなわち，調査によって「正しくない」と出た場合は「正しくない」ということを証明でき，また「正しい」と出た場合は「正しい」ということを証明できるものでないとならないのである。

　調査の目的は仮説を検証することである。調査が正当に行なわれた場合，完了した時点で，その仮説が確証されたのか，されなかったのかがわかるのである。しかし，調査が正当に行なわれなかった場合，その結果を誰も信用しないため，仮説を確証するか，確証しないかは重要ではなくなってくるのである。確証された仮説，または確証されなかった仮説の元来の理論を何らかの形で見直し，補強する必要性がある，ということがわかるのである。このプロセスについては，図1-2で概説することにする。

　心理学の分野における理論は，人間の行動モデルを作り出すための真理の集合体を表わしている。研究とは，1つの理論を作り出しているおのおのの真理が，確証したりしなかったりするプロセスのことをいう。すなわち，研究とは理論の集合体であり，理論は心理学の知識，真理，原理で構成されているものなのである。

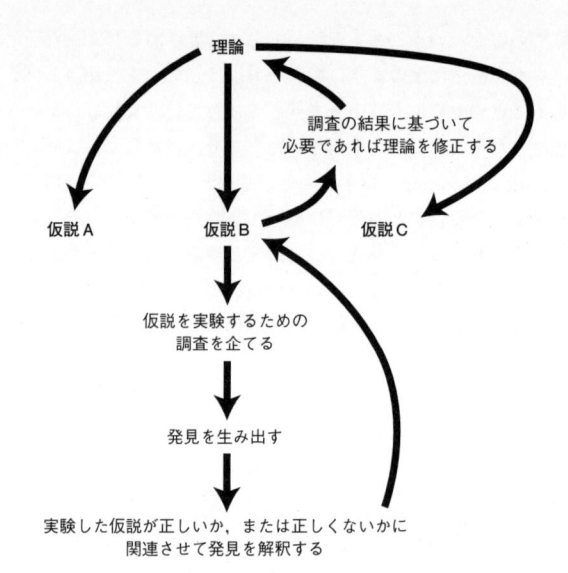

```
                              理論
                   ┌───────────┬───────────┐
                   │           │           │
                   │     調査の結果に基づいて    │
                   │     必要であれば理論を修正する │
                   ↓           ↓           │
                 仮説A        仮説B  →    仮説C
                              │           │
                              ↓           │
                       仮説を実験するための      │
                           調査を企てる         │
                              ↓           │
                         発見を生み出す        │
                              ↓           │
                  実験した仮説が正しいか，または正しくないかに
                        関連させて発見を解釈する
```

図1-2　心理学における理論と研究の周期的な関係

方法と知識の関係

　調査が真理の創造に貢献しているという事実や，調査方法が真理に大きく影響をおよぼしているという事実を理解することは，きわめて重要である。調査はすべて特別な状況下で行なわれており，またその調査する人物が選択した特定の方法論の要因を用いて実施されているのである。調査する人物は，被験者の特質，人数，性格，器具の特質や種類などを含むあらゆる面を考慮してどのような方法を使うのか，またどのような被験者を対象として，どのような手段や実験を行なうのか等を自ら決定することになる。調査する人間は，それだけではなく，データの処理方法や分析方法も自ら決定し，さらなる発見があれば，自らの仮説に基づいて，自らでその発見を解釈する方法を決定することになるのである。こういった要因については図1-3を参照されたい。

　上述したように，研究は仮説とともに始まり，仮説とともに終わるのである。このようにして，仮説は人間の行動（理論）のモデルを研究者に知らせてくれるのである。

　図1-3からも明らかなように，科学の研究は他者との接触がまったくない孤立状態ではけっしてありえないものである。それにもかかわらず，こういった研究は，研究者による意識的，かつ意図的な判断に，大きく影響されているのである。理論や仮説も，じつは研究者が作ったものであり，研究者の特定の考え方が影響をおよぼしているのである。調査方法の決定は，その研究を行なう要因や状況の基礎を形成している。人間に関するデータをこのような枠組みの中で収集しようとすることによって，研究を生み出す知識を制限す

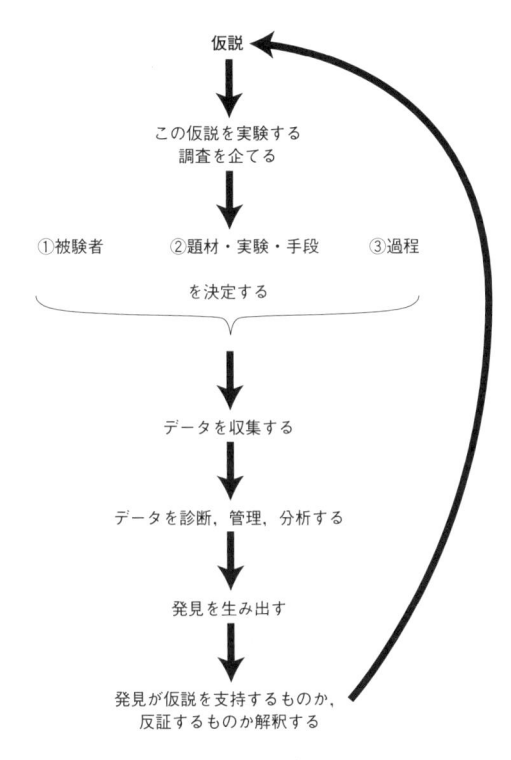

```
        仮説 ←─────────┐
         ↓              │
    この仮説を実験する     │
    調査を企てる          │
         ↓              │
①被験者  ②題材・実験・手段  ③過程
    └─────を決定する─────┘
         ↓              │
     データを収集する      │
         ↓              │
   データを診断，管理，分析する │
         ↓              │
     発見を生み出す        │
         ↓              │
   発見が仮説を支持するものか，│
   反証するものか解釈する ────┘
```

図1-3　心理学における研究プロセスの概要

ることになってしまうのである。すなわち，どんな調査においても，要因は知識における制限を伴っているわけである。

　たとえば，研究者が被験者に不明瞭な刺激物を見せ，それら刺激物の中に見えるものをリストから10項目を選択させるとする。こういった場合，産出された結果は，選択された10項目のものにしか該当しないことが問題になってくる。同じ方法を用いて，この見解が他の現象にどのようにして関連してくるのかということや，異なる文化の人，または異性にはどのように反映しているのかということも調査することができるのである。なぜ，そのような見解が存在し，維持されているのかという精緻な理論的枠組みを発展させるには，かなりの時間だけでなく，途方もない努力も費やすことになる。さらに，このような調査によって産出されたデータを，どのようにして入手したかということも，きわめて重要になってくる。たとえば，被験者が報告した結果は，ただ単に限られた10項目のリストの中でいちばんよいものだったのかもしれないのである。被験者の選択したものは，実際の見解に近いものであるかもしれないし，かけはなれたものかもしれないのである。また，も

しかしたら被験者が選択範囲内で最悪のものを選択したという可能性もあり，その結果が実際の見解に合ったものだ，とは必ずしもいえないのである。もし被験者がその刺激物に関して，自らの意見を言えたのであれば，まったく異なったデータが出ていたかもしれないのである。また，異なった選択肢を与えていたとすれば，まったく異なったものを選んでいたかもしれないのである。いかなる研究プロジェクトでも，データはそのプロジェクトを行なう研究者たちの研究方法に大きく左右されていたり，個々の研究者のバイアス（かたより）が調査を形成したりしているのである。

もしある研究者が方法論のパラメーター（変数）を変えたとすれば，結果それ自体も変化するという可能性が多いに出てくるのである。たとえば，同じ論題について調査する際，実験の性格を変えたり，あるいは実施日の時間を変えたり，データの分析方法を変えることによって，結果に差異が生じるという可能性がある。被験者の性質・特徴を変えることによっても，変化は生じるかもしれないのである。われわれが比較文化研究や比較文化心理学を理解する上で，こういったことが基本の1つを形成しているのである。

比較文化研究と心理学

米国で行なわれている人間の行動に関する研究のうち，短大や大学で行なわれる研究の大部分は，その学校に通っている学生を対象にしたものである。それにはさまざまな理由がある。大学教授のほとんどは，自らの専門分野あるいは自分自身のために，研究をたえず行なう必要性がある。したがって，被験者として，もっとも簡単に集めることのできるのは，必然的に身近にいる学生ボランティアということになってしまうのである。あるいは，多様性という問題，または多様性の理論，研究に対する影響への考慮が欠けているという理由もある。率直に言って，なぜこのような研究が必要か，という政治的な成り行きに対する考慮が欠けていたのである。主流心理学について書いてある教科書や研究記事のほとんどは，米国の学生を対象にして行なわれた調査を基に書かれている，と言うことができるのである。

「このような研究がまちがっている」とここで言っているわけではない。こうした研究における発見は，調査対象である短大生，大学生においては正しいわけであり，異なる研究方法を用いれば，他の被験者たちにもあてはまるのかもしれないのである。結果の多くは真理であり，科学的な厳密さを必要とする実験で得た結果でさえも，それが人間行動の本質として認められるかもしれないのである。ところが，基本的な問題がまだ残っているのである。その問題とは，「われわれが昔から当然なものとして学んできた人間の行動に関する真理や本質は，世界の万人にあてはまるのであろうか」ということである。心理学の研究における被験者の特質を考慮する上で，この問題はとりわけ重要である。

異なった文化背景を有する人たちを対象にした調査や実験によって生まれた心理学の真

理や原理を，比較文化研究では常に調査し続けているのである。多様な文化出身の被験者を用い，異なった文化グループによって産出されたおのおののデータを比較することによって，目的をかなり容易に達成することができるのである。知識や文化が異なる場合でも，同様な結果が得られるのかどうか，ということを調査するのに，主として使用している研究アプローチがこの方法である。

　多義において，「科学的な哲学」の問題として，比較文化研究を主流心理学と関連づけて理解する必要性が出てくる。「科学的な哲学」とは，心理学において研究を行ない，また知識を生み出すために使われる方法の背後にある論理のことである。上述したように，仮説を確かめる場合，知識はその研究を左右しているのである。仮説の誤りを立証し指摘することのできるデータを集めるために，研究を行なうのである。どのような方法であれ，特定の要因を多かれ少なかれ含んでいるのである。たとえば，調査における被験者の特質や人数を決定するという方法もその一例である。比較文化研究は，異なった文化背景を有する人たちを調査に含めることで，方法論の中のパラメーター（変数）を変化させることでもある。

　「比較文化研究や調査のパラメーター（変数）を変えた場合，他の研究との間にはいったいどのような相違が生じるのだろうか」と不思議に思っている人も中には存在するかもしれない。科学的な哲学，実験方法や基準，あるいはデータの収集プロセスといったような要因が異なる調査方法の観点にたって，比較文化研究を理解しているのであれば，発見の「一般化（generalizability）」について誰でも必ず疑問を抱くようになるのは，ごくあたりまえのことである。社会経済的な階層，年齢，性別，住んでいる場所といったような被験者の文化的背景の相違だけではなく，被験者の性格の相違によっても変化は認められる。こういった変化は，心理科学の背後にある哲学に関連しており，非常に重要なものである。調査の意義および変数を計る方法比較と文化比較の間にある相違はきわめて大きく，「比較文化的なアプローチ」にもかかわっているのである。

　真理と知識に対する仮説の調査において，比較文化研究が主流心理学にもちこむ「比較文化的なアプローチ（または比較文化的観点）」は，単純な方法論の変化という領域をかなり超えている。これは人間の行動に関する事実と原理を地球規模，すなわち比較文化的観点に立って理解する見方である。広い意味においての比較文化研究とは，行動の類似性や相違だけを調査し人間そのものに対する知識の範囲を広げるといった存在だけではなく，異なった文化的背景を有する人たちも調査することによって，昔から伝わってきた知識の限界についても調査しているのである。一方，狭い意味においての比較文化研究とは，ただ単に異なる文化背景を有する被験者を対象に，異文化間での相違を調査することである。広い意味においての比較文化的なアプローチは「普遍的（つまりあらゆる文化，万人にとって真理であるということ）」，あるいは「文化特有／固有的（culture-specific）」真理や心理的な定義を理解することをいう。比較文化研究では，世界中どの文化においても類似しているまったく同じ発見を「エティック（etic）」とよび，一方で特有の文化にし

か見ることのできない発見を「エミック（emic）」とよんでいる。

確かに，万人にとって事実であるという真理もある。われわれはこうした真理を「普遍」とよんでいる。しかし，真理のほとんどは，文化によって真理であったり，真理でなかったりするのである。ある文化や社会的背景を有する被験者の調査結果が他の調査で反復されたとしても，同じように，別の文化や社会的背景を有する被験者すべてにあてはまるとは限らないのである。真理や原理は，必ずしも絶対的なものではない。というのも，文化関係や文化境界はこういった真理や原理に影響をおよぼしているからである。われわれの研究のみが方法や文化によって抑制されているのではなく，科学的な厳密さ，あるいは研究の質を評価する際に使われる配慮の基準さえも，じつは文化的な枠組みによって抑制されているのである。

米国では，心理学は医学，社会学，人間発達，また性格等の分野に分類されているが，比較文化心理学や比較文化的なアプローチはそういった分野に分類されていない。比較文化調査に従事する者は，知覚から言語，また子育てから精神病理学といった人間行動に関する幅広い現象に興味をもっていなければならないのである。また，発育から精神病理学や社会心理学といった人間の心理に関する分野や副分野においても，比較文化心理学者や比較文化研究は容易に見つけ出すことができる。比較文化的なアプローチが，伝統的あるいは主流のアプローチと異なる点は，多様な分野に関係しているということではない。むしろ比較文化的なアプローチによって得た知識が別の文化背景を有する人たちにとって真理なのか真理でないのか，または入手可能なものかどうかという調査によって，知識に対する実験の制限が出てくるという点で，他の伝統的あるいは主流のアプローチ（手法）と異なっているのである。トピック（論題）ではなく，アプローチが比較文化心理学において重要になってくるのである。

長年にわたって，比較文化研究は心理学の副分野ということで，真剣に考えられず積極的に受け入れられてはこなかった。むしろ，心理学の分野内においても，米国内の主流心理学からかけはなれた一般の人には理解しがたいような興味でもって，文化や少数民族を研究しようするごく一部の研究者の領域である，と比較文化調査は考えられてきたのである（ベタンコートとロペス：Betancourt & Lopez, 1993；グラハム：Graham, 1992を参照されたい）。

このような過去の事実にもかかわらず，比較文化研究ならびに比較文化心理学は過去2，3年の間に新たな注目を集めてきた。これというのも，文化の多様性や集団／グループの間にある関係，また米国においての増加しつつある多様性に，われわれが焦点を当てるようになったために，比較文化的なアプローチが注目されるようになってきたのである。文化間に存在する種々の問題や緊張，または心理学文献の限界が認識されるにつれて，心理学における比較文化的なアプローチの必要性がしだいに認知されるようになってきたのである。

それだけではなく，さらに広い意味で比較文化心理学への興味が増えつつある。これま

での真理と原理が正しいものかどうか疑問を抱くこと，またさまざまな文化背景を有した人たちのために，より正確な情報を与える方法を追求することは，われわれにとってごくあたり前のことである。心理学といった学問が成熟し，こういった疑問がもちあがるにつれて，かつては世界の万人にとって普遍的なものだと思われていた研究の多くが，じつは文化的境界があったということを，科学者や研究者は認識するようになってきたのである。社会科学，とりわけ心理学の分野における比較文化的なアプローチに対する重要性や認識が向上したことは，こういった文化的境界を認識しつつあることに関係している。こういった比較文化研究の多くは，人間行動の真理と原理におけるわれわれの理解に意味深い影響をおよぼしているのである。

比較文化心理学の研究において，2種類の手法がとりわけ有効で生産的だとされている。1つ目の手法は「ボトムアップ・アプローチ（bottom-up approach）（ベタンコートとロペス，1993）」である。この手法では，文化を調査する際に，研究者はまず心理現象に焦点を当てて調査を始める。その後，その理論を調査し，なおいっそうよいものにするために，他の文化についても調査を行なうといったものである。2つ目の手法は「トップダウン・アプローチ（top-down approach）」である。この手法では，研究者はまず行動に関する理論研究から始める。次にその理論の限界を実験したり，また領域の幅を広げたりして，文化のいろいろな側面を1つにまとめるのである。どちらの手法も比較文化心理学の分野ではよく使われており，異なる文化における人間の行動に対するわれわれの理解または知識に大きく貢献している。

比較文化的なアプローチから知識をまったく得ることができない場合でも，人間に関する莫大な情報はすでに展開されているのである。事実，社会科学の分野において，アメリカ人科学者，教授，または学生が真理だと判断した人間に関する情報は大量にある。社会科学の教科書の包括的な取り扱い方や，授業の中で取りあげられている内容を見直すことによって，心理学には学ぶべきことがたくさんあるのだということを，あらためて知ることができるのである。では，常に新しい情報が必要になってくるのは，どうしてなのだろうか。

その答えは，主流心理学における比較文化心理学の影響を理解するとわかる。一般的にその影響には2つある。第一は心理学的な知識と理論への影響，第二は応用（application）の原理への影響である。人間の行動に関する研究に異文化問題を併せ，今日，米国のあらゆる地域で真理として教えられている事柄について，基本的な疑問を抱くことがわれわれにとってきわめて重要となってくる。また，いかにしてこういった真理がわれわれの人生に介入しているのかといったような疑問を常にもつことも重要である。比較文化的なアプローチこそが，こういった疑問に，もっとも取り組んでいる存在なのである。

比較文化心理学の影響：多文化的観点をもつということ

　比較文化心理学は長年の間，心理学の副分野としてさかんであり，また心理学の知識に関する重要な情報の生産に貢献してきた。異なる文化を有する人たちの比較調査は今から約100年前に始まった。「比較文化心理学国際協会（International Association of Cross-Cultural Psychology）」は1972年に設立された。協会の専門誌「比較文化心理学ジャーナル」は1970年に初めて出版され，文化間の類似性または相違性に関する独創的な研究論文を多く掲載している。比較文化心理学の分野がより大きく，また幅広い文化の定義を受け入れるにつれて（第2章「文化の理解と定義」を参照のこと），文化の多様性に関する心理学研究の数はこれまでに類を見ないほどになってきたのである。すなわち，文化の多様性に関する心理学研究の数もますます増加しつつあり，そうした研究は心理学のあらゆる話題を網羅し，研究論文が主流研究誌や専門誌に掲載されているのである。こういった比較文化研究の増加が主流心理学におよぼす影響は，はかりしれないものがあり，前述した心理学における2つの目的「知識の創造」と「その知識の応用法」に関連しているのである。

心理学の真理：心理学における文化改革

　主流心理学を学ぶことによって得た知識だけではなく，比較文化的なアプローチの知識も自己の知識につけ加えるということが，きわめて重要である。というのも，われわれが今まで学んできた情報（あるいは，これから学ぶであろう情報）が，地球上にいるすべての人間にあてはまるものなのか，それとも同じ文化的背景を共有する一部の人たちにしかあてはまらないものなのかということを，比較文化研究や比較文化的なアプローチは示唆してくれるからである。「科学的な哲学」では，今まで学んできた（または，これから学ぶであろう）人間行動に関する科学のプロセスや真理の本質について，何らかの疑問を抱くことがわれわれの義務であるとしている。

　では，なぜ疑問をもち，その疑問に答えることがたいせつなのだろうか。その理由は明らかである。心理学によって得た知識は，ある限られた文化［または人種，民族，国民，性別，性的嗜好（sexual orientation）等］を有する人たちだけではなく，世界にいるすべての人にとって真理でなければならない。長年の間，教える側も教えられる側も，研究に基づいて構築された心理学の教材を「本当に万人に適しているのだろうか」という疑問を抱きながら使用してきたのである。心理学を教える人間は，理論やその理論を支持する研究を学び理解した後，それをそのまま学生に教えてきたのである。同様にして，学生は教師からそういった理論や事実を学び，ただ暗誦してきた。ここで問題になってくるのが，教師が万人に反映していないものであっても，じつは学生に教えてきたという点である。学生と教師はこうして，何年もの間，この問題に泣かされてきたのである。

　心理学の分野に携わっている教師，学生，専門家，とりわけ心理学の知識に関係のある

人なら誰でも，正確な知識を創造し，そうした知識を反映しなければいけないという義務がある。ある一部の人たちにとっての真理が，他の人たちにとっても真理なのかどうかといったような実験をくり返しながら，比較文化研究は万人にとって正確な知識を生み出すプロセスにおいて，重要な役割を果たしているのである。調査が産出したどんな知識であれ，またはその調査結果が例証したどんな理論や人間行動のモデルであれ，もしその知識が他の人たちにとっても真理であれば，多くの人間について正確だということが立証される。もし調査結果で，真理が相対的（ある人たちにとっての真理が，他の人たちにとっては必ずしも真理であるといえない）であると出た場合，こうした差異を理解してもらうために，われわれは理論を修正しモデルと知識を再検討する必要があるのである。

心理学者にとって，比較文化心理学の分野を喜んで受け入れることはけっして容易ではない。本書を読めばわかるように，現代心理学のどんな資料においても，研究の発見や文化的な相違点というのは，心理学のどの分野にも大きく普及しており，かつ普遍的なものとなっている。心理学者の理論を注意深く観察するという意味で，こういった文化的な相違は心理学者たちに焦点を当てているのである。人間の行動に関するさまざまな側面を概念化するのと同様に，多くの場合，心理学者たちは主要な部分で再検討をくり返している。結果として，文化が主流心理学にとって不可欠であり重要な要素となるにつれて，比較文化心理学が心理学の副分野としての立場から「文化心理学」という確立した分野へと進化を遂げるのだ，と多くの心理学者は考えているのである。

文化心理学の分野では，考え，気持ち，態度，意見，動機などの人間行動における文化的な類似や相違は本流となる理論の一部であり，単に興味深い副次的な理論ではない。概念の標準モデルとして，文化を理論的に組み合わせるには，最初の原型となる理論に多少手を加えるだけでよい場合もあるかもしれない。しかし，ほとんどの場合は，そうした理論の本質的な意味において，根本的かつ深遠な修正を必要とすることになるのである。

さらにわれわれが忘れてはならないのは，主流心理学に文化的な要素を取り入れるということは，あくまでも文化心理学へ向けての第一歩であるということである。というのも，現在の心理学や科学のほとんどが，欧米人の人間の心に対する考え，また欧米人の科学に対する考えに基づいて構築されたものだからである。科学的なプロセスや生産物（人間行動についてわれわれが理解している理論やモデル）はすべて，それら自身が境界線であり，由来や存在といった特定の文化的状況が制限しているものである。こういった理論やプロセスは，他の文化背景を有する人たちにもあてはまるのかどうか，という実験をすでに行なったかもしれないし，まだ行なっていないのかもしれない。学者の中には，「世界中にあるさまざまな文化をおのおの独特の心理学として結合すれば，心理学として１つにまとめることができなくなる」という理由で，「文化心理学は多文化心理学の方向に進むべきではない」と反論する者もいる（ガーゲン，グラーシィ，ロック，ミスラ：Gergen, Gulerce, Lock, & Misra, 1996）。しかしながら，比較文化心理学といった傾向を実際に必要とするのか，また世間が受け入れているのかどうかということにはかかわりなく，適切

な教授方法を模索したり，比較文化心理学的なアプローチを学んだりするという点で，主流心理学がこうした傾向を必要としているということは明らかである。

比較文化心理学から文化心理学への移行は，人間の行動におけるさまざまな側面を心理学者が理解しているかどうかという基本的な変化も伴うことになる。われわれは現在，まさにこの知識革命のまっただ中，それも心理学にとって，もっとも知的興奮をそそられる時期にいるのである。

自己の生活および他者との相互作用

上記にも提案したように，心理学を学んで得た知識が世界中の万人にとって正確であり適しているのかどうかを確証する義務が，心理学にはある。それは，人の生活に肯定的な影響をおよぼすという心理学の第二の目的を達成するためである。心理学者は，心理学で得た知識を人の生活に介入するために用いている。かといって，心理学における研究や理論は単に図書館の棚に並べられ，実際に生活している人間の中には見ることができない，といっているわけではない。実際，心理学を学ぶことにより得た知識を使い，多くの心理学者はカウンセラー，治療専門家（セラピスト），コンサルタント等として人の生活に介入し，基礎を形成しているのである。心理学の理論は人間の実生活に適応している（アミアーとシャロン：Amir & Sharon, 1988；ガーゲンら：Gergen et al., 1996）。心理学者は，いつも人の生活に触れつつ，常に正しい理論を追及しているのである。

異なる文化から来た人たちと接触する機会が増えるにつれて，われわれが信じている普遍的特性や文化的特性（われわれの信念の中にあるもの）について学ぶということが，ますます重要になってきている。さらにたいせつなことは，こういった普遍的特性や文化的特性を使って，他者と交流する場合に使う信条を形成することである。そうしないとダイナミックで多様化しつつある世界で，われわれは柔軟性のない人間になってしまうのである。

比較文化心理学で構築された内容は，はっきり言ってまだ完全な状態ではない。既存の心理学への比較文化的なアプローチの貢献の1つはその「プロセス（過程）」の中にあり，そのプロセスの中で疑問をもつということを育んでいる。「われわれが真理だと思っていることは，どんな文化背景を有するかにかかわらず万人にとって真理なのだろうか」，「いったい，どのような場合に相違は起こるのだろうか，またそれらの相違はなぜ起こるのだろうか」という疑問や，「たとえば，社会経済的な階級，遺伝，環境などといった，文化以外のどのような要素がこれらの相違に貢献しているのだろうか」というようなさまざまな疑問が，比較文化心理学には常に伴ってくるのである。

こういった疑問のプロセスや人間の行動に関する重要な疑問は，常に比較文化心理学の核心に存在している。疑問，懐疑心を心に抱くことや，比較文化的なアプローチがもっている好奇心の強い冒険好きな性格が，このプロセスを定義することになるのである。プロセスはその内容と同様に，学ぶ際にたいせつとなってくる。人間の毎日の生活をより効果的にするために，すべての文化を結びつけたり，発見された事柄すべてを学ぶことは，実

際のところは不可能なことである。ここでさらにたいせつになってくることは，比較文化的なアプローチを定義する上で，疑問をもつというプロセスを学ぶといういうことである。というのも，このプロセスを学ぶことによって生活におけるあらゆる分野に自らをもっていくことができるからである。

　まさに，このプロセスが批判的な考え方の一例なのである。心理学への比較文化的なアプローチは批判的思考（critical thinking）の延長としてじつは理解されているのである。このようにして，考え方の「技（わざ）」を上達させることによって毎日の生活，とりわけ増大しつつある多文化世界における毎日の生活を，向上させることができるようになるのである。

本書の目的

　米国における文化の多様性や異文化間での人間関係について考える時，自分が住んでいる州，都市，またはコミュニティーでの民族間または人種間の関係が，もっとも差し迫った課題としてあげられるであろう。米国という国は，現在まで単一民族国家を経験したことがない国である。それどころか，米国では人口・文化における多様性がますます増えつつある。この多様性は移民の傾向，技術的な進歩，増大しつつある地球経済，または社会的な相互依存など，多くの要素が絡み合った結果でもある。つまり，こういった多様性にとって，緊張や苦闘を共有するということは欠かせないのである。今日，大多数の大学において，人種，民族，文化などの問題・争いがグループ間でくり返されている。つまり，ほとんどの学生は自分たちに関係しているという理由で，米国における少数民族やグループ間の関係などに焦点を当て，文化の多様性について学びたいと願っているのである。本章の最後で，米国で行なわれてきた民族間における人間行動の多様性に関して行なった調査について論じることにする。

　本書は上述したような問題だけではなく，他の国や文化の調査についても焦点を当てている。また，世界の他の国々と関連づけつつ，米国やアメリカ文化の観点も説明している。同時に，こういったプロセスにおいて学んだ情報や原理を用いて，われわれは米国内の民族や人種をよりよく理解し応用することができるのである。他の国々と自分の国を関連づけて，自分の国の相違をより幅広く認識するということは，米国での集団・グループ間の関係を悪化させないということにもなり得る。自分たちの目の前で起こった問題はよく大きいと思いがちであるが，こういった問題は，世界中で起こっている問題のごく一部にすぎないのだとわかれば，自分たちが抱えている問題も小さいものだと思えてくるのである。

　多文化的な観点に立って，「文化の多様性や文化間で起こる争いに対処するといった特別な役割を自分たちは担っているのだ」ということに，米国民は気づかなければならないのである。他の国々に比べて，異なった文化を有する多様な人間が共存している米国は，

世界の縮図だといえるだろう。世界が直面している課題，問題，隠れた危険に米国は直面しているのである。われわれが現在直面している問題，または直面するであろう問題の多くは，他の国がこれから直面する問題でもある。どのようにしてわれわれがこの課題に取り組むか，ということは，われわれ自身の将来だけではなく，もっと大きい範囲である地球規模のコミュニティーの将来にも影響をおよぼすことになるのである。

　アメリカ人が比較文化研究または心理学に取り組むということは，すべての問題に対する解決策や，理想的な改革案を考え出すということではないということを認識しておく必要がある。文化を勉強することが即，自動的に文化的な争いを消滅させるということではけっしてないのである。そうではなく，文化や心理学を勉強することによって，理解力，または尊敬や感謝の気持ち，文化の相違が生じた時にそれに対する共感を得ることができ，またよりよい基盤をわれわれに与えてくれるということなのである。しかし，こういった相違を好きになることや，受け入れることはまったく別の問題である。

　比較文化研究には限界がある。集団・グループ間の民族的・文化的な相違を調査する研究は，一般的に比較文化という分類に含まれるとは考えられておらず，比較文化研究文献から分けて考えられている。このような文化の相違に焦点を当てるという政治活動が，じつは関連研究文献の同化をより困難にしているのである。比較文化研究において，アメリカ人をひとまとめにして，日本人やドイツ人と比較するという調査は，黒人対白人，ラテンアメリカ人対アジア人を比較する調査よりも容易に見つけたり，実施したりすることができるのである。アメリカ人をひとまとめにして，日本人やドイツ人と比較するという調査では，他の国の他の文化グループと比較することであり，アメリカ人は単一民族だと想定しているため，しばしば誤解が生じることになる。しかも，このような研究に参加する被験者たちのほとんどは，中流階級のヨーロッパ系アメリカ人なのである。

　こういった問題がゆえに，われわれは人間の行動における真理の追求をけっしてあきらめてはならないのである。文化の限界を伴った既存の研究から得ることのできるものはすべて取り入れ，行動に移す必要があるのである。限界や情報が生まれてきた要因を知り，いかにしてその情報が基礎を築き上げ，より筋の通った構造になってきたかということを知る必要があるのである。

　本書を読んで学んでもらいたいのは，現在あるものに対して挑戦するということである。（しかし，これは今までの調査の重要性を軽視するものではけっしてない。）既存の資料や調査を軽視したり無視したりすることは馬鹿げており，そんな人間には学問を続ける資格はないと思っている。そうではなく，人間の行動に関する伝統的でかつ主流と考えられている知識の体系に疑問を投げかけたいのである。われわれが知っている組織，発展，個性，感情，コミュニケーションは，世界中の万人にあてはまるのかどうか，ということを知りたいのである。比較文化研究文献をもって，これらの疑問に対する答えを探し出し，伝統的なるものに挑戦したいのである。万が一，われわれの研究によって，「人間は一般的に信じられていることとは実際には異なる」ということがわかれば，その相違を理解する既

存の方法よりも，よりよい方法を見つけたことになるのである。つまり，科学や知識における進化に影響をおよぼしたいのである。

　文化の多様性と人間の行動に対する文化の多様性の影響を理解し，感謝し，敬い，感じるための方法の1つとして，本書を書いている。本書には，正しいとか正しくないということは，いっさい書いていない，また，良いとか，悪い，ということもいっさい書いていない。他の人について学ぶということは，文化の多様性に対する課題に向かい合うということであり，われわれにとって最大の課題は，自らの中に存在しているのである。

第2章
文化の理解と定義

● 文化を定義することの重要性

　主流心理学における理論や実験，さらには社会科学の他の分野においても，文化に対する関心が高まっている。前章「比較文化心理学への導入」で述べたように，近年になって文化は，心理学者が直面しているもっとも重要で差し迫った問題の1つになってきた。残念ながら，専門家でない一般人と同様に，心理学者の多くも，言語，文化，人種，民族といった用語をあたかも同じ概念を示すことばであるかのように，すべて同じ意味で使用しているのが現状である。異民族について語る際に，人はよく文化という用語を使う。しかし，言語，文化，人種，民族といったことばははたしてすべて同じ概念について述べている用語なのだろうか。意味が重複する部分も確かにあるだろうが，こういった用語と概念の間には重要な相違も存在するのである。よって，言語，文化，人種，民族といったことばの間にある相違点について認知しているということが，比較文化研究および比較文化研究が心理学の知識におよぼす影響を明瞭に，かつ，より詳しく理解するという点で，重要なのである。

　人間の行動における文化の影響について学ぶ前に，まず「文化」という用語の意味について論じることが重要である。心理学における調査や理論を通してみられる相違は，多くの場合，理論的，あるいは説明的な概念だけではなく，実験上での概念としても文化という用語の使い方に変化をおよぼしているのである。明確，不明確であるかにはかかわりなく，文化が人間生活におよぼしている影響を研究者がどのように見ているかということが，最終的にその研究者の定義する文化に影響をおよぼすことになるのである。実のところ，そういう私自身も例外ではない。したがって，本書の中で異文化に関する教材を紹介する際には，バイアス（偏見）や「文化」ということばを明確にすることが，著者である私，

マツモトにとっても必要不可欠なのである。

　本章では，大部分において，こういった相違はいったい何なのかということについて論じることになる。初めに，日常的なことばにおいて，「文化という用語をどのように使用するようになってきたのか」ということを考察し，次に文化という用語が言及している生活の幅について評価する。

　その後で，過去にあった文化の定義を考察しつつ，本書で用いる文化の定義について論じる。われわれの「文化」の定義と「人種」「民族」「国籍」を比較し，とりわけ社会的構成概念における心理学的な類似性や相違を理解するという点で，「文化」によってこういった用語が重要となっていることを示唆する。ここでわれわれが示唆することとは，文化によって性別，性的嗜好，身体障害といった構成概念を理解することができるようになる，ということである。本章の後半では，文化の側面を測る際に心理学者が使ういろいろな方法，またそういった測定技術が，理論や実験に対してどのような意味をもっているのかということについて論じる。そして最後に，他の要素とともに文化が心理学におよぼしている影響力について論じることにする。

■ 日常言語における「文化」という用語の使用

頻繁に使われる用語「文化」

　「文化」という用語を，われわれは日常言語や日常会話において，さまざまな方法で使用している。前述したように，「文化」という用語を時に，人種，民族，または国籍という意味でも使用している。例として，よくアフリカ系アメリカ人を「アフリカ系アメリカ文化出身」と言ったり，中国人に対して「中国文化出身」といった具合に言ったりする。さらに，音楽，芸術，食べ物，衣服，しきたり，伝統や文化的遺産における風潮を反映するためにも，「文化」という用語を使っている。手短かに言って，身体的または生物学的な特徴，行動，音楽，踊り，その他の活動というように，人間に関するさまざまな特徴を表現するために「文化」という用語を使っているのである。

　クローバーとクルックホルン（Kroeber & Kluckholn, 1952），そして後年，ベーリー，ポーティンガ，シーガル，ダーセン（Berry, Poortinga, Segall, & Dasen, 1992）が文化という用語の使い方を下記のように6通りに分類した。
　①「記述的な」使い方は，文化に関する異なった種類の活動や行動を強調している。
　②「歴史的な」定義は，ある集団に属している人間に関する文化的遺産や伝統のこと。
　③「標準的な」使い方は，文化に関する規則や規範を記述している。
　④「心理学的な」記述は，文化に関する学習，問題解決および文化と関連した諸々の行動学的アプローチを強調している。
　⑤「構造的な」定義は，文化の社会的，あるいは組織的な要素を強調している。

⑥「遺伝子学的な」記述は，文化の起源のこと。

　活動，行動，行事や生活構造について述べたり説明したりするために，「文化」という概念や用語を幅広い範囲で使っていることは，上記の分類から明瞭である。

　重要なのは，こういった「文化」という用語の異なった使い方は，アメリカ英語にはあてはまるかもしれないが，他の言語には異なった意味が存在するかもしれない，という可能性を認識しておくことである。上記のような方法で使われているということは，すなわち，過去数年の間に米国において「文化」がますます注目を集めてきたということを意味しているのである。学校や職場など日常生活のあらゆる場面で，文化の多様性や多文化性について話し合う機会がアメリカ人には頻繁にある。しかし，だからといって，他の文化から来た人たちもアメリカ人と同様に，文化を考察しているとは限らないのである。たとえば，日本文化というと，「文化」ということばに関連づけてわれわれアメリカ人が通常思い浮かべる文化の側面ではなく，日本人はむしろ華道や茶道を思い浮かべるのである。こういった点を考慮すると，われわれアメリカ人が理解し定義している「文化」は，世界の産物であると同時に，アメリカ生活やアメリカ科学の産物でもあるということが理解できるのである。

　世界中のどこの国民も文化をもっている。本書を通して，文化について学ぶ際に重要になってくるのは，本書に書かれている文化に対する見解はあくまでも1つの見解であって，他の文化では異なった見解があるかもしれないということを知っておくことである。文化や文化の相違に関する調査は，ここ数年の間に，米国内でますます注目を集めてきている。文化に対する見解や調査は，他の文化に影響されておらず，かつ普遍的なものであるべきなのである。しかしながら，文化や行動における文化の影響を概念的に理解する方法は，そのすべてが，ある特定の見解から由来しているのが現状であり，その特定の見解が，じつは，アメリカ人の考え方や科学に基づいたものである，ということを，しっかりと心に留めておく必要がある。

　われわれは日常生活で「文化」ということばをいろいろな意味で使っている。したがって，混乱や曖昧さが出てくるのは不思議なことではない。「文化」ということばが使われている生活のあらゆる側面を見つめることによって，文化の複雑な性質をよりよく理解することがきっとできるようになるだろう。

文化に影響されている生活の側面

　文化ということばを異なった方法で使っているのは，文化が日常生活のあらゆる側面に影響をおよぼしているからである。初期の研究で，マードック，フォード，ハドソン（Murdock, Ford, & Hudson, 1971）は，文化が何らかの形で関連している生活の側面を，79の異なる側面に分類した。このリストは後にバリー（Barry, 1980）が再整理し，8種類に分類し1992年に公表した。その8種類とは，①一般的な特徴，②食と衣服，③住居と技術，④経済と輸送，⑤個人活動や家庭活動，⑥地域社会と行政，⑦福祉，宗教，科学，

⑧性と人生の周期，である。

　こういった幅広い分類によってわかることは，文化とは複雑な概念であり，日常生活のあらゆる側面で存在しているものだ，ということである。これらの分類の中には食や衣服のように物質的なものもあり，また，たとえば，行政機関や地域構成など社会的，かつ構造的なものもある。他にも，個々の人間の行動や生殖作用および宗教や科学といったような組織活動もある。

　幅広い意味で言えば，本書，大学の授業，あるいは研修で学んだ文化といったように，どこか１つのところで学んだ文化というものをそのまま鵜呑みにしてはならないのである。文化とはいったい何なのか，われわれの生活にどういった影響をおよぼしているのか，ということを読者の皆さんによりよく理解してもらえるように，著者としては努力するつもりである。しかし，同時に読者の皆さん自らも，文化の幅広さ，範囲，巨大さについて認識し許容する義務があるのである。本のある一部分だけを使って，文化について書くことはとうてい，不可能なことであり，また大学の一学期間で文化について学ぶことも不可能なのである。文化は独自の豊かさと複雑さによって，巨大なものとなっているのである。

一般人のもっている文化の概念

　日常生活で人が文化について理解し話し合うということは，文化が複雑で豊かだということをまさに反映しているのである。マツモト，カスリ，ミリガン，シン，テ (Matsumoto, Kasri, Milligan, Singh, & The, 1997) の最近の調査では，大学生340人を対象に①文化ということばの定義，②自分にとって，もっともたいせつな文化のリストとその理由，③態度，信条，意見および文化を論証するのに使っている活動のリスト，④知っている他の文化のリストとその理由，を提出するように依頼した。回答はすべてもっとも基本的な要因にまとめられ，その結果，そうした回答が被験者の数と同じだけ変化に富んでいることが明らかになった。最終的に，まとめた要因を頻度の高い順に分類した例をいくつか以下に記す。

- ・信条　・表現力　・人種／民族
- ・特徴　・家族　・宗教
- ・結合　・歴史　・規則
- ・相違　・趣味　・類似性
- ・教育　・アイデンティティ（Identity）・下位（従属）グループ
- ・環境　・人

　文化ということばを定義する際に，被験者がいちばんよく使っていたのが表現力，その次は歴史や信条であった。しかし，「自分にとって，もっともたいせつな文化とは何か」という問いに対しては，人種をよく使っており，また自文化の態度，信条，意見，活動や特徴については，信条，表現力，宗教，家族をよく使っていた。さらに，他の文化に関して説明する際には，人種をもっとも多く使っていた。

こうした結果が示唆しているのは，人は文化を多様に理解していること，また本章でここまで論じてきたのと同様に，日常生活のあらゆる側面で，理解しているということである。人種を文化の一般的なレッテルとして使っていることもわかった。人種と文化の間には確かに重複するものがあるとは思うが，人種と文化は必ずしも同じものではない。このことについては次に論じることにする。

抽象概念としての文化

では，どうしたらわれわれは文化をよりうまく扱うことができるようになるのだろうか。文化は，あらゆる面でわれわれの人生や生活に影響をおよぼしている。だからといって，そういった影響が目に見えるのかといえば見ることはできないし，感じることができるのかといえば感じることもできない。文化とは，実際には見ること，感じること，聞くこと，味わうことができない存在なのである。われわれが有形として見ている文化とは，実際は文化それ自体ではなく，活動，考え，また儀式や伝統などを行なう上で生じる行動における相違なのである。つまり，われわれは文化の顕在性を目で見ているのであって，文化そのものを見ているわけではないのである。

例として，あいさつの仕方による文化的な相違に焦点を当てることにしよう。アメリカ文化では，人とあいさつする際には握手するようにと学ぶ。握手はアメリカ人の多くにとって儀式的かつ自動的なものとなってしまっている。しかし，他の文化から来た人間の中には，軽くお辞儀をしてあいさつする人たちがいる。また腰から深くお辞儀をするようにと習う文化や，眉を動かすだけという文化も存在する。こういった行動や異文化の顕在性を目にする機会は多々あるが，文化そのものを見るという機会は，けっしてないのである。文化的な相違がこういった行動の背後に存在するということや，文化が異なると行動も異なるということを，われわれは推測することができるのである。上記で述べたあいさつの例のように，行動に相違があるという理由を説明するための概念として，文化を使っているのである。

こういった意味で，文化は抽象的な概念であるということがわかる。同一集団内における個々の類似性および異なった集団間の相違性を説明するために，われわれは文化という概念を引き合いに出す。そして同一集団内における類似性と集団間における相違性を区別し理解するために，説明的な構成概念として文化という概念を使っているのである。これは理論的，あるいは概念的な方法である。この方法によってわれわれは行動の理由を容易に理解することができるようになり，また異なった集団に属する人たちの異なった行動も説明できるのである。つまり，文化は，抽象的な概念を説明するための単なるレッテルに過ぎないのである。

周期的で活発な文化の性質

他の多くのレッテルと同様，文化にも命がある。同一集団内における類似性や集団間に

おける相違性によって，文化が抽象的な概念だということがわかるように，類似性や相違性に対する理解を深めながら，抽象的概念は行動に戻ってくるのである。どんな方法で文化を理解したとしても，文化は行動における類似性や相違性に対する理解を深めながら，普及している。また，実際の行動と文化としてわれわれが理論的に理解しているものの間で，文化は相互利益を周期的に生み出しているのである（図2-1を参照のこと）。

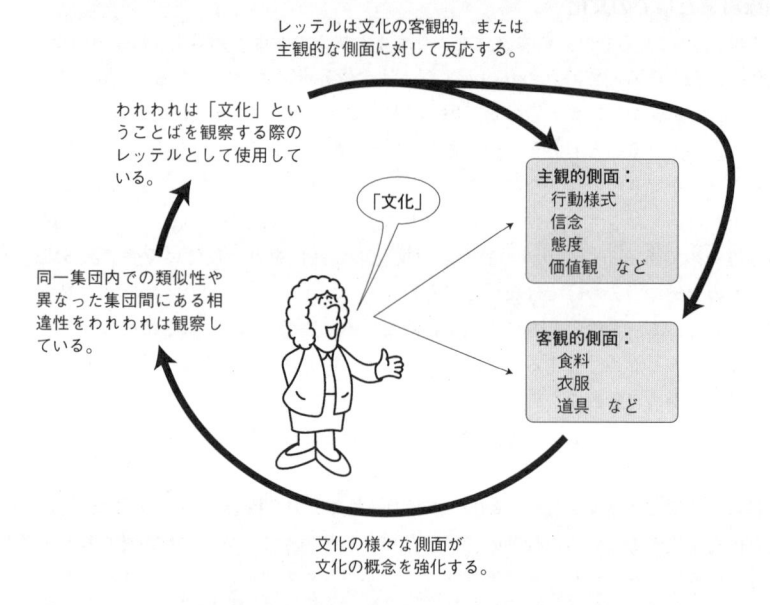

図中のテキスト：
- レッテルは文化の客観的，または主観的な側面に対して反応する。
- われわれは「文化」ということばを観察する際のレッテルとして使用している。
- 同一集団内での類似性や異なった集団間にある相違性をわれわれは観察している。
- 「文化」
- 主観的側面：行動様式／信念／態度／価値観　など
- 客観的側面：食料／衣服／道具　など
- 文化の様々な側面が文化の概念を強化する。

図2-1　相互利益の周期：観察／レッテル化／反応／強化
レッテル化された文化は，本当の文化になり，レッテルを強化することになる。

「昔からそうしているから」とか「そうすべきだから」という理由で，しなければならないと教わってきた行動に対して，こういった相互利益の関係はなぜしなければならないのかという理由をはっきりと説明してくれる。「昔からそうしているから」という理由で，ある特定の方法，作法，順序，食器で，ある食べ物を食べることを学ぶのは，文化の抽象的な概念がいかにして行動に影響をおよぼしてきたか，という一例にすぎないわけであり，こういった行動を行なうということは，文化をさらに確固としたものにするということとなり得るのである。このようにして，文化と実際の行動は親密な関係を有しているのである。本書全体を通してみることができるように，文化とは抽象的で理論的な概念であり，人の上に座し，人の行動に神秘的な影響をおよぼしている存在なのである。人間が創造した説明的な概念として，文化は人間の行動と身近な関係を共有しているのである。

このような理由で,「行動の変化＝文化の変化」ということが言える。今まで説明してきたように,文化とは実際の行動を説明するために人間が生み出した概念である。したがって,行動と文化の間に生じる食い違いは両者の関係を緊迫状態にし,しばしば文化それ自体にも変化をおよぼすことになるのである。人生の途中で人の行動が少し変化するように,これらの変化は人間自身や同世代の人間の文化にも変化をおよぼす可能性がある。若者と老人との間に存在する行動の差異は,確かに両方の文化における相違の現われであり,この差異が「世代間の相違－ジェネェレーション・ギャップ（generation gap）」の一因となっているのである

じつは,文化が規制している行動と文化の抽象的な概念の間には,常にある程度の食い違いが存在する。つまり,文化が規制している行動と実際に起こる行動には,一対一の対応は存在しない。その代わりに,行動と文化の間には両者の身近で親密な関係にもかかわらず,ある種の小さい食い違いが常につきまとっているのである。このようにして,この関係にはいつも活発な緊張状態がつきまとう。抽象的な概念や主義として,文化が活気のない存在になることはけっしてないのである。文化はいつも活発で変容し続けるものであり,実際の行動との間の緊張した関係の中に存在しているものである。事実,構成体としての「文化」と文化が命令する「行動」の間にある緊張の程度は,文化それ自体にとっても重要な要素になるかもしれない。文化によって高い緊迫状態にあったり,かなり低い緊迫状態にあったりするのである。この緊迫状態の程度の相違は,ペルト（Pelto, 1968）が区別した「緊迫社会 対 緩和社会」に関連している。

文化の定義

過去の定義

これまで100年以上かけて,多くの学者が自らの分野での文化の定義を明確にしてきた。これらの定義の間には多くの類似性がある一方で,重大な相違も存在する。たとえば,今から100年以上前にタイラー（Tylor, 1865）は,文化を「ある社会の一員として学んだ能力と習慣のすべて」と定義した。リントン（Linton, 1936）は文化を「社会的な遺伝」と定義し,一方でクローバーとクルックホルン（1952）は,「人工的に作られた物が具体化したものであり,人間集団の達成を構成し,象徴（シンボル）によって習得,かつ伝わってきた規範や行動」と文化を定義した。ローナー（Rohner, 1984）は,「特定の人間集団が維持し,世代から世代へと受け継いできた,（社会）学習によって学んだ意味をもつ事柄の補足,集合体」と文化を定義した。トリアンディス（Triandis, 1972）は,道具などの客観的な文化の側面と,言語,共有する信条,態度,規範,役割や価値観などの主観的な文化の側面とを比較した。この分類はまたクローバーとクルックホルン（1952）の「明確な文化,不明確な文化」の概念に関連している。この分類については本章の後半で述べ

ることにする。ジャホダ（Jahoda, 1984）は文化を「描写的な用語で，規則や意義だけではなく行動も表しているもの」と主張した。「人格」ということばで文化を定義した学者（ペルトとペルト：Pelto & Pelto, 1975；シュワルツ：Schwartz, 1978）もいれば，「個人を超越し共有している象徴（シンボル）」と定義した学者（ゲアーツ：Geertz, 1973）もいる。ベーリー，ポーティンガ，シーガル，ダーセン（1992）は「ある1つの集団に属している人たちが単に共有している生き方」と文化を定義した。

　ポーティンガ（Poortinga, 1990）が提示した文化の定義は，きわめて興味深いものであるが，一風変わっている。人間がさまざまな状況下で行なう行動の数というものは無限であるものの，実際に行なう行動というものは限られている。ポーティンガは，人間の行動における規制の原因が外発的なものか内発的なものか，あるいは遠因によるものか近因によるものかということを区別した。内発的な規制に繋がるメカニズムの中でも，遠因によるものには遺伝子による伝達があり，近因によるものには文化的伝達がある。同様にして，外因的な規制に繋がるメカニズムの中でも，遠因によるものには生態学的，社会経済的，歴史的な行動があり，また近因によるものには状況的な行動がある。こうした要因を理論的背景として，「共有された規制の中に顕在する，他の集団の構成員とは異なり，ある社会文化的な集団の構成員だけがもっている行動のレパートリー」として，ポーティンガは文化を定義した。

　こういった例が示しているように，文化を定義したり表現したりするために，さまざまな試みが現在まで行なわれてきた。おそらく，理論家や文化の研究者の数と同じだけその試みの数はある，といっても過言ではないだろう。サーディン，ハッチェマーカー，ヴァン・デ・ヴィヴァー（Soudijn, Hutschemaekers, & Van de Vijver, 1990）は，文化間での共通の属性を見つけるために，128種類もの文化の定義を分析した。この分析は，各定義における意味上の要因を5つ明らかにした。5つの要因を1つの繋がった定義とみなすのではなく，文化の研究に従事している者は，各自が関心をもっている文化の側面に焦点を当て，自由に強調してもよいと，これら3名の研究者は主張している。

本書における文化の定義

　文化は計り知れないものである。それゆえに，さまざまな文献を用いた研究，比較化問題に関する独自の研究プログラムなどに対して，これまで私マツモトが選択してきた手法も多様なものとなっている。異なった分析レベルから個人個人の文化的影響を理解するために，もっとも適切な文化の定義を，本書では1つ採択することにした。さまざまな「要因」（「規制」といった方がより適切かもしれないが）を用いても，文化という概念を正式に定義することはかなり困難である。本書における文化の定義は下記の通りである。「各規則におけるダイナミック（活動的な）システムであり，明確なものや暗黙のうちに了解されているものがある。各集団が自らの生存のために作りあげてきたシステムで，態度，価値観，信条，規範，行動などに関連している。集団内で共有されてはいるが，同じ集団

内でもその中に存在する各単位（集団をさらに分割した下位群）ごとに異なった解釈がされている場合もある。次世代へと伝えられていき，比較的変化しにくいものではあるが，時代とともに変化する可能性もある」。

それでは，主要な構成要素ごとに分類して，この定義を考察することにしよう。

■ダイナミック（活動的）　文化が表現している行動と文化の抽象的概念の間には，ある程度の食い違いが必ず存在するものである。というのも，主流であるものを一般的だと見なす傾向があるからである。万人が行なう行動のすべてを，説明できる文化は存在しないのである。行動と文化の関係は密接であるにもかかわらず，必ずある程度の小さい食い違いが生じるのである。前述したように，この食い違いが行動と文化の関係にダイナミック（活動的）な緊張感を与えることになるのである。こういった意味においても，文化は静的な存在ではなく，常にダイナミック（活動的）で変化し続けるものであるということがわかる。実際の行動とともに，緊張した関係の中に存在することによって，文化を説明したり，予期したりすることができるのである。事実，こういった緊張感は，文化それ自体にとっても重要な側面なのかもしれない。文化の中には，緊張感の高いものもあれば，比較的低いものもあるのである。

■規則システム　文化とは行動，規則，態度，価値観など1つひとつのことをいっているのではなく，こういった構成概念をすべて集結したものなのである。つまり，トリアンディス（1994）が述べたように，文化とは分離しているが相互に関係している心理的な構成要素の集合体，すなわち「症候群（シンドローム）」のようなものなのである。症候群というよりも，じつは，「隠喩システム（metaphor system）」といった方が好ましいのかもしれない。「隠喩システム」は機能に焦点を当てており，構成要素間に存在する多数の関係のことである。症候学の病原菌と同様に，症候群とは中核となる要素とそこから生じる顕在性を意味しているのである。

■集団と単位（さらに分割された下位群）　集団に属している個々のメンバーや，またはその集団よりもさらに大きな集団に属している個々の集団の中に，文化は多様なレベルで存在している（例：企業）。この定義は，多様なレベルにおける分析に適していることがわかる。たとえば，ある集団に属している個人の場合，単位とはその集団内におけるそれぞれの集まりのことであり，文化という用語を使う上で，もっとも一般的なものであろう。たとえば，大企業の中にはさまざまな部門や課がある。公（おおやけ），または暗黙のうちに了解されているものといった規則システムがあり，そのシステムが企業の組織的な文化を構成している。ここでいう集団とは企業全体のことであり，また単位とは各課や各部門のことを意味しているのである。

■生存　各集団が確実に引き続き生存してゆくために，文化を構成している規則システムは存在する。集団内の各単位が互いに共存し，無秩序な状態（大きな混乱）が起こらないようにするために，こういった文化規則が社会的秩序の枠組みを与えているのである。各集団や各単位に願望や希望を抱かせ，かつその集団が生き残るという必要性のバランス

を保ちながら、より大規模な社会背景や資源の下で、相互的な生き残りが起こるように、こういった規則は配慮しているのである。この概念は、行動の規制の際に述べたポーティンガ（1990）の定義に関連している。

■**共有**　共有とは、同じ集団に属している個々人が、同じ価値観、態度、信条、規範や行動をもっていることである。これは、必ずしも身体的な意味での共有ではなく、むしろ心理的な共有を意味しているのである。

■**態度，価値観，信条，規範，行動**　本書での文化の定義は、道具、家、食器、その他の物質的なものを共有することを言っているのではない。もちろんそうした物質的なものが文化のなごりであることに対して、異論の余地がないことは明白である。また、肌の色、顔の造作といった身体的、あるいは必然的に識別できる特質などや、国籍または地域や地方の居住空間を共有するといったことも、本定義では述べていない。むしろ、思想、態度、価値観、信条など、その文化に属している個々の人間の中に存在する「ものの考え方」を共有している、と述べているのである。こういった「ものの考え方」は、個々の人間の心の中に存在しているだけではなく、個人という枠組みを超えて社会的意識としても存在しているのである。こういった共有している行動は、目に見えるものである。共有している文化的価値観、規範があるがゆえに起こる日常の習慣的行動、また一般的、自動的な行動のパターンに、共有している行動を見ることができる。客観的な側面とは異なり、これらの要素が集結して文化の主観的な側面（トリアンディス，1972）を構成しているのである。客観的な特質の重要性を減ずることなく、行動における文化の影響を理解する上で、主観的な要素はより重要になってくるのである。

■**（集団のさらに分割された下位群である）単位間における解釈の相違**　前述したように、一般的に「文化」という用語は、ある集団の中の各単位において主流となっている傾向、または平均的な傾向を表現したものである。かといって、必ずしもその集団内にあるすべての単位の各側面をすべて正確に表わしているわけではない。各単位は、それぞれ異なった文化の価値観、信条、行動等をもっている場合もある。どれだけ文化に固執し従うかによっても、相違が生まれるのである。文化内における個人個人の相違を認識することは、ステレオタイプ（固定的概念もしくは固定観念）の限界を理解する上で基本となってくる。これは、ペルト（1968）の「緊迫社会 対 緩和社会の分類」に関連している。

■**次世代へと伝えられていき，比較的変化しにくいもの**　とつぜん現われ、すぐに消えてゆく「一時的流行」には寿命があるが、一時的に多くの人たちに共有される場合もある。本書では、一時的流行を文化とは考えない。文化とは永続性や規則性のあるシステムであり、集団内の単位が互いに共存する上で、とりわけ重要になってくるものなのである。システムにおいて重要で中核となる要素は、1つの世代から次の世代へと継承され、比較的変化しにくいのである。この問題については、文化と大衆文化との間の相違について論じるときに、より詳しく述べたいと思う。

■**時代とともに変化する可能性**　比較的変化しにくいものである文化も、けっして静的

な存在ではない。前述したように，文化はダイナミック（活動的）な存在であり，常に行動，態度，価値観，信条，規範との緊張関係の中に存在している。集団内の単位はそれぞれ時代とともに変化してゆくものである。文化を構成している要素との相互関係の中に文化は存在している。その相互関係の中にある緊張によって，文化が時代とともに変化する可能性が出てくるのである。ある文化システムが，その集団の主流で一般的な傾向でなくなったとき，変化は避けられないものとなるのである。過去30年以上もの間，他の文化（例：日本）同様，アメリカ文化におけるダイナミックな変化もわれわれは目撃してきた。また，旧東欧，ソ連地域の文化に多く起こっている変化も，われわれは今現在，目撃しているのである。

　本書の定義は，過去にあった他の文化の定義に類似している点が多々ある。とりわけ心理的特質や特性の共有および次世代へ文化要素を受け継ぐという点で類似している。もちろん，本書の定義と過去の定義との間には相違点もある。その相違とは，本書の定義では個々の集団の文化について述べているだけではなく，集団の中にある各単位の文化についても述べているところである。こうすることによって，家族の中の個人，地域社会の中の各家族，地方の中の各地域社会，国家の中の各地方，あるいは課の中の個人，部の中の各課，組織体の中の各部，国際共同体の中の各組織といったように，社会構造や多様なレベルの組織に存在する文化を理解することができるようになるのである。文化を個人，集団，社会構造といったようにさまざまなレベルで分析することができるのである。
　文化の定義は不明瞭である。なぜなら，「文化とは何か」とか「その文化に誰が所属しているのか」といったことを，どのようにして確定するかという決まった規則がないからである。そういった意味においても，文化とは社会心理的な構成概念であり，かつ価値観，態度，信条，行動といった心理的現象を共有するものだということがわかる。上述したような心理的現象を共有しているかどうかによって，同じ文化の一員かどうかということを定義することができるし，また，こういった現象が存在しないことによって，ある文化の一員を別の文化の一員と区別することができるのである。

どういった要素が文化に影響をおよぼしているのか

　個人や集団の必要性に見合った資源とともに，必要性のバランスを保ちながら，文化は集団や個人が確実に生き残れるようになっている。これは，少ない資源と技術しかない原始的な文化について語る場合も，あるいは現在，世界のいろいろな国にある近代都市社会について語る場合にも，どちらの場合においてもあてはまる事実なのである。生存をかけての必然性という状況の下で，文化の手助けとは，生存に必要な資源，すなわち行動様式，態度，価値観といったものを最大限に生かしながら，同時に取捨選択してゆくことなのである。ポーティンガ（1990）が示唆しているように，無数の行動レパートリーの中からある特定の行動様式に焦点を当て，また資源や環境の有効性を最大限に活用するため，限ら

れた取捨選択に常に注意を払うように，人間は文化の助けを受けているのである。

　調和を保つように影響をおよぼしている要素はいくつかあるが，すべての要素が異なった方法で文化に影響をおよぼしている。たとえば，これらの要素はそれぞれの文化がもっている性質に影響をおよぼしている。天然資源がまったくない土地では，生き残りのために集団内でのチームワークや集団精神が生まれる。その一方で，豊富に資源がある他の集団との相互関係も同時に促進されてゆくのかもしれない。このようにして，チームワーク，集団精神，相互依存を補う形で特定の心理的性質や特質が自然に育まれてゆくのである。反対に，資源が豊かな土地にある社会では，集団内における上述のような価値観や態度をもつ必要性が少なく，そうしたことはあまり重要ではないのかもしれない。

　人口密度もまた文化に影響をおよぼしている。人口密度が高い社会では，効果的に社会が機能するために，質の高い社会秩序が必要とされる。こういった社会では，人口密度が比較的低い社会に比べて，階級組織や集団主義が多くみられるのかもしれない。これもまた文化を構成する自然心理における影響の一例である。

　富も文化に関連している。富はホフスティーデ（Hofstede, 1980, 1983）の「個人主義」として知られている文化の要因だけではなく，ウォールボットとシェラー（Wallbott & Scherer, 1988）の「情緒性」の中にある国民性にも関連している。社会がより豊かになるにつれて，資源を手に入れる可能性がより大きくなり，他者に対する依存性はより小さくなるのである。結果として，文化を構成するこの種の心理的特質が自然に育まれてゆくのである。

　技術も文化と関連している。たとえば，携帯電話，電子メールといったコミュニケーション技術は，それそのものがコミュニケーション文化を作りあげている。コミュニケーション文化内での相互作用や個人間で取り交わされる約束に対する規則は，かなり急速に変化しているようである。コンピュータが普及し，われわれ人間は他者に依存したり，同僚とやりとりしたりする必要性が少なくなり，1人で独立して働けるようになった。こういった変化は，心理的な機能性や行動性に変化をもたらし，結果的に，文化にも変化をもたらすことになるのである。

　気候もまた文化に影響をおよぼしている別の要素である。赤道近くの蒸し暑い社会や熱帯地域は，夏もあれば冬もあるような四季がはっきりしている赤道から遠く離れた社会とはまったく異なる独自の生活様式をもっている。気候における相違は衣服，食物，食べ物の貯蔵法，健康管理（暑い気候では，伝染病や寄生虫に感染する可能性が高い）等に影響をおよぼしている。熱帯地域に住んでいる人たちはいくぶん無気力で，日中の気温の変化にあわせて，自分たちの住居内や日陰で毎日行動しがちになるのかもしれない。また反対に，北極や南極近くに住んでいる人たちは，日光が出ている時に活動的になるのかもしれない。これらの要素はすべて，上記のような地域でおのおのの文化をもって生活している住人，1人ひとりの心理状態に影響をおよぼしているのである。

　再度くり返すことになるが，文化とは静的なものではなく，活動的な存在である。生存

(生き残り)を促進するために人はシステム(規則)を共有している。そういった共有システムはその文化を構成している個人や集団の必要性に合わせ，常に変化するべきものなのである。システムが変化するとともに，システムの心理的影響も変化するのである。

「個人としての文化」と「社会的構成概念としての文化」

　ある集団の文化について語る時，われわれはその文化が単一でまとまったもので，その集団に属しているメンバー全員にあてはまるかのごとく語りがちである。われわれがよく起こす過ちは，たとえば，中近東の文化を語る際，心理的特色，性質，行動様式に関して，中近東出身の人は全員が総じて均質だと決めてかかることである。比較文化研究においても同じような過ちがみられることがある。ある調査でアメリカ人，ブラジル人，プエルトリコ人を比較するとしよう。その背景には必ず，各集団内にいる1人ひとりの人間は，総じて均質だという暗黙の仮説が存在するのである。このような仮説が，真実かどうかといったことを疑う余地はほとんどないわけである。つまり，文化は，その文化を構成している集団の全員に対してあてはまるものだ，と定義してしまっているのである。本書における文化の定義においても，文化とは人にとって不変で単一のまとまった概念だと示唆している。しかし本書で用いる定義では，同時に，文化とは社会的構成概念であると同様に，個人的で心理的な構成概念だとも示唆しているのである。広い意味では，文化は世界的，社会的構成概念として存在すると同様に，われわれ1人ひとりの中にも存在している，ということなのである。態度，価値観，信条，行動といったものを，各個人がどの程度共有しているかという中に，文化における個々の人間の相違を観察することができるのである。共有の価値観や行動に従っている人の中には，文化は存在しているのだが，反対にそういった価値観や行動に従わない人は，その文化を共有していないということができるのである。

　文化の規範は，その文化を共有している全員にとってあてはまるのだが，その一方で，そういった規範は他の文化を共有している人に対しても異なった意味であてはまっている場合があるのである。幅広い概念としての文化人類学や社会学，また個々の構成概念としての心理学の分野におけるこれらの興味深い文化の混合が，文化を複雑，かつ魅力あるものとしている。

　文化の構成概念と文化概念における個人差を認識する点において，われわれの過去の失敗は，ステレオタイプ(固定的概念)の構築・持続・促進であったことは疑う余地がない。ステレオタイプはある集団内にいる個々の存在を無視し，その文化を一般論化するものである。ステレオタイプに何らかの真実が存在するのは確かである。しかしながら，ステレオタイプはまちがっている場合がほとんどである。というのも，その文化にいるメンバー全員が同じ文化的価値観や規範を心に抱いているわけではないからである。

文化 対 人格(パーソナリティ)

　個人差が存在するという事実は，文化と人格(パーソナリティ)間にある相違に疑問を

投げかけているのである。「もし文化が心理的な現象として存在し，1人ひとりが異なった形で文化を心に抱いているのであれば，文化ではなく，じつは，われわれは人格について論じているのではないのか」と尋ねる人もいるだろう。本書における文化の定義は，確かにある意味で，人格に類似している。私，マツモトが文化を社会心理的現象として定義したのも，じつは文化と人格の区別を曖昧にするためなのである。人格の多くは社会心理的なのである。文化とは抽象的な現象であり，曖昧さの一因となっている身体的特性や国籍を基礎にはしていないのである。曖昧さに貢献している人格特性には，ここで定義している文化はあてはまらない。同じ文化集団に属している人たちに共有されている属性の多くは，心理的なものであり，人格という議論においては共通の概念なのである。

　文化の定義と昔からある人格の定義の間には重要な相違が存在する。ここでこういった3つの相違について詳しく述べてみたい。

1. 文化とは，同一文化集団内の他のメンバーと共有している属性（もしくは帰属性）の集合体である。1人ひとりがこれらの属性をどの程度，心に抱いているかという個人的な相違はあるとしても，この属性は同一集団内のメンバーほとんどにあてはまるものである。しかしながら，こういった属性は必ずしも人格にあてはまるわけではない。人格は，人間の特性における個々の相違を意味しているのであり，属性をどの程度共有しているのかという相違を意味しているわけではないのである。

2. 世代から世代へと受け継げられ，教育されてゆく文化的価値観や行動が安定しているということは，文化にとって重要な側面である。自分たちが習った時と同様に，しきたり，習慣，信条，規範が若い世代に伝えられているかということを確かめながら，親，大家族や仲間が，世代を超えた人づきあいや「自文化」化（もしくは「文化化」）とよばれる「人がある文化に順応し，その価値観を吸収・同化する」プロセスを手助けしているのである。学校，会社，政府機関，法律等はシステム上における機関として「自文化」化を手助けしており，上述した親，拡大家族および仲間といった人間と同じ目標に向けて同じ役割を担っているのである。（文化と行動の関係の間に常に存在する緊張にもかかわらず）結果として，世代を超えた多くの一貫性が文化の中には存在することになる。これは必ずしも人格にあてはまるものではない。人格（パーソナリティ）とは通常，個性または個々人の属性のことをいうのである。

3. 社会現象（social phenomenon）といった大きな概念として，文化の存在を考えることで，第三の相違は展開している。前述したように，文化というものは，人間，1人ひとりの中に存在するだけではなく，われわれが学び慣れ親しんできた生活様式を描くレッテル，つまり「社会現象」としても，文化は存在するのである。社会的なレッテルとしての文化には命があり，文化それ自体が影響をおよぼしている行動を確固としたものとしているのである。レッテルも同様

にして確固としたものとなるために，こういった行動は文化の社会的なレッテルに最終的に戻ってくるのである。社会的なレッテルとしての文化それ自体の特性と，メンバー各自の行動との間には，文化周期的な性質がある。しかし，人格という概念と社会レッテルの間，あるいは人格と社会レッテルの周期的な性質の間には共通点がまったくないのである（人格のレッテルは個人的行動においては周期的であるということもできるが）。

　文化と人格に対する概念の間には，類似性と相違がそれぞれ存在する。こういった類似性と相違をより明らかにすることが，双方の概念を理解する上できわめて重要になってくるのである。

文化と多様性

　機能上の定義として上述した文化の定義は，社会的な分類や構成概念というよりはむしろ，心理的プロセスの機能に基づいているものである。他にも，文化集団として表現することのできる分類がきっとあるに違いない。こういった分類は人種，民族，国籍といったような文化に関連した分類を含む一方で，性別，性的嗜好，身体障害といったような文化に関連していない他の分類や表現も含んでいる。性，性的嗜好，人種といったような特質に関して，同一集団に属している人たちはみんな同じである，と以前は考えられてきた。しかし，どんな社会集団に属する人たちでも「自己の文化」といったものをもっており，その「自己の文化」こそが，われわれ1人ひとりにとって，もっとも重要な特徴の1つになってくるのだと，私マツモトは信じている。とりわけ心理学の分野において，そういった「自己の文化」が，われわれ人間を個性あるもの，かつ多様なものとしているのである。

■**文化と人種**　人種や文化といった用語を同義的に使っている人は多くいるが，じつは，人種は文化ではない（例として前述した一般人の文化概念での調査結果を参照すること）。行動，思考，感情という点で，同じ人種に属する2人の人間がきわめて似通った文化的特性をもっていたり，あるいはまったく異なった文化的特性をもっていたりする可能性は多いにある。また，同じ人種の人たちが同じ「社会化（socialization）」のプロセスを共有し，同じ方法で「自文化」化（enculturation）してきたということも多いにありえることである。（注：「社会化」と「『自文化』化」に関しては，第4章「文化と発達」を参照のこと。）ラテンアメリカ系，アフリカ系，アジア系アメリカ人の文化について語る時，各集団に対するわれわれの考えは正確なのかもしれない。しかしながら，人種と文化の間には必ずしも一対一の対応があるとは限らないのである。ある人種に生まれたからといって，その人が必ずしもその人種のステレオタイプ（固定観念）化された文化を受け入れているとは限らないということも事実かもしれない。要するに，文化は学習（経験）によって身についた行動であるが，人種はそうではない。

人種という用語が何を意味しているのかを，まるで完全に理解しているかのように，われわれは人種という用語を日常使っている。その一方でこの用語については，常に論争がくり返されているのも事実である。人種の起源に関する調査の歴史において，近代の学者の多くは「白色人種」「モンゴル人種」「黒色人種」といった3つの主要な人種が存在すると主張している。他にも，最少3種，最多37種の異なった人種が存在しているという説がある（イー，フェアチャイルド，ワイズマン，ワイアット：Yee, Fairchild, Weizmann, & Wyatt, 1993）。一般人は通常，人種を定義するために，肌の色，髪の毛，その他の肉体的特徴を使いがちだが，身体的特徴を研究する人類学者たちのほとんどは人種の決断を下すために，人口遺伝子頻度（population gene frequencies）を使用する。

　人種を理解する上で，人がどういった生物学的，または身体的な特徴を使って定義しているかということには関りなく，こういった生物学的・身体的な人種の相互関係は，以前考えられていたものよりもかなり不明確なものであるということが最近では明らかになっている（ルウォンティン，ローズ，カミン：Lewontin, Rose, & Kamin, 1984））。人種間における相違は任意的で曖昧なものだと主張している学者もいる（ズッカーマン：Zuckerman, 1990）。また反対に，各集団は異なっているというよりも類似していると主張している学者もいる。この学者は，血液グループ，血清タンパク質，酵素を含んだ遺伝システムの調査においても，集団間の相違よりも集団内の相違の方がより変化にとんでいるという結果を出していると主張している。

　人種の起源における論争もある。広く信じられている説では，20万年前にアフリカに住んでいた「イブ（Eve）」を共通の祖先とし，それ以降，世界の各地に移住したと推定している。この説の根拠は，じつは，身体的特徴を研究する人類学や考古学に由来するものであるのだが，最近になって，他にも納得できる根拠のある理論がいくつか示唆されてきた。これらの理論とは，世界のさまざまな地域で人類は200万年前から存在しており，また地域間において交流があったかもしれないというものである（ウォルポフとキャスパリ：Wolpoff & Caspari, 1997）。

　今日，心理学者や他の社会学者の多くが互いに合意しているのは，人種とは生物学的な要素ではなく社会的な構成概念であるということである。たとえば，ハーシュフィールド（Hirschfield, 1996）は，人間は，人間の特性に対して，自分たちで分類することのできる天性をもっているといっている。その中でも，簡単に確認できる身体的な特徴を，分類プロセスでよく使っているのである。というわけで，「人種」は昔から理論の中心的存在となり，結果的に重要性を得て，社会で認識されてきたのである。

　だが，人種を社会的構成概念として見なすことに対しても，いくつかの問題がある。たとえば，社会的に構成された人種を分類する際の境界線はとても曖昧なものであり，社会的背景によって変化する（デービス：Davis, 1991；エバーハートとランダール：Eberhardt & Randall, 1997；オーミとウィナント：Omi & Winant, 1994）。さらに，人間は自分たちがそれぞれの社会や文化の構成概念だと思いこんでいるため，各自，異なる人

種の定義をもっている。人種とは分類や名ばかりの存在ではなく，次元的な規模を伴った連続体であると信じている文化もある（デービス：Davis, 1991）。また，ブラジル人の多くは，人種とは遺伝するものではなく，経済的または地理的な移動によって変化するものだと信じている（デグラー：Degler, 1971；エバーハートとランダール：Eberhardt & Randall, 1997の報告によるもの）。社会経済的な影響による人の移動は，肌の色や髪の毛の質といった身体的な特質に変化をおよぼすものだと信じている国もある。

　ここで提唱したいことは，研究中に観察できる類似点や相違点の原因を完全に理解することなしに，人種間における心理的相違の研究を科学的または実用的に使用することはほとんどありえないということである。ベタンコートとロペス（Betancourt & Lopez, 1993）やズッカーマン（1990）といった他の学者も同じことを述べている。文化を生物学的な特性，あるいは社会学的な分類として定義するかどうかにかかわらず，問題の原因は必ず文化に関係しているのである。というのも，機能的かつ心理的な現象である文化が，異なる人種にとって何が心理的に意味があり重要であるかを決定しているからである。文化こそが人種に意義を与え，心理学者が関心をもつべきものなのである。

■**文化と民族**　民族もまた人種や文化と同義に使われている用語である。米国では，異なった人間集団を表現する際に，もっともよく使われており，人種と文化，両方の概念を含んだ用語である。一般的な民族集団の例に，「アフリカ系アメリカ人」「アジア系／太平洋諸島島民」「ラテンアメリカ系」「アメリカ先住民族」といった分類がある。つまり，民族という用語を同じ国籍，出身地，文化や言語をもっている集団に対して使っているのである（ベタンコートとロペス, 1993）。ちなみに，民族という概念はギリシャ語の「エスノス（ethnos）：国民，部族の一員」に由来している。

　心理学の分野では，人の間における差異を表現する分類として，通常，民族という用語を使っている。民族的な相違についてわれわれがよく耳にするのは，学習スタイル，感情，子育てなどである。しかし，民族という用語がこうした分類だけに限られてしまうと，残念ながらむだな結果になる場合が多いのである。心理現象の幅広い分野における民族間の相違に関する情報というのは確かに役には立つ。しかしながら，こうした情報それ自体が民族と心理の間にある関係を解明する手助けになるわけではないのである。もっとも重要になってくるのは，個人と個人の間，集団間の重要な相違を説明できるのが，どの要素なのかということである。たいていの場合，民族や人種を使っただけでは，この重要な事柄を説明することができない。簡単に言うと，ある人の民族（人種，あるいは国籍）が何かを知ったところで，その人の認知，感情，動機づけ，健康といった心理的に重要な事柄を説明することはほとんどできないのである（フィニー：Phinney, 1996））。

　民族は人を分類する際のキーワードとして頻繁に用いられている。にもかかわらず，民族を分類のためのレッテルとして用いるには限界があるのである。心理学者は，ただ単に「民族」という用語を使って，個人と個人の間，集団間の相違を説明することをやめなければならない。フィニー（1996）は民族における主要な3側面を提唱し，脚光を浴びた。

その主要な3側面というのは，(1)文化的規範や価値，(2)強さ，顕著な特徴，そして民族的なアイデンティティの意義，(3)少数民族に対する態度である。私，マツモトは，心理学的な機能における決定要素として，文化に焦点を当てることにもちろん賛成である。文化は民族集団の相違を意味深いものとしているのである。フィニーが主張した他の2つの側面と同様に，民族を理解し表現する場合，心理学者は文化に焦点を当てるべきなのである。

■文化と国籍　厳密にいうと，国籍とは人の出身国のことを意味している。たとえば，米国には多くの違った民族が住んでいるが，彼等はみんな「アメリカ人」ということになる。同様にして，フランス出身の人はフランス人，日本出身の人は日本人となるのである。

しかし，国籍もまた別の意味でグループ分けに使われる変数で，よく文化と同義的に使われる用語である。たとえばフランス文化，ドイツ文化，中国文化，さらにはアメリカ文化を語る人にとって，国籍を文化と同義的に使うということはけっしてまれなことではないのである。つまり，われわれはことばの上では文化と国籍とを同一視しているのである。

比較文化研究では，他のどの分野よりも，この問題を明確にすることができる。比較文化の調査では，研究者は異なった国のサンプル（標本）からデータを採取する。抽出したサンプルの中に差異を発見したとき，国における差異ではなく，文化内のある機能における差異として，研究者はその差異を解釈するのである。つまり，研究者は国の中に文化があると決めてかかっているのである。

これが「悪い仮説だ」と言っているわけではない。確かに，異なった国や国籍は異なった文化に関連しているのである。こういった文化の理解方法や研究方法は，比較文化心理学の歴史を通して，ずっとそれ独自の位置を占めてきたのである。

しかし，こういった文化と国籍とを同一視するという方法には必ず問題がつきまとっているものである。国籍それ自体が，必ずしも文化というわけではない。たとえば，ある人がフランス出身だからといって，必ずしもその人がフランス文化で主流だと考えられている行動を取ったり，自分のもっているフランス人に対するステレオタイプ（固定的概念）に従って行動したりするとは限らないのである。文化は，人種や人種的なステレオタイプを構成しないのと同様に，必ずしも国籍や市民権を構成するとは限らないのである。また，人のパスポート（旅券）が必ずしも，その人の文化的な価値を決定するとも限らないのである。

国籍を文化と同一視することは，また別の意味でも問題である。というのも，多様で重要な文化が世界各国で共存しているという可能性をまったく無視しているからである。アメリカ出身である人間が全員，米国でもっとも主流の文化価値，態度，意見をもっていると仮定することは，米国内に存在している多様な文化をまったく無視することになるのである。こういった多様性のある文化は米国だけではなく，多くの国にも存在しているのである。

この項で論じてきたように，心理学の分野において国籍が重要である理由は，ある国の

国民であるという事実ではなく，個人または集団の心理に影響をおよぼしている文化的な態度や価値観なのである。機能的，心理的文化における，どういった側面が，国家間の差異の一因になっているのかということを調査することが心理学者に与えられた義務なのである。

■**文化と性別**　英語の「sex」と「gender」という2つの用語の間にある重要な相違に，心理学者は今注目している。「sex」という用語は男女間における生物学的，あるいは生理学的な相違を指している。中でも，いちばんはっきりした相違が生殖システムにおける男女間の構造上の相違である。「sex role（性の役割）」という用語は，男女の行動パターンや活動パターンを表現するときに使われている。また，それぞれの生物学的な相違や授乳といったような生殖のプロセスにも，この「sex role（性の役割）」ということばは直接的に関連しているのである。それに反して，「gender」という用語は社会的，文化的に見て，男女どちらかに適している行動や活動パターンのことである。こういった行動パターンは「sex」や「sex role（性の役割）」に関連している場合も，関連していない場合もあるのだが，通常は関連している場合が多い。自分の文化内での自己の性に適した行動を，人がどの程度受け入れているかということを表わしているのが，「gender role」という用語なのである。

つまり，心理面でのgenderの相違を表現し理解するためには，男女間に存在する単なる生物学的相違，構造上の相違，あるいは生理学的相違を超えることが必要となってくる。心理的，文化的な相違があるために，こういった心理面における性の相違が生じるのである。つまりgenderの相違は，じつは文化の相違なのである。多くの意味で，男性と女性は異なった文化に属している，ということが言えるのである。もちろん，男女ともにお互いが共存しているより大きな文化（例：自分たちの国の文化）にも属しているのだが，そのより大きな文化内で，男女それぞれの性文化が存在している可能性はある。本章の初めに紹介した文化の定義のように，ここで論じているのは，いかにして文化を多様なレベルで理解することができるかということである。

■**文化と身体障害**　身体障害者は感覚，手足，身体のその他の部分といったように，ある形で身体に障害をもっている人たちのことで，障害のない者とは異なっている。一般大衆が身体障害者のおもな相違を「身体的」な障害と見なしているが，身体障害者のもっている「社会心理的」な特徴に関する研究が心理学の分野では増えつつある。たとえば，クライマー（Clymer, 1995），ヒューズとパターソン（Hughes & Paterson, 1997），マークス（Marks, 1997）などの研究を参照してほしい。他の人間と同様，身体的な障害のある人たちも，人間であるわけで，障害のない人と同様に，身体障害者たちも同じ感情，思考，動機づけをもっているのである。しかし，身体障害者たちは，障害があるがゆえに，自分たち独自の考え方や感じ方を身体障害者どうしでお互いに共有しているのである。つまり，心理的な態度，意見，信条，行動様式，規範，価値といったように，独自の文化を自分たちだけで共有し合っているのである。

事実，最近になって，多くの学者が身体障害者の文化について記述するようになってきた。ローズ（Rose, 1995）やスリーとクック（Slee & Cook, 1994）はそうした研究者たちである。こういった学者たちの研究が重要になってきている。その理由は，身体障害者の心理的な特徴を理解する上で，障害者に再度，幅広く焦点を当てながら，こうした人たちのもっている特有の心理的かつ社会文化的な特徴に焦点を当てているからである。身体障害者を対象とした心理学的な調査は，障害の有無だけではなく，障害を文化的な条件として見なし，比較しているという点で，比較文化調査の一例だということができるのである。
　■**文化と性的嗜好**　人は他者と異なった性的関係を結ぶ。つまり，相手によって各自の性的嗜好が構成されることになるのである。われわれがよく陥りがちなのは，多様な性的嗜好の存在を無視し，独断的な基準，あるいは主流の基準で性的関係を見るということである。異性愛であれ同性愛であれ，また異性愛者であれ両性愛者であれ，万人が共有している心理的な側面や特徴がある一方で，異なった性的嗜好に固有な特徴もあるということを，われわれはとかく忘れがちなのである。異なった性的嗜好にしか見られない心理的な特徴は，文化的なものである可能性もあるわけである。同じ性的嗜好の人たちの間で，共有されている心理的な態度を文化的なものであると理解することが，一般から注目を集めてきただけではなく，心理学の分野でも全面的に受け入れられるようになってきたのである［（例）ゲイ・カルチャー（gay culture）］。アブラムソンとピンカートン：Abramson & Pinkerton, 1995；サッグズとミラクレ：Suggs & Miracle, 1993を参照のこと。
　文化と多様性の議論における共通点とは，人種，民族，国籍，性別，身体障害，性別嗜好といったように，目に見えるものや，簡単に認識できる特徴に基づいて，人間は集団を構成する傾向があることである。こういった分類やグループ化には客観的な根拠があるのかもしれないし，ないのかもしれない。しかし，ここでわれわれが忘れてはならないのは，こういった分類やグループ化は重要な社会構成概念であり，また社会的な分類であるということである。ハーシュフィールド（Hirschfield, 1996）が示唆したように，われわれはこういったグループ化を頭の中で無意識に行なっているのである。社会心理学的・文化的な相違（そして類似）に対する一時的な解決策としてではなく，こういった無意識的なグループ化が最終的な分類となる場合，問題は必ず起こるに違いない。われわれに心理的な影響をおよぼしている「背後にある文化」を認識すること，つまり集団内で共有されている独特な属性（もしくは帰属性）を認識することが，社会的に分類する上で，もっとも重要になってくるのである。
　社会的なグループ化にとって，重要なのは文化だけなのだろうか。もちろん，そうではない。個人的，社会的，心理的，生物学的，生得的，環境的といった要素のように，万人，あるいは個人レベルで，人の心理や行動に影響をおよぼしている他の要素は数多く存在するのである。つまり，文化が唯一の要素というわけではない。しかしながら，人間，1人ひとりを理解するという点において，文化はきわめて重要な要素なのである。人種，国籍，身体障害，性的嗜好といったような社会的な分類と文化の間の相互作用に関する研究が，

われわれの研究課題になる日もやがてやって来るだろう。だが，現時点では，文化がもっとも重要な要素であり，文化がさまざまな社会的な分類に独自性や心理的な意味を与えているということ，また，心理学者が関心をもつべきものは文化だ，という事実を認識することが，われわれにとってもっとも重要なのである。

文化と大衆文化

時として一時的な流行を「文化」として扱うことがある。このタイプの文化は大衆文化としても知られており，マスメディアや一般人の日常会話の中でよく使われるものである。大衆文化は一般的に音楽，芸術等における流行であり，ある特定（一部）の集団内で注目を浴びているものである。

大衆文化と，われわれがこれまで議論してきた文化の間には，確かにいくつかの類似点がある。もっとも重要な類似点とは，おそらくある表現や価値観を特定（一部）の集団だけが共有しているという点だろう。事実，文化の定義における主要な特徴の1つに，心理的属性を共有するという点があるからである。

しかしながら，典型的な大衆文化とわれわれが今まで議論してきた文化の間には，重要な相違も存在する。第一の相違は，心理的特徴という面において，大衆文化は幅広く共有されていないということである。つまり，われわれが今まで議論してきた文化は，態度，価値観，意見，信条，規範，行動に影響をおよぼす規則的なシステムであるのに対して，大衆文化はある特定の価値観の中では共有されているかもしれないが，必ずしも生活様式にまで影響をおよぼしているものとは限らないのである。

第二の相違は，世代間における文化の伝達である。大衆文化という用語は，通常2，3年の内におこる一時的流行，あるいはトレンドであり，価値観や表現を共有することによって使われている。しかし，われわれが本書で定義してきた文化は，それ自体が活動的な存在であるがゆえに変化する可能性があるということも確かに認識されてはいるが，世代を隔ててもある程度安定しているものである。

このように，文化と大衆文化という2つの用語の間には，類似も相違も同時に存在するのである。比較文化心理学に関する学術書や本書で定義している文化とは，本章で定義してきた文化であり，大衆文化ではない。（しかし，大衆文化の心理学における調査も，われわれが考慮すべき主題ではあるのは確かである。）

普遍的文化の原理 対 文化特有の相違：エミックとエティック

比較文化研究における原理を概念化する方法の1つに，エミック（emic）とエティック（etic）の概念を使った方法がある。第1章「比較文化心理学への導入」で紹介したように，エミックとエティックといった用語は，文化または文化的な相違を研究する際に生

じる緊張を定義している。文化を通して一貫している生活の側面をエティックという。つまり，エティックとは普遍的であり，あらゆる文化にとって真理である原理のことである。一方，エミックとは文化によって異なる生活の側面のことをいう。つまり，エミックとは，おのおのの文化特有の真理や原理のことである。こういった術語は文化人類学者パイク (Pike, 1954) により最初に用いられたが，じつは言語の研究，とりわけあらゆる文化を通して共通である音声体系や，ある特定の文化や言語にのみ固有である音声音素に由来しているのである。ベリー (Berry, 1969) は「普遍的行動 対 文化的行動」を表現するために，言語学の概念を初めて使った研究者の1人である。

エミックとエティックといった概念に説得力がある理由は，これら2つの用語は真理であると広く認知されているものだからである。エティック（普遍的）で真理だと考えられている人間の行動様式があるとする。その真理は文化に関係なく，万人にとって真理ということになるのである。反対に，人間の行動様式でエミック（文化特有）なものは，われわれが真理だと認知しているからといって，他の文化から来た人にとっても真理であるとは必ずしも限らないのである。実際，文化特有の真理は，文化によってかなり異なるという場合が多い。そういった意味でも，真理は相対的なものであり，絶対的なものではないということが言える。われわれが現在，真理だとか真理でないと確信している事柄に対して，再度考慮する必要があるということをこういった真理の定義は教えてくれているのである。

比較文化研究にはエミックやエティックの例が多く存在する。文化研究のおもな目標の1つに，人間の行動において，いったいどの側面がエミックで，どの側面がエティックなのかを正確に解明するということがある。人間に対する研究や文化集団における文化的差異の研究をする際に，重要になってくるポイントに，世界にはエティックとエミックの両方が存在することを忘れてはならないという点がある。

比較文化心理学者のほとんどが賛同しているのは，エティックと同じくらい多くのエミックが存在するということである。他の文化の行動様式に敬意を払うという方法を，人は見つけ出そうとする。ある意味で，これは驚くようなことではない。生存（生き残り）のためにそれぞれの文化は，もっとも効率がよく，適切な方法を独自で見つけ出そうとするのである。生き残るために取る選択は，人口密度，食料や他の資源の入手事情，豊富さによって異なるだろう。物理的または社会的な環境に基づいて，それぞれの文化は異なった必要性に対応しなければならないし，またそういった必要性に見合った生存方法をそれぞれ開発してゆくことになるのである。そういった文化の中にいる人たちは，上記のような生き残るための選択をエミックと見なしているのである。

文化的に異なる人々の間にも，われわれが考えているよりもずっと多くの類似性が存在する。とりわけ，趣旨，善意といった面においては，かなり類似点があるだろう。じつは，構成概念内にこういった類似は多く存在しているのである。われわれは日常生活でこれらの構成概念を目にしており，目に見えるという理由で，ついつい文化や多様性に焦点を当

ててしまうのである。

　上述したように、「普遍的な真理」と「文化固有の真理」の間に生じる緊張のことをエティック、エミックという。他の書物や授業では、もしかしたらこういった構成概念を「普遍性 対 文化的な相関性」であると説明するかもしれない。また、エティック、エミックといった両極端なものは「生まれ 対 育ち」の間の議論であると主張している学者もいるくらいである。「生まれ」というのは生物学的問題や遺伝のことをいっており、「育ち」というのは環境の影響や心理的な特性の起源を学ぶことをいっている。じつは、自然と普遍性を同一視するのは問題だと考えられる。普遍的な心理的特性は、生物学的に決定されているというのだという理由よりは、むしろ（文化という変数が）不変・一定の状況の下での習得が起こっているがゆえに、ずっと普遍的のままでいるのかもしれないのである。つまり、生物学と普遍性の間に一対一の対応は必ずしも存在しないのである。

　どのような術語・用語を使うにせよ、こうした考えは、一方は普遍性で他方は文化的相関性というようにお互いに反対の極を表わしているのだ、ということを認識することが重要である。残念なのは、われわれが構成概念に極性を与えた場合、その間に存在する相違を理解するために、どちらか片方の極を取ろうとする傾向にあるということである。行動を観察し、それを解釈しようとする時、われわれはよくどうにかしてその行動をエティックまたはエミックのどちらかに分類しようとするのである。分類しようとすること自体、じつは文化に束縛されている証なのかもしれない。じつは、1つの分類をいくつかの行動様式に区分するという研究は、西洋、あるいはアメリカ的な考え方を反映しているのかもしれないのである。アメリカ人の中にある独自性を探求し、かつその探求を自分たちの環境内で他の日標や行事に移し変えようとする、アメリカ人の個人主義的な文化価値にこういった研究は根ざしているのかもしれないのである。

　他にも別の考え方はある。この考え方の方が人間の行動における文化的な影響を理解するという点では、より生産的なのかもしれない。その考え方とは、観察できる行動をエティックやエミックに区分する代わりに、いかにしたらその行動がエティック（普遍的）であると同時にエミック（文化相関的）であることができるかというものである。行動のある部分やある側面はエティックで、その他の側面はエミックだという考え方である。たとえば、異なる文化から来た人と会話をしているとする。会話の間、その相手が自分とは視線を合わせないことに気がつく。自分の方を見ることがほとんどなく、それどころか、自分と視線が合った場合、視線をすばやくどこか別のところに向けてしまうのである。自らの文化的背景からして、その話し相手はきっと自分のことをよく思っていないのだろうと解釈してしまうかもしれないし、もしくは会話を中断してしまい、今後のつき合いもよそうと思うかもしれない。相手を信頼することもできないし、身近に思うこともできないかもしれない。しかし、もしかしたらその話し相手は視線を合わせることは、横柄さや軽蔑を表わすサインだと考える文化から来ているのかもしれないのである。相手に対して否定的な感情があるわけではなく、相手に対する敬意や礼儀正しさがゆえに、その人は視線を

合わせることを避けているのかもしれないのである。もちろん，こういった行動の相違には，日常生活において実際に役に立つヒントが隠されているのである。会社での面接，小学校での授業，また商談，あるいは自分のカウンセラーを訪問する場合に上記のシナリオについて考えるようにすることが重要なのである。

　上記の行動をエティックーエミックといった両極性から調査した場合,「凝視行為」は文化的にはエミックである，という結論にわれわれは必ず到達することになる。つまり，人とことばをかわす際に，人の目を見るという適応性に関して，それぞれの文化によって異なった規則が存在するのである。では，次に別の疑問について考えてみよう。上記の行動にはエティックとして表現される側面があるだろうか。「凝視行為」における文化的な相違の原因，あるいはその根底に答えはあるのかもしれない。上記の例でわかるように，他の文化から来たその人は，話し相手に対して敬意や礼儀正しさを示したかったのである。このように規定された行為というものは，その人の文化的背景によって導かれたものであり，礼儀正しくしたいという願いが根底にあるがために起こった行為なのである。アメリカ人であれば，アメリカ文化に従い，異なった凝視方法を取ったであろう。きっと自分の話し相手を真っすぐ見据え，相手を直視することで相手に対する興味や敬意があることを示そうとしたのであろう。2つの文化における差異は単に表面上での行為的顕在性にすぎず，根底にあるものは，じつはまったく同じなのである。このようにして，われわれが目にすることのできる表面上の行動は，エミックとよばれるもので，内側にある特性はじつはエティックということができるのかもしれないのである。

　同じようなプロセスが「生まれ 対 育ち」の場合にも適応される。つまり「行動対環境的要因，あるいは習得された要因」に対して，生物学的または遺伝の要因は影響をおよぼしているのである。過去，心理的特性はどちらか一方であると主張するために，研究者の多くがこの議論を二極分化してきた。行動様式を理解する際に，生物学的影響や習得の相関的な影響を考慮すること（つまり，ある特定の習得方法に対する生物学的，あるいは遺伝的な傾向およびそういった習得構造上の相互関係を考慮すること）によって，われわれはより実り多い結果を出すことになるであろう。

　エティックとエミックは人間の行動内で共存することができるのである。ある1つ，または他の分類に行動を分ける代わりに，どんな行動に対してもエティックとエミック両方の緊張を表わすことができるという方法を見つけ出せば，われわれの文化や行動における文化的影響の理解はきっと大幅に改善されることになるであろう。

● 自民族中心主義とステレオタイプ（固定的概念）への導入

　エミック，すなわち文化的相違，が数多く存在することは必ずしも問題となるものではない。しかし，文化の相違の背後にある意味，あるいは文化の相違を作り出す意味を解釈

しようとする時に，問題が生じる可能性が出てくるのである。われわれは皆，自らの文化背景とともに，自らの文化内で生活している。したがって，そういった自らの文化背景を通して，物を見てしまいがちなのである。物を感知する時だけではなく，ある出来事について考える時やその出来事を解釈する際に，文化はフィルターの役割を果たすようになるのである。自分自身の文化的背景を通して，他者の行動を解釈したり，自分自身の信条に基づいて人の行動を判断したりしがちになるのである。しかしながら，自らとは異なる文化に源を発する行動を判断する場合，自分の解釈がまちがっているという可能性が出てくる。異文化の人間行動に対する自分の解釈が大きく外れていることは実際よくあることである。

　ところが，異文化の人間行動を理解するために，われわれは自らの文化背景やバイアス（偏見）から，自分自身を切り離すことができないことがある。この種の抵抗感が「自民族中心主義－自分の文化的フィルターを通して他者の行動を見たり，解釈したりすること」というバイアス（偏見）を形成することになるのである。異なった文化的背景から来た人間の行動を理解するために，こういったバイアスや傾向の存在を知っておくことはわれわれにとって不可欠である。

　「自民族中心主義」という偏狭主義は，もう1つの重要な課題「ステレオタイプ（固定的概念）」にも密接に関連している。ステレオタイプとは，自分の文化以外の文化に属している人たちに対する判断，信条，意見を一般化することである。事実に基づいているステレオタイプもあるかもしれないが，たいていの場合は，ある特定の人たちに関する事実と作り話を合わせたものが多い。他の文化から来た人たちを判断したり，評価したり，またそういった人たちとつき合う際に，ある種の輪郭や枠組みとして，人にバイアス（偏見）をもたせる手助けをするのがステレオタイプなのである。しかし，人がそういったバイアスに強く固執した場合や，その文化内にある個人差，あるいはステレオタイプのまちがっている側面をまったく無視し，特定の文化背景をその文化に属する人たち全員にあてはめようとした場合，ステレオタイプはきわめて危険な存在となり得るのである。

　研究，または日常のつき合いや自らの経験を通して，われわれが頻繁に気がつくのは，「自分が他の文化から来た人たちとは異なっているのだ」ということである。こういった発見は，時に深刻な否定感情をわれわれにもたらすこともある。他者のもっている善悪，優劣といった価値観が自分自身の信じている行動と異なった場合に，誤解が起こる可能性が出てくるのである。エミック，エティック，自民族中心主義，ステレオタイプはすべて重要な概念である。他者の行動を理解しようとする際に，われわれはこういった概念について学び，常に忘れないようにする必要がある。文化的類似や相違について学んで行く上で重要になってくるのは，潜在的な落とし穴について常に考慮し続けるということである。言うまでもなく，早まった価値判断，あるいは頑固な自民族中心主義的態度の維持は，比較文化心理学の分野が進歩する手助けとはならないのである。

文化を測定可能な構成概念に変えること

　歴史を通して，比較文化心理学が直面してきた課題に，人間の行動に関する文化というものをどのようにして概念化するかということ，また，どのようにして文化を測定するのかということがある。本章の初めにも述べたように，文化を研究している研究者は長年の間，規範，態度，意見，習慣，しきたりといったような文化を概念化してきた。しかしながら，そういった研究者は文化について研究する際，「民俗学」あるいは「異文化比較」のうちのどちらか一方の調査だけを適用してきたのである。「民俗学」とは，ある１つの文化に対する奥深い調査のことで，一般的に研究者自らが長期にわたってその文化に参加する場合が多い。また，「異文化比較」とは，少なくとも２つの文化集団の何人かをサンプル（標本）として抽出して使う方法で，それぞれの集団の興味深い行動をいくつか測定し，行動を比較するというものである。「民俗学」は民族人類学の分野で一般的であり，また「異文化比較」は心理学，あるいはより小規模ではあるが，社会学の分野でも一般的である。最近になって，あらゆる分野において，研究アプローチの興味深い併合がみられるようになってきた。そうしたアプローチの併合とは，多数の科学者たちがある１つの文化に実際住んで調査し，比較するという技法を使用するものである。この手法は，伝統的な量的アプローチをよりよいものにするために，質的研究である民俗学の手法を取り入れたものである。

　異文化比較のおもな関心事の１つに，いかにして研究者が文化を定義し，測定するかということがある。比較文化研究では，ほとんどの場合，文化を国によって分類する。たとえば，米国，日本，ドイツ，フランスから抽出したサンプル（標本）というのは，通常の場合，研究者の異文化サンプルとして成り立っている。しかし，実際には，ほとんどの研究では，国レベルの比較研究ではなく，たとえば，サンフランシスコと東京，フランクフルトとパリといったように，都市を単位とした比較研究となる。また，研究者には比較対象する都市のどこかの大学に友人がいて，その友人がプロジェクトのためにデータを収集してくれるといったように，サンプルには簡単に収集できるものが多い。研究の多くはこういった方法で行なわれるため，研究者たちはついついステレオタイプ（固定的概念），印象，個人の体験談などに頼りがちになってしまうのである。文化が年数をかけてゆっくりと進歩してきたという事実にもかかわらず，このようにして，研究者が通常，文化を研究する際にとる手法は，まったく正反対のものとなるのである。つまり，研究者が文化について語る内容と，実際の研究方法が人間の行動におよぼす影響の間には明らかに食い違いが存在するのである。

　さいわいにも，文化に関する理論と実際の研究方法の間にあるギャップは，最近になって急速に狭まってきた。それは単に文化の計測だけではなく，文化の概念化における最近の進歩のおかげでもある。進歩が測定を行ないやすくしたのである。言うまでもなく，比

較文化研究における実験面だけではなく，比較文化理論や行動の規範において理論的な側面でも，これらの変化は多大の肯定的な影響をおよぼしているのである。

文化を抽象的で不明瞭な構成概念から，具体的で有限の要素に整理し分類すること

本章の初めに述べたように，文化とはその巨大さや複雑さという点で，非常に大きな構成概念であり，かつ人間の生活様式における多様な側面を表現するものである。過去の学者が文化を取り扱ってきた手法の1つに，文化を「客観的要素と主観的要素」といった2つの構成物に分けるという方法がある。(トリアンディス，1972；クローバーとクルックホルン，1952による「明確な文化・不明確な文化」を参考のこと。）客観的な要素とは，われわれが実際に見て触れることのできる物，文化の物質的な顕在性のことを意味している。こういった客観的な要素には，衣類，工芸品，食器などの家庭用品，食べ物，建築などがある。その一方で，文化の主観的な要素とは，見ること，触れることはできないが，存在しているのは確かであるものすべてを意味している。こういった主観的な要素には，社会的規範，口には出さない習慣，態度，価値観といったようなものがある。じつは，ほとんどの心理学者の興味はこの主観的な文化の側面に注がれており，本章の始めに提案した文化の定義にもっともあてはまっているものである。

比較文化心理学者は「領域（ドメイン：domain）」または「次元（ディメンション：dimension）」といった2つの方法によって，文化の主観的な要素を特徴づけている。「領域」とは特定の社会心理的特徴のことを意味しており，文化における重要な結果，生産物，構成要素として考えられている。「領域」の例としては，態度，価値観，信条，意見，規範，習慣，しきたりといったものがある。「次元」とは，一般的な傾向のことを意味している。「次元」は人間の行動様式に影響をおよぼし，文化のもっている多様性をも反映しているものである。図2-2は，大きくて，抽象的で，不明瞭な構成概念から，主観的「領域」や「次元」へと，文化を整理・分類するようすを簡単にまとめたものである。

最後に述べておくが，文化の主観的な「領域」と「次元」は，お互いに社会的に存在することができる。つまり，文化集団内にいる1人ひとりの人間の中に，それぞれ存在することができるのである。文化の主観的な「領域」と「次元」は，個人レベルで確認することができ，また心理学的な研究においても測定可能なのである。態度，価値観，信条といったような心理の多様な「領域」における心理学の研究が，長年にわたって心理学者にとって標準的な研究であった。しかし，比較文化心理学における本当の課題とは，異文化の多様性における「次元」の確認なのである。また，精神測定学的な正当性と，「領域」内における「次元」を評価する上で，適切な方法を発見することも比較文化心理学における真の課題である。

評価プロセスが進歩する可能性もなくはない。行動に影響をおよぼしているのは文化のどの側面なのかということ，およびその理由を近い将来，比較文化研究者は具体的に述べることができるようになるであろう。また，研究における「領域」や「次元」を測定し，

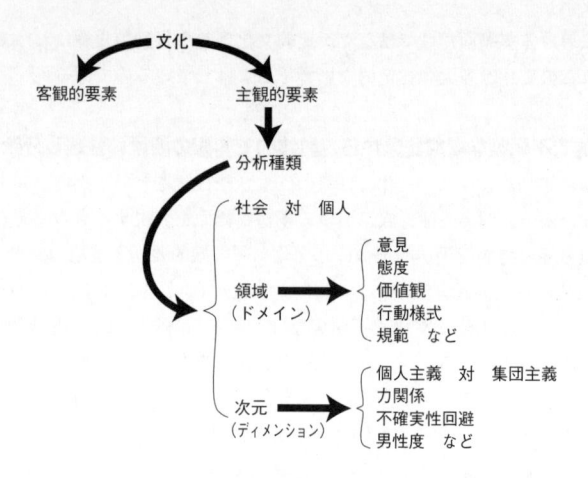

```
           文化
    ↙            ↘
客観的要素    主観的要素
                  ↓
              分析種類
         ┌ 社会 対 個人
         │
         │ 領域      ┌ 意見
         │(ドメイン) → │ 態度
         │           │ 価値観
         │           │ 行動様式
         │           └ 規範  など
         │
         │ 次元      ┌ 個人主義 対 集団主義
         │(ディメンション)→│ 力関係
         │           │ 不確実性回避
         └           └ 男性度  など
```

図2-2 文化が領域や特性の状態に至るプロセス

　われわれが興味を抱いている特定の行動様式に「領域」や「次元」がどのように貢献しているのかを直接，評価することもできるようになるであろう。このように文化の測定が可能となれば，ステレオタイプ（固定的概念），あるいは国家や人種の定義に依存することによる個人の体験談から，われわれはやっと開放されことになるであろう。再度くり返すことになるが，その秘訣とは，1人ひとりの心理的「領域」を評価するために，文化の多様性における重要な「次元」を見つけ出すことなのである。

● 文化の多様性における重要な「次元」の追求

　学者の多くは文化の重要な「次元」を捜し求め，その代替となるものを示唆してきた。もっともよく知られている文化の多様性における「次元」に「個人主義－集団主義（IC＝individualism－collectivism）」がある。ホフスティーデ（1980），クルックホルンとストロードベック（Kluckholn & Strodtbeck, 1961），ミード（Mead, 1961）およびトリアンディス（1972）といった民族人類学者，社会学者，心理学者たちは文化間の相違を説明する際に，この「次元」を使ってきた。ICは，文化がもっている必要性，希望，願望だけではなく，また文化集団が独立し，類のないものであるという価値観も促進し，助長する。個人主義的な文化に属するメンバーは，自らを独立した存在として見ているが，集団主義的な文化に属するメンバーは，基本的にいつも他者と関連づけて自らを見ているのである（マーカスとキタヤマ：Markus & Kitayama, 1991a）。個人主義の文化では，自己の必要性や目標は，他者の必要性よりも優先されることになる。逆に，集団主義的な文化

では，その集団のために，個々の人間の必要性は犠牲にされるのである。

他にも数多くの文化的多様性に関する「次元」が提示されてきた。マルダー（Mulder, 1976, 1977）およびホフスティーデ（1980, 1984）の「力関係（power distance＝PD）」の研究では，力関係（PD）とは，権力の少ない個人（individual＝I）とより権力的な他者（others＝O）の間にある権力の不平等である，と論じている。マツモト（Matsumoto, 1991）は力関係（PD）に少々変化を加えた「身分の相違（status distance＝SD）」を示唆した。これは，文化それ自体によって，その文化に属するメンバー間における身分の相違が維持されてゆくということについて書いたものである。また，ホフスティーデ（1980, 1984）は「不確実性回避（uncertainty avoidance＝UA）」を提唱した。UAは，不確実性や曖昧さ，また集団内の伝統的な性的差異を促進するという意味で，不明確さや「男性度（masculinity＝MA）」といった不安を対処するために，文化が施設やしきたりを作っているといった内容である。ペルト（1968）は，文化を「固定性」という次元によって分類することができると示唆した。つまり文化を，その文化内の均質性によって「緩い文化」と「固定した（固い）文化」に分けられるという内容である。また，ホール（Hall, 1966）は，「コンテキスト（状況・脈絡性）」といった次元によって文化を分類することができると示唆した。つまり，状況・脈絡性の高い文化では，特定の状況に応じて異なる行動は促進されるが，状況・脈略性の低い文化では，状況による行動の相違はごくわずかであるという内容である。

比較文化研究や文化における心理的次元の理論の多くは，個人主義と集団主義に焦点を当てている。文化の定義，帰属性，全世界における地理的な分布，個人間または集団間の関係がもたらす影響（結果）とその応用に，研究は長年にわたって焦点を当ててきたのである［こうした構成概念についてのレビュー（研究論評）に関しては，トリアンディス（1995）を参照のこと］。文化の多様性がもっている重要な次元を認識し，また心理学の多様な領域におけるICの影響の測定法を開発しようとした重要な例として，われわれは個人主義－集団主義（IC）により強く注目している。それと同時に，ICに焦点を当てることは興味深いものだということを，認識することが重要になってくるのである。また，アメリカ文化である「個人主義」とそれに対応する「集団主義」といった重要な概念を研究しているアメリカ人研究者たちや，また米国のシステムを基にして研究したり，考えたりしている米国の研究者たちにとって，ともするとICはバイアス（偏見）を与える可能性があるということを認識しておくこともまた，われわれにとって重要なのである。

■**個人主義－集団主義（IC）における理論的な研究**　個人主義－集団主義（IC）概念の理論的な関連性や実証的実用性に関する研究文献は，すでに多く出版されている。個人主義－集団主義等の文化における次元は，研究文献を書いたり研究したりする上で，きわめて便利なものである。というのも，文化的な相違を予測し解釈するのに，ステレオタイプ（固定的概念）や個人の体験談や印象に頼らず，文化的な次元を使うことになるからである。個人主義－集団主義を概念的に理解するという点で，世界中の比較文化研究者たち

の意見はみんな一致している。(フイとトリアンディス：Hui & Triandis, 1986)。個人主義－集団主義研究の中でも有名なものは数多くあるが，その中の1つにホフスティーデ(1980, 1984)の研究がある。ホフスティーデは50か国以上に支店をもつ国際企業の従業員に対して，個人主義－集団主義の傾向を評価するアンケートを行ない，そのデータを分析した。個々がどの程度個人主義－集団主義を支持するかによって，それぞれの国に順位をつけた。その結果，米国，オーストラリア，イギリスは，もっとも個人主義の強い国であり，パキスタン，コロンビア，ベネズエラは，もっとも集団主義の強い国であることがわかった（表2-1を参照のこと）。

表2-1 ホフスティーデの調査における国別IC（個人主義－集団主義）スコア

国名	実際のIDV	国名	実際のIDV
米国	91	アルゼンチン	46
オーストラリア	90	イラン	41
英国	89	ブラジル	38
カナダ	80	トルコ	37
オランダ	80	ギリシャ	35
ニュージーランド	79	フィリピン	32
イタリア	76	メキシコ	30
ベルギー	75	ポルトガル	27
デンマーク	74	香港	25
スウェーデン	71	チリ	23
フランス	71	シンガポール	20
アイルランド	70	タイ	20
ノルウェー	69	台湾	17
スイス	68	ペルー	16
旧西ドイツ	67	パキスタン	14
南アフリカ	65	コロンビア	13
フィンランド	63	ベネズエラ	12
オーストリア	55	39カ国の平均	
イスラエル	54	(HERMES)	51
スペイン	51	ユーゴスラビア	27
インド	48		
日本	46		

情報源：ホフスティーデ（G. Hofstede）著『Culture's Consequences: International Differences in Work-Related Values』p. 158。著作権：1980年 Sage Publications。許可を得て再録。

トリアンディス，ボンテンポ，ヴィヤリアル，アサイ，ルッカ（Triandis, Bontempo, Villareal, Asai, & Lucca, 1988）は，「集団内での自分対集団外での自分」で個人主義－集団主義がどれだけ異なるのかという文化的な相違を示唆した。（集団内外における分類のレビュー（研究論評）として，ブルーワーとクレーマー（Brewer & Kramer, 1985），メッシックとマッキー（Messick & Mackie, 1989），タジフル（Tajfel, 1982）を参照のこと。）個人主義的文化には，その文化集団の中にさらに分割した下位群が多く存在する。というのも，個々がこういった下位群を利用しているためである。このタイプの文化に属しているメンバーたちは，ある1つの下位群に強く愛着をもっているというわけではなく，なるべく強制力の強い集団から離れようとし，かつ集団内でのつき合いにおいても，独立心や

孤立心が最優先されるのである。その一方で，集団主義の文化では，メンバーは効果的な集団機能により強く依存しており，集団に対するメンバーの献身性はとても強いものである。集団主義者はいかなる犠牲を払ってでも，自分の集団との安定した関係を保持しようとし，かつ他のメンバーたちと強く依存しあって生きているのである。

　トリアンディス，ルング，ヴィヤリアル，クラック（Triandis, Leung, Villareal, & Clack, 1985）は，個人主義－集団主義の適応は状況特有なものと集団特有なものの両方があると主張した。集団主義とは，まとまった傾向というよりは，むしろ個人間の関心事に関連している症候群のようなものであると論議した。トリアンディスらが米国，日本，プエルトリコで行なった個人主義－集団主義研究の結果は，上述したトリアンディス，ルング，ヴィヤリアル，クラック（1985）の見解を支持している。

■**個人主義－集団主義（IC）に関する実証的実験**　行動における文化的な相違を説明するために，多くの研究は個人主義－集団主義の有用性を論証してきた。たとえば，表現力，認知，感情の表現における文化的な相違を予測するためにICを使ってきたのである（グディクンストとティン・トゥーメイ：Gudykunst & Ting-Toomey, 1988；マツモト：Matsumoto, 1989, 1991；ウォールボットとシェラー，1988）。グディクンストら（Gudykunst et al., 1992）は自己モニタリング（self-monitoring）における文化的な相違を理解し，また4つの異なった文化の集団の内と外におけるコミュニケーション結果を理解するために，個人主義－集団主義を使用した。同様にして，個人主義文化内と集団主義文化内で，話し相手に対する信頼性によって発言率が異なってくるといった研究結果を論証するために，リーとボスター（Lee & Boster, 1992）は個人主義－集団主義を使っているのである。

　ジョーガス（Georgas, 1989, 1991）は，ギリシャ人の家族観における変化を説明するのに個人主義－集団主義という次元を使用した。大家族システムとともに行なわれてきた農業，商業の経済社会から，「集団主義的な価値観の拒否や個人主義的な価値観のゆるやかな採用に伴った」工業化やサービス中心の社会へと，現代のギリシャは推移しているということをジョーガスは発見した。

　ハミルトン，ブルメンフェルド，アコウ，ミウラ（Hamilton, Blumenfeld, Akoh, & Miura, 1991）は米国と日本の小学校における教育方針を比較した。アメリカ人教師は，授業，個人指導，どちらの場合においても，生徒1人ひとりを対象に個人単位で指導する。だがその一方で，日本人教師は一貫して1つの共同体として集団単位で生徒に話しかけるのである。生徒たちが個々で自習している時でさえ，日本の教師は生徒全員が同じことをしているかどうかということを確認するという結果が出た。

　ルング（Leung, 1988）は，衝突回避という点で，米国と香港を比較した。集団性が高いとされている人たちは，まったく知らない他人と争う場合が多く，ルングが今回発見した文化的な相違は，過去に提唱された個人主義－集団主義の概念化と一致していると結論づけた。

文化的な類似点と相違点を概念化したり，予測したり，かつ説明したりするという点で，こういった研究は個人主義と集団主義の重要性に焦点を当てている。文化的な相違を理解するという点で，個人主義－集団主義の概念を超越している研究者も数多くいる。こういった研究者たちは個人主義－集団主義の概念を計測する方法を自ら開発し続けているのである。

■**個人主義－集団主義（IC）の測定**　個人主義－集団主義を測定するという試みの中でも有名なのが，上記でも少し述べたように，ホフスティーデ（1980, 1984）のIBM社従業員に対して行なった研究である。4つの主要なテーマに対する126の質問からホフスティーデの調査は構成されている。その4つのテーマとは，①満足感②認知③個人の目標と信条④人口統計である。しかし，ホフスティーデの個人主義－集団主義測定法の残念な点は，この測定法が個人単位の分析というよりは，むしろ国単位の分析であったことである。つまり，この研究は個人単位の分析というよりは生態学的な分析だったのである。じつは，比較研究において重要なのは，個人レベルにおける個人主義－集団主義の測定である。というのも，サンプルとしてごく少数の人間しか取り扱っていないからである。個人レベルで文化の影響を調査することによって，われわれは各サンプルの背後にある心理的な文化を特徴づけ，またそういった心理的な文化がその他の行動様式におよぼす影響を調査することを可能にするのである。

　トリアンディス（1995）は，20の研究を再調査した。これら20の研究は，すべて個人レベルで行なわれたものであり，かつ個人主義－集団主義を異なった測定法でデザインし実験したものである。（ここではいくつかの研究のみにしか焦点をあてることができないため，興味のある読者には，広範囲な批評や測定方法の論議としてトリアンディス（1995）を読むようにおすすめする。）これまで個人主義－集団主義の測定研究に対してもっとも熱意を注ぎ，努力してきたのは，まぎれもなく，トリアンディスとトリアンディスの同僚であろう。トリアンディスらの努力の結果，多数の研究で異なった計測法が数々使われるようになったのである。たとえば，フイ（Hui, 1984, 1988）は，6つの集団（①配偶者②両親と子ども③親類④隣人⑤友人⑥同僚と同級生）におけるそれぞれの個人主義－集団主義の傾向を測定するためにINDCOL測定法を開発した。この実験の結果，上記6タイプの集団における重要なIC概念は共有，決断，協力等だということがわかった。各集団内の項目ごとに得点は合計され，その後，「集団主義の一般指数（General Collectivism Index＝GCI）」を産出するために，集団ごとの得点を集計した。後に，トリアンディスら（1985）は，フイのINDCOL測定法の項目に，他のシナリオと評価を加え，より幅広い測定法を新しく開発した。1986年，トリアンディスら（1986）は，フイ（1984）とトリアンディスら（1985）の研究で使用した項目にあわせて，IC測定のため他の文化に住んでいる自分たちの同僚が提案した項目も使用した。その後，1988年にトリアンディスら（1988）はINDCOL測定法と，米国で考案されたエミックの項目をあわせてICを測定するために使用した。

1990年に行なった研究で，トリアンディス，マッカスカー，フイ（Triandis, McCusker, & Hui, 1990）は，個人主義－集団主義（IC）測定のために多様な測定方法を使用した。その方法によって，後にICについての考察だけではなく，IC測定方法においても大きな発展を遂げることとなったのである。そのころから，研究者たちはICを価値観，信条，態度，行動様式などの文化的な「症候群」として見始めたのである（トリアンディス，1996を参照のこと）。（この方法では，文化を独立体として見ているのではなく，共同体として見ているのである。）結果として，こういった多様な測定方法は，（1）社会的な自己満足感の評価（2）集団内外での単一性に対する認知（3）態度や価値観の評価（4）社会的な隔たりとしての社会的な行動様式に対する認知，などを含んでいる。各測定による結果，得点に基づいて，被験者たちは個人主義か集団主義のどちらかに区別される。トリアンディスは，個人レベルの個人主義，また集団主義をそれぞれ「個人中心的（idiocentric）傾向」または「同種中心的（allocentric）傾向」と言及した（トリアンディスら，1986）。

　ごく最近になって，シンゲリス，トリアンディス，バーウォック，ゲルファンド（Singelis, Triandis, Bhawuk, & Gelfand, 1995）は，さらに新しい測定法を開発した。その測定法は，個人主義と集団主義の改訂後の概念を評価する項目を含んでおり，横型／縦型の個人主義社会／集団主義社会とよばれるものである。個人主義－集団主義（IC）を概念的に理解しているという点で，この測定法はかなり進歩しているといえよう。「横型集団主義」社会では，個々のメンバーは自分自身を集団内の一員として見ており，また集団内では皆平等であると信じている。「縦型集団主義」社会では，各メンバーは自分たち自身を集団内の一員だと見ているが，メンバーどうしでも階級や身分の相違による格差はあると信じている。「横型個人主義」社会では，各メンバーはお互いに独立し平等であるが，「縦型個人主義」社会では，個々のメンバーは独立しているが，平等ではないと信じているのである。

　トリアンディス（1995）がレビュー（研究論評）しているように，他の研究者の研究でも個人主義－集団主義（IC）の評価における心理的な構成概念は幅広い範囲で取り扱われている。心理的な構成概念とは，態度，価値観，規範の評価，自己認知，独立および相互依存の自己観などを含んでいる。こういった研究は，IC評価に対して数多くの選択肢を研究者に与えることになるのである。一方で，トリアンディスの多様な測定法および横型／縦型IC測定法は，他の研究者のものに比べて，はるかに進歩しており，洗練された評価方法である。トリアンディスの評価法は，異なる心理的領域におけるICの傾向も測定し，かつ幅広い現象を1つの測定方法にまとめるといったICの傾向も兼ね備えているのである。

　心理学の異なった領域内ばかりでなく，多様な状況下においてもICの傾向が測定可能であるということは重要である。確かに，1つの研究結果だけでは，概念的なものであれ，実験によるものであれ，ある状況特有の傾向を当てはめることはできないのである。実際，

トリアンディスら（1988）は，ICの相違は社会環境が異なることによって変化するはずである，と指摘した。誰といっしょにいるか，またどういう状況下にいるのかということによって，人は常に異なった行動を取っているのである。自宅にいる場合や身近な友人といっしょの場合は集団主義的であるが，見知らぬ他人といっしょの場合や職場にいる場合は個人主義的になるという人もいるのである。たとえ文化が集団内の人間関係に対して集団主義的な傾向を育むとしても，集団外の人間関係に対して同様の傾向を育むとは考えにくい。万が一，集団外での人間関係に対しても集団内と同様の傾向がみられるのであれば，集団内外の区別によって定義した集団主義の意味は，基本的な定義に反するものであるはずである。こういったICの見方は，特定の価値観というよりはむしろICにおける背景特有の価値観を示唆しているのである。世界中でICとしてまとめられているある特定の傾向としてではなく，いろいろな状況下におけるものとして，個人レベルのIC傾向を理解するべきであるということを，こういったICの見方は主張しているのである。

1997年に，マツモト，ワイスマン，プレストン，ブラウン，カッパーブッシュ（Matsumoto, Weissman, Preston, Brown, & Kupperbusch, 1997）は，個人レベルの個人主義－集団主義（IC）測定法を開発した。その測定法は，個人間における背景特有のIC傾向を評価するものである。この測定法はICIAIとよばれており，トリアンディスら（1990），フイ（1984, 1988），そしてシュワルツとビルスキー（Schwartz & Bilsky, 1987）による過去のIC研究から収集した25項目のリストを含んだものである。こういった項目は，ある特定の行動だけに限定されたものではなく，むしろ一般的な用語（たとえば，「権威に従順」「社会的な責任」「犠牲」「忠誠心」など）を用いて表現したものである。しかし，「愛」や「安全」といったような普遍的な価値基準は，個人主義，集団主義どちらにも解釈することができるというシュワルツ（1990）の評価に基づき，項目の中には含んでいない。25の項目は，（1）家族（2）身近な友人（3）同僚（4）見知らぬ他人といった4つの社会集団に関連している。これら4つの社会集団は，それぞれの集団主義的な相違と，さまざまな状況下における背景特有の相違を最大化してきたといった仮説に基づいて選んだ。すべての項目は2回ずつ評価した。一回目は一般的な価値基準という点で評価し，また2回目は実際の行動の頻度という点で評価したのである（次頁の「ICIAIからのサンプル項目」の囲みを参照のこと）。

米国内の民族集団間にあるICの相違および国と国の間にある個人主義－集団主義（IC）の相違を論証するために，マツモトら（1997）はICIAI測定法を使っている。このICIAI測定法やトリアンディスらの多様な測定方法を利用することは，比較文化研究における主要な前進・進歩だけではなく，変化しやすい人間行動の文化的特性に対する影響を，われわれが理解しているということを明らかにしているのである。ICだけではなく，いかなる文化的な特性も，個人レベルで測定することができるようになったのは，さまざまな理由で有利である。その第一の理由は，異なった集団におけるICの特質を特徴づけることができ，集団内におけるI（individualism＝個人主義）やC（collectivism＝集団主義）の

> **個人主義－集団主義（IC）からのサンプル項目**
> **個人間における評価表（Interpersonal Assessment Inventory = ICIAI）**
>
> 以下のリストは一般的な行動様式を描写したものです。このアンケートの目的は、4つの社会集団に関連させ、貴方が各行動をどれだけ重要に見ているかということを知ることです。それぞれの行動様式は、あくまでも一般的で、且つ仮説的なものだとみなし、また社会集団ごとに分けて考えてください。実際の体験には関係なく、各行動が如何に重要であるかということを知らせてください。全ての項目に答える様に、できるだけ努力してください。　下記0～6の番号で評価し、4つの社会集団ごとに分けられた指定の欄に番号を記入してください。
>
> ```
>   全く重要ではない                          とても重要である
>         0      1      2      3      4      5      6
>                        家族       友人       同僚     見知らぬ他人
> ```
> 直接の要求に応じる
> 自制心を維持する
> 成功の名誉を共有する
> 失敗に対する非難を共有する
> 自分の目標を犠牲にする
> 自分の所有物を犠牲にする
> 一緒に行動するために
> 自分の希望を譲歩する
> 調和のとれた関係を維持する
>
> 情報源：マツモト、ワイスマン、プレストン、ブラウン、クパーブッシュ（Matsumoto, Weissman, Preston, Brown, & Kupperbusch, 1997）。

相対的な重要性を調査できるようになったということである。たとえば、トリアンディスらは、自分たちのIC測定法を世界の異なる文化や国のサンプルに当てはめてみた。結果として、これらの研究データに基づいて、文化を個人（individualism = I）や集団（collectivism = C）として初めて特徴づけることができるようになっただけではなく、IやCの傾向を産出した初めのサンプルごとに、推定比率を定めることができるようにもなったのである。第二の理由は、IC測定法によって、われわれ研究者たちは、研究の間も方法論的な確認を常に行なうようになった。IC測定法を使用することによって、研究者たちはそれぞれの集団がIかCかと自分たちで推測しなくてもよくなったのである。というのも、IC測定法を用いた実験によって、IかCかということを論証することができるようになったからである。第三の理由は、サンプルの中でもICの個人的な差異がみられるということは、適切な分析においてもICの点数を共変数として使うことができるようになった。つまり、統計学的に管理されたICの結果をもとに、集団間における相違も実験することができるという可能性が出てきたのである。

心理学における文化の影響

心理学における文化の影響を、われわれはどうすれば理解することができるのであろう

か。本書で論じてきたように，文化とは経験によって身についた現象であり，生まれたばかりの赤ん坊は文化をもっていないのである。（といっても，ある特定の文化傾向を習得するという点で，生まれたばかりの赤ん坊でも生物学的な性質または気質をすでにもちあわせている可能性はある。第4章「文化と発達」を参照のこと。）子どもは成長するにつれて，自己の文化にとって適切，あるいは不適切な行動様式や行動パターンを習得していき，後になって自文化の価値や社会的習慣などを受け入れたり拒否したりするようになるのである。

　ベーリーら（Berry et al., 1992）は，文化的な習慣が人間の心理におよぼす影響を表わしたモデルを図2-3のように示唆した。このモデルには，生態学的な環境，社会政治学的な状況，生物学といった3つの要素があり，これらの要素はすべて文化的な習慣に影響し，そしてこれらの文化的な習慣は心理学的特徴や特色に影響をおよぼしているのである。ベーリーら（1992）が指摘しているのは，心理に影響をおよぼしているのは文化だけではないということであり，生態的状況および社会政治的な状況も個人の心理に影響をおよぼしているということである。家族特有の特徴や共同体特有の特徴，文化的なアイデンティティ，豊かさといったような他の要素の中にも，心理に影響をおよぼしているものがあるはずだ，と私マツモトは主張したい。

　ここで重要になってくるポイントの1つに，文化や心理学を理解するのに必要となる要素は静的，または一元的ではないという点である。じつは，こういったシステムはすべて活動的で相対しているものであり，意見を交換しあったりしてお互い堅固にしあっている

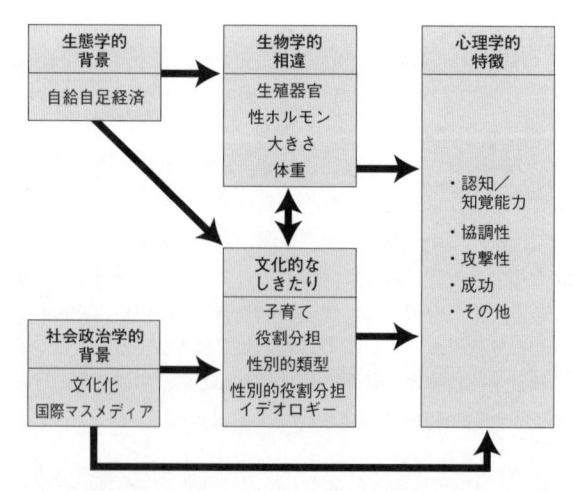

情報源：ベーリー，ポーティンガ，シーガル，ダーセン（J. W. Berry, Y. H. Pootinga, M. H. Segall, and P. R. Dasen）著『Cross-Cultural Psychology: Research and Application』p. 58。
著作権：1992年 Cambridge University Press. 許可を得て再録。

図2-3　背景的変数内での関係と性による行動様式の相違を調査するための枠組み

のである。本章の始めに述べたように，すべての文化や文化的な象徴内にある個々の行動様式の間には，継続的な緊張は必ず存在するのである。文化的な象徴がその文化内の大多数でなくなった時に，文化に初めて変化が生じるのである。同様にして，心理的特徴も文化に影響をおよぼしているのである。結果として，システムは，ある1つの方向に影響を与えるというような直線的なものではなく，それそのものの生命を得るものである。そして，このシステムの生命は文化という接着剤によって堅固にされているのである。

結論

　文化とはとらえどころのない抽象的な概念であり，人間の生活を理解するための基礎を数多く形成している。また，文化は経験によって身についた生活様式の総和であり，1つの世代から次の世代へと，しきたり，伝統，文化的遺産，行動様式といった形で，受け継がれてゆくものである。文化はプログラム化された反応を1つにまとめたものであり，周囲の環境と日常生活で周囲にいる人たちに順応するために，われわれやわれわれの先祖が学んできたものである。つまり，文化は人間の心のソフトウェア（software）なのである。
　文化が，われわれの生活において，もっとも重要な決定要素および影響の1つであるにもかかわらず，まったくといってよいほど，われわれがふだん考えない存在でもある。事実，われわれは文化について毎日考えたりはしないし，文化を常に目にすることはないのである。自分自身の文化的遺産や，いつも自分のまわりにいる他者の文化的遺産の「顕在性」を目にしているのである。たとえ自分たちのまわりにある文化間の類似性や相違性の産出を文化が手伝っているとしても，社会心理的なレベルで文化についてあらためて考えるということはしないのである。文化とは目に見えないものであるがゆえに，他者の行動を説明し理解してくれる目に見える概念として，われわれは他者の言うことを注意して聞くようになるのである。したがって，文化の影響を受けている行動様式について語る時，われわれはつい人種や国籍に頼ってしまうのかもしれない。実際，目で見ることができるという理由で，われわれはこういった概念を容易に使ってしまうのである。つまり，われわれの心は，目で見ることができる情報に対して容易に対応してしまうのである。
　しかし，目に見えないものより，目に見えるものに焦点を当てることにも限界がある。文化的な相違を説明するために，人種や国籍等の目に見える構成概念だけに焦点を当てることによって，世界を理解する上での決まったパターン，すなわち世界観（worldview）に自分自身を閉じ込めてしまうことになり，結果的に失敗に終わるのである。われわれが文化として認知している概念の豊かさを，人種や国籍では結局のところ説明することができないのである。人間行動のすべてをある特定の分類に分けて整理しようとすれば，もちろんその分類に合致しない生活様式も多々出てくることになるわけである。ステレオタイプ（固定的概念）や印象は心理的な現象として文化の複雑さを扱うことができない。とい

うよりも，おそらく扱うべきではないのであろう。

　文化について語る時，米国では2つの極端な例が生じがちである。必死になって文化を探し出そうとしている人，自分たちのルーツ，文化的遺産，伝統を見つけ出そうと努力している人たちもいれば，文化とは無縁で自分とは無関係の概念だと思っている人たちも存在する。こういった個々の人たちにとって，文化とは集団的な存在である。また同時に，文化集団が自らの行動様式に影響をおよぼしているという見解を拒否している人たちによって，文化は避けられている存在でもあるといえよう。文化と行動間の関係という点で，アメリカ文化は多大な緊張においてや，文化という概念に関する価値観においても特徴づけられているのである。

　日常生活で，われわれがどの程度，意識的に文化について考えているかということにはかかわりなく，人間行動の多くが自らの文化や伝統にどっぷりと浸っているという事実を無視することはできない。文化という概念を拒否している人たちの多くにとっては，「自分たちの文化は，文化的遺産という概念を内包してはいない。自分たちの文化は，伝統や過去に挑んでいるのだ」といい張ることが，もっとも無難な方法となるのであろう。ここで興味深いのは，文化に挑み，かつ拒否するということによって，人は文化的な慣習や価値観とともに生きているという事実である。

　文化を理解し，かつ自らの行動における文化的な影響を理解するという課題はけっして容易なものではない。自らの文化であれ他者の文化であれ，文化的な影響を評価する時，われわれは常に自文化的な視点で物を見ているということをけっして忘れてはならない。目に見えないフィルターは，確かに存在しているのである。意識的，無意識的にかかわらず，われわれがものを知覚し評価する際に，このフィルターは常に影響をおよぼしているのである。今この時点でも，読者の皆さんは，自己のフィルターを通して本書を読み，かつ本書に書かれていることを評価しているわけである。われわれは，常にバイアス（偏見）をもって自らや他者に対する判断を下しているのである。たとえ自分にはバイアスがまったくないと堅く信じている人がいるとしても，誰でも何らかのバイアスをもっているはずなのである。たとえば，「自分は独立もしていないし個人主義的でもない。むしろ，自分は人に依存しがちで集団主義の人間で，自分は友人よりもずっと人間関係を考慮している」と信じている人がいるかもしれない。だが，もしかしたら，その人が属している文化は，他の文化よりもずっと独立しており，かつ個人主義的なのかもしれない。自らの文化の中では，比較的，他者に依存しがちな存在であるとしても，世界に存在する他の文化では，独立していることになるかもしれないのである。それでも，「自分は人に依存している」と無条件に信じている人が存在しているのは，自分の文化における暗黙の基準と他の文化の基準を関連させてみることができないからであろう（キタヤマとマーカス：Kitayama & Markus, 出版準備中bを参照のこと）。

　本書を通して重要なことは，文化がどのようにして人間の行動に影響をおよぼしているかというさまざまな根拠を常に考慮し続けるということである。時には一休みし，「自分

の文化的なバイアス（偏見）および内在する暗黙の文化基準によって，われわれは文化間に存在する相違を常に見ているのだ」という事実をたびたび思い出さなければならないのである。「実際，空気それ自体が軽いのではなく，われわれ人間が空気の重さに気づいていないだけなのである」(p.5) とダークハイム（Durkheim, 1938 & 1964）はかつて述べたことがある。同様に，魚にとって水は重要でないというわけではなく，魚が水の存在を認知していないだけのことなのである。魚にとっての水のように，われわれ人間にとって文化とはまさに空気のような存在なのである。

第3章
文化と自己

　文化は通常きわめて大きな構成概念とみなされているが，前章「文化の理解と定義」の章でも述べたように，実際は社会レベルや個人レベルで機能している。われわれはおのおのが文化の動作主として行動しており，自らの中に存在する心理的文化をあらゆる状況，背景，コミュニケーションに当てはめている。たとえば，学校，職場，または友人や家族と会う際に，こういった心理的文化を適用しているのである。まさにこういった行動こそが自己の基礎となっているのである。

　文化は，自己やアイデンティティといった感覚を形作る上で主要な役割を演じており，われわれ人間の行動に幅広い影響をおよぼしている。「文化の理解と定義」の章では文化を定義し，また自己という感覚の中心を形成する上で，文化がどのようにして主要な役割を果たすようになってきたのか，ということを検討してきた。本章では「文化の理解と定義」の章で議論してきたことをより深く追求し，自己という感覚が基本的に文化と関連し，われわれの感情，考え，動機に影響をおよぼしている理由について考えることにする。自己概念（self-concept），自己観（self-construal）としても知られている自己という感覚は，自らの行動を理解するだけでなく，他者の行動を理解し予測する際の重要な道しるべとなるのである。

　本章では，人間の行動様式と心理的特性における文化的相違について明らかにし，自己という概念の重要性について考察する。また，文化によって異なる自己の概念化の例をいくつか取り上げ，それぞれ異なった行動に対する概念化の影響を解明してゆく。また，文化と自己の関係についてのこれまでの説に異議を唱えている最新の研究をいくつかレビュー（論評）した後で，人口の増加により多文化社会において重要な課題となってきた「二文化アイデンティティ」について議論する。本章で述べる内容の多くは後の章に関連しているため，文化の多様性を正しく理解し評価する基礎を本章では構築することにする。

文化と自己概念

　「自己概念」とは，社会科学において，もっとも説得力があり，幅広く普及している概念である。研究者たちは，長年の間「自己」について疑問を抱き，数多くの文献を残してきた。通常，われわれは意識して自己について考えることはあまりない。しかしながら，「どのように自己という感覚を理解し，解釈しているかということ」は，「自分のまわりにある世界」や「その世界の中での他者との関係」をわれわれがどのように理解しているかということと根本的かつ密接に関連しているのである。自己に対するわれわれ人間の概念は，意識しているか無意識かにはかかわりなく，自分たちの生活にとって欠くことのできない重要な部分となっているのである。

　自分自身を描写してみるとする。自分では，楽天家，あるいは悲観論者，または外向的，あるいは内向的だと思っているかもしれない。楽天家／悲観論者，外向的／内向的といったようなレッテルを，われわれは自らを特徴づける簡単な描写として使っているのである。たとえば，ある若い女性が「自分は『社交的』だ」といったとしよう。じつはこの発言の背後には数多くの意味が隠されているのである。こういった描写的なレッテルが通常，意味するのは……

① 能力，権利，興味といった属性と同様に，「社交的」といった属性もわれわれの中に存在しているということ。
② 自分の過去の行動，感情，思考が，この「社交的」といった属性に，密接に関連しているということ。
③ 自分がこれから行なう行動，計画，感情，思考は「社交的」といった属性によって，抑制，あるいは誘導されることになり，またこの社交的といった属性によって，そういった行動，計画，感情，思考をかなり正確に予測することができるようになるということ。

　要するに，もしある人間が自分のことを「社交的」だと表現したとすると，その人の自己概念は，その人の行動，思考，感情，動機，計画に関する豊富な情報レパートリーに深く根づいているというわけである。このようなレパートリーが，その人間の自己概念を培い強化しているということも知ることができるのである。したがって，「社交的な人間」としての自己概念は，自己定義の中心的な存在となり，「顕著なアイデンティティー－salient identity（ストリカ：Stryker, 1986）」，あるいは「自己概要－self-schema（マーカス：Markus, 1977）」といった特別な地位を占めているのかもしれないのである。

　自己という感覚は，自分の思考，感情，行動を決定するのに不可欠な存在であるだけではない。自分のいる世界の中での他者，場所，物，出来事との関係など，自分と同じ世界の中にいる他の人間をどのように見ているのかということに対しても，自己という感覚は重要で，欠くことができない存在となっているのである。感覚は人の中心部分に存在して

いるため，無意識的，かつ自動的に思考，行動，感情のすべてに影響しているのである。社会状況にあわせて，自分の考えや行動を適切に誘導してゆくために，個々の人間は，内在する属性を常に携帯し使いこなしているのである。著名な人類学者であるクリフォード・ゲアーツ（Clifford Geertz, 1975）は「自己」を下記のように述べている：

「（1）限界のあるもの，（2）独特なもの，（3）多かれ少なかれ統合された動機的／認識的領域，（4）自覚，感情，判断，行動などの活動的な中心で，全体的に特徴のあるものにまとめられ，また他者や，社会背景，あるいは自然背景に対して対照的に位置づけられているもの。」(p.48)

自己の意味や重要性に対する上記の仮説は，あくまでも個人主義的な考え方に根づいているアメリカ心理学の枠組みにおいてのみ妥当なものであるのかもしれない。個人主義的な文化では，自己を必要性，可能性，動機，権利などといった内在している多数の属性（もしくは帰属性）で成り立っている「限界のある存在」と考えているのである。つまり，ある文化環境内で人は育ち，そしてその文化環境が自己という感覚を制約し形作っているわけである。このようにして，自己概念はわれわれ人間の心理的習性，特徴，行動を集成する重要な存在となり，また，文化はわれわれがもっている自己の概念を形成しているのである。「自己概念を通して，文化が人間の行動，思考，感情を間接的に形作っているのだ」と結論づけることができる（図3-1を参照のこと）。

文化
（価値観，態度，
行動様式，規範など）　→　自己概念　→　認知，感情，動機

図3-1　間接的に自己概念を通し，文化がどのように行為，行動様式，考え，感情に影響を及ぼしているかというモデル

おのおのの文化はそれぞれ異なっているため「異なった文化に属するメンバーは，それぞれ異質な自己概念をもっており，こういった自己概念の相違が，個々の人間の行動のすべてに影響をおよぼしているのである」。要するに，人が実際のところ「自己」として意味し理解していることが，じつは他の文化ではまったく異なるという可能性も出てくるわけである。個人主義を主流とするアメリカ文化で定義している自己という感覚が，必ずしも他の文化が定義している自己と同じであるとは限らないのである。文化によってそれぞれ異なった生活規則が存在し，また社会的，経済的環境や生息環境が異なるということが，自己概念において相違が起こる主たる理由である。個々のメンバーに対する異なった文化的要求は，個々の一員が自らの世界を異なった形で統合し，また調整している，ということを意味している。要するに，個々の人間は基本的に，異なった自己概念をもっているのである。

自己に対する感覚が自らの生活に多大な影響をおよぼしているのと同様に，他の文化に

属している人たちのもっている自己に対する感覚も，その人たちの生活に多大な影響をおよぼしているのである。すなわち，自らのもっている自己観が，他の文化にいる人たちの自己観とはまったく異質なものであるかもしれない，ということである。しかしながら，われわれは自らがもっている自己に対する感覚や，また，その感覚が，どのように自らの行動に影響しているかといったことについて十分に理解しているとは言えず，文化間に存在する相違性についても，通常はあまり考えることはない。「自己」は重要な抽象概念であり，自らの心理を構成しているものは何かということを理解する手助けをしている。だが，抽象的な概念があるがゆえに，われわれは，他の人間はおろか，自分自身に対する「自己」の影響を必ずしも認識してはいないのである。異なる文化に属する人どうしがコミュニケーションする際に起こす衝突の中にのみ，こういった自己の相違性を見ることができるのである。

　他の文化に属している人たちが，自らのもっている自己概念を直感的に理解できないことはよく起きる。しかし，社会心理学の学生や専門家たちは，たとえ他の文化に属していたとしても，社会心理学における理論的な概念として「自己」という概念を理解しているはずである。このような学生や専門家たちは，きっと理論的な概念として「自己」を理解することができるはずであるが，そういった人たちの理解力は，一般的なアメリカ人の理解力とは本質的に異質である。一方で，アメリカ文化以外の文化的背景を有する人たちは，アメリカ人の多くが四次元空間を理解するのと同じような方法で，西洋の自己概念を理解しているのかもしれない。つまり，他の文化背景をもつ人たちは，理論的あるいは認知的に西洋の自己概念を理解することはできるかもしれないが，西洋の自己概念を実際に経験するといった機会をまったくといってよいほど，もっていないのが現実である。

　最近になって，マーカスとキタヤマ（Markus & Kitayama, 1991b）は，西洋あるいは個人主義的な自立した自己観を比較しながら，自己概念を根本的に異質な2種類の自己に対する感覚として説明した。この研究では，西洋以外の集団主義的な文化では，人は誰でも本質的に他者とつながり，お互いに依存しあっており，社会背景から切り離すことのできない存在だと考えている。マーカスとキタヤマは，西洋以外の集団主義的な文化内でよくみられるさまざまな自己観の分類を行なった。マーカスとキタヤマが明らかにしたのは，こうした西洋とはきわめて異なる種類の自己（つまり西洋以外の文化内でよくみられる自己）が，自分を気づかせ，考え，感じ，やる気にさせる「もの」の中に存在する文化的な相違性に関連している，ということだったのである（マーカスとキタヤマ, 1991b）。もちろん，これら2種類の分類をすべての文化に当てはめることは不可能ではあるが，図3-1で説明した文化，自己，心理の間の関係を強調する主要な例として，この分類法を使用することは可能である。もし，他の文化を理解したいのであれば，これら2種類の分類を臨機応変に使う必要がある。すなわち，理論に基づいた形や，また概念的に無理やり分類するのではなく，異なる文化背景を有する人たちのもっている原理に基づいてその人たちを理解しようとすることがより重要となってくるのである。

自己における異文化的概念化の一例：「自立している自己」と「相互依存的な自己」

自立的観点からの自己観

　米国では，目立つことや自己主張することは美徳とされている。まさに「文句を言った者勝ち」，極端な言い方をすれば「ゴネ得」なのである。また，米国の政治家は「自分の成功は自分の本能，自信，決断力を信じたためだ」と常に思っている。米国のような個人主義的な文化の多くでは，自立することに対する信念がきわめて確固としている。すなわち，自立した存在として個人が自立性を維持しようとすることは，米国のような個人主義的文化では規範とされているのである。

　アメリカ社会では，人は社会に適合するために，自らを独特な存在として表現しようとする。また，自らの内面を知りそれを顕在化しつつ，自らの目標を推進しようとするのである。これは，まさに文化がその文化に属する一員に対して与えた課題であり，個々の人間が自立するように，歴史を通してこういった文化的な課題は作られ，そしてこの文化的な課題といった集合体を用いて，自尊心が特別な意味をもつようになってきたのである。こういった文化的な課題を遂行できた場合に，個々の人間は自己満足を感じ，それにしたがって，自尊心が増大することになる。こういった「自立的観点からの自己観（independent construal of self）」の下で，個々の人間は内在する個人的な属性，すなわち，個人的な能力，知性，性格特性，目標，嗜好に集中し，公の場でそういった内在する属性を表現したり，また社会的な比較を通して，私生活においてもそういった属性を証明したり，確認したりするのである。図3-2（a）では，この「自立的観点からの自己観」を詳しく説明してある。図3-2（a）を見るとわかるように，自己は限界のある存在であり，他者と明確に区別されている。自己と他者の間には重複するものが何もないのである。さらに，太文字の×で示してあるように，能力，目標，権利など，自己にとって安定しまた本来備わっているものとして考えられている属性に，自己におけるもっとも顕著な情報は関連しているのである。

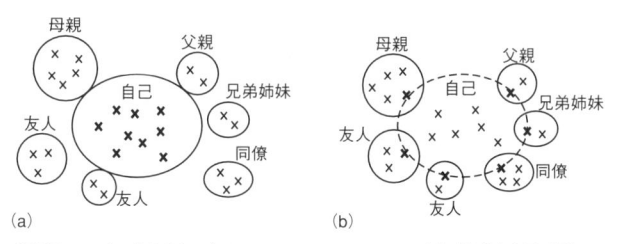

情報源：マーカスとキタヤマ（H. Markus & S. Kitayama, 1991b）著「文化と自己：認知，感情，動機の結果」。「Psychological Review, 98」pp.224-253。著作権：1991年アメリカ心理学協会。許可を得て再録。

図3-2　(a) 自立的観念からの自己観　(b) 相互依存的概念からの自己観

相互依存的観点からの自己観

　西洋以外の集団主義的文化の大多数では，自立することをあからさまに想定したり評価したりはしない。それよりも，「他者との基本的な連結」をその代わりとして重要視する傾向にある。このような集団主義的文化内では，その文化に溶け込み，他の人間と依存し続けるということが，もっとも規範的な課題とされている。個々の人間は社会に適合するために，付随する人間関係や自らの属している集団に適応し，お互いの気持ちを察し合い共感する。自分が課せられた役割をこなし，そして文化的に適した行動に従事する。このような集団主義文化の課題は，歴史を通して他者に依存する自己を促進するように作られてきたのである。

　集団主義的文化での，自己観，自尊心，自己満足は，アメリカ人にとってなじみのあるものとはまったく異質な特徴をもっている。相互依存的観点に基づいた自己観をもっている人たちの自尊心は，自分の文化に溶け込むことができ，かつ日常における人間関係の役割をスムーズにこなすことができるかどうかに左右されているのかもしれない。こういった自己観の下では，個々の人間は他者との相互依存により焦点を置くことができ，また義務，義理，社会的な責任に見合うように，さらにはそういった義務，義理，社会的な責任を新しく作りだそうと懸命に努力するのである。意識して得た経験における，もっとも顕著な側面は相互主観的で，綿密に調節された対人関係に根づいている。この「相互依存的観点からの自己観（interdependent construal of self)」は図3-2 (b) に詳しく説明してある。図3-2 (b) を見れば理解できるように，自己にはあくまでも限界がある。自己は柔軟性をもった存在で，背景によって変化するものである。自己と付随する他者の間にある重複部分はこういった傾向を示している。太文字の×で示してあるように，自己におけるもっとも顕著な側面は，人間関係の中で定義されているのである。つまり，もっとも顕著なのは，自己は特定の社会背景に関連しているため，切り離すことができないという点である。しかし，だからといって相互依存的な自己をもっている人間には性格特性，能力，態度といった内在する属性について知識がないというわけではない。相互依存的な自己をもっている人間も，もちろんこのような知識はもっているのだが，内在する属性は意識の上であまり顕著なものではなく，また思考，感情，行動にとっても重要な存在ではないのである。

　集団主義的であるアジア文化の多くでは，相互依存的な自己概念を促進してきた。こういったアジア文化では，目立つ行動をとると罰せられるのである。まさに「出る釘は打たれる」のである。たとえば，日本の政治弁論は，米国のそれとはまったく異質である。過去に副総理を務めたことのある日本の政治家が，「30年間の政治家としてのキャリアの中で，もっとも重要視し優先してきたことは対人関係である」とかつて発言したことがある。同様に，「調和の取れた政治」という表現は，総理大臣経験者が1980年代の自分の政権を説明するのに使ったことばである。

　もちろん，同一文化内でも，自立的観点から見た自己観と相互依存的観点から見た自己

観にはかなりのばらつきがある。たとえば，同じ集団内でも「自立 対 相互依存」といった2つの傾向が存在する民族集団もあるかもしれないし，また性によって異なった自己観をもっているのかもしれないのである。このように，同じ民族集団や性集団の中でも，多様な自己観がみられる可能性はある（ギリガン：Gilligan, 1982；ジョセフ，マーカス，タファロディ：Joseph, Markus, & Tafarodi, 1992）。同一文化内でみられる相違性もまた，文化的な相違を考慮する上で重要になってくる。本章では，集団内にある限界を認識しながら，「自立的観点からの自己観」と「相互依存的観点からの自己観」に関する傾向について述べてゆくことにする。

認知，動機，感情の影響

　文化によって自己に対する概念が異なるということは，さまざまな領域や行動様式における実際の文化的相違の原因となる。ここでは，2種類の自己観が，どのようにしてわれわれ人間の思考，感情，行動に影響をおよぼしているのかということについて説明してゆきたいと思う。認知，感情，動機的プロセスによって，それぞれの文化集団が共有している自己観に大きな変化をおよぼし，またこういった変化が行動様式に重要な意味合いをもたらすことになるのである。

■**自己認識の影響**　自己観が異なれば，自分自身をどのように理解するかといった方法も異なってくる。自立的観点からの自己観を用いて，能力や性格特性といった人の中に内在する属性は，自己に関するもっとも顕著な情報となる。しかしながら，とりわけ社会的な関係の中で自己を考える「相互依存的な自己」をもっている人間にとっては，能力や性格特性などの内在する属性はあまり目立つものであってはならない。例として，特定の関係［家族といっしょにいる「自分」，彼氏といっしょにいる「自分」］，あるいは特定の状況［学校での「自分」，職場での「自分」］などがある。

　こういった考えを支持する研究がいくつか存在する（ボンドとタック・シング：Bond & Tak-Sing, 1983；シュエダーとボーン：Shweder & Bourne, 1984）。これらの調査では，被験者にできるだけ多く自らの特徴を書き出すように依頼し，その後，すべての回答を何種類かに分類する。その中には自己を抽象的に述べたものや，「社交的である」といったように自己の性格特性や「身近な友人とだと社交的である」といったように状況別に自己を述べたものもあった。「自立的観点からの自己観」と「相互依存的観点からの自己観」に関しては，上記の調査はわれわれが今まで本書で得てきた知識に合致しており，アメリカ人の被験者はアジア人の被験者よりも，自己を解釈する上で，抽象的な特性をより多く使用しがちであることが，こういった調査によって明らかになった。そして，自己を自立したものとして解釈している人間は，能力や性格特性といった自分の内にある属性を，自己に関するもっとも顕著な情報と考えていることが，これらの調査結果によって確認されたのである。また，とりわけ社会的な関係や背景として自己を考えている人間，つまり相互依存的観点から自己を解釈している人間にとっては，内在する属性はあまり目立つもの

ではないことも判明した。

こういった発見は，アメリカ人にはアジア人よりも多くの知識があるとか，また知識がないとか言っているわけではない。相互依存的な自己に対するもっとも顕著な情報は，通常，特定の状況・背景に依存するものである。そのために，「抽象的，あるいは（ある特定の）状況・背景には関係がない状態で自己を表現することが，困難で，かつ不自然である」と相互依存的観点から自己を解釈している人たちは考えているのである。そういった人々は，（ある特定の）状況・背景に関連させて自分自身を定義するといったように，文化によって束縛されているのである。

上記の分析と同様に，トリアンディス（Triandis, 1989）は，相互依存型文化に属している人々は，より社会的な分類，関係，集団を多くもっている傾向にあるということを証明した。実際，中国で行なわれた調査では，自己について記述するといった課題に対する回答の八割が，「自らのさまざまな異なるグループの一員」であることについて述べてあった。ダーワン，ローズマン，ナイドゥ，コミラ，レッテック（Dhawan, Roseman, Naidu, Komilla, & Rettek, 1995）の報告によると，アメリカ人と北インド人の自己記述を比較した調査にも類似した傾向がみられることがわかった。

また最近の調査で，ボクナー（Bochner, 1994）は，マレーシア人，オーストラリア人，イギリス人が自己をどのように見ているかといった記述を比較した。その調査結果は，自己中心，他者中心，集団型自己記述であるかどうかによってそれぞれ符号（コード）化し，また報告された順序によって加重値をつけた。予測どおり，マレーシア人は，より集団的で自己中心は少ないという結果が出た。マレーシア文化では，特定の人間関係が自己をどのように規定するかということがきわめて重要であることを，この調査結果は強く示唆しているのである。そればかりでなく，自己概念における文化的変数が，「文化が違えばまったく異なる」という類のものではないということも，この調査結果は示唆しているのである。つまり，人は皆，個人的な属性および集団の一員であることによって，自分自身を識別していると思われる。文化が異なる人たちを区別するものは，自らを記述する際に使う自己照会のタイプにおける顕著な特徴である。

内在している抽象的な属性という点で，相互依存的な自己をもっている人たちにとって，自分自身を説明することはきわめてむずかしいということを，これまで引用してきた研究は示唆している。要するに，そういった人々にとって，関連した状況・背景を特定せずに，ただ単に「自分は社交的である」といったような抽象的な発言を発することは，一見するとわざとらしくて不自然なことなのである。ある人が社交的かどうかといったことは，すべて状況によるものである。もし，こういった解釈が正しいとすれば，相互依存型の人たちはその状況・背景が特定された場合にのみ，抽象的で内在している属性を用いて，自分自身について簡単に述べることができるであろう。

カズンズ（Cousins, 1989）は上述の分析を支持する論拠を発表した。アメリカ人と日本人に，たとえば，家，学校，職場といったさまざまな社会状況下での自分自身について書

き出すようにと依頼した。こういった指示は，誰がその場にいて，誰に対して何が行なわれていたのかといった明確な社会状況を被験者が心の中に描くことができるように作ったものである。そして，状況背景が特定された場合，日本人の回答者は，「自分は勤勉である」，「自分は頼りになる」，「自分は怠慢である」といったような多数の抽象的な属性をアメリカ人の回答者よりも数多く産みだしたのである。その一方で，「自分は職場では多かれ少なかれ社交的である」や「自分は家にいる時は，時々楽観的である」といったように，アメリカ人回答者には描写を限定する傾向が見られた。「自己定義は状況によって限定されるものではない」と，概して信じているアメリカ人は，こういった状況により当てはめた課題において自己を説明することはむずかしい，と感じたのかもしれない。

■**社会的解釈の影響**　自己観はまた他者の行動を解釈するための認知的な鋳型 (cognitive template) としての役割も果たしている。自立している自己をもつ人たちは，性格特性，態度，能力といった比較的安定した内在的属性を，誰でも一式は必ずもちあわせているものだ，と思い込んでいる。それがゆえに，他者の行動を観察する際に，そういった自立した自己をもつ人たちは，背後に潜んでいる動作主の内面（内部状態）や性質および行動の源になっている動作主の内面（内部状態）や性質を推定しようとするのである。

　米国でおもに行なわれた研究では，上記の主張を支持している。たとえば，被験者がキューバのフィデル・カストロを擁護するエッセイ（ジョーンズとハリス：Jones & Harris, 1967）を読んでいる時，読者である被験者たちは，そのエッセイの著者はきっとカストロに対して好意的だ，と推測するのである。さらには，明らかに状況的な制約がある場合でさえも，著者に対する性質的な推測が生じる傾向にある。被験者が，「エッセイの著者はカストロびいきのエッセイを書くようにと命令され他に選択肢がなかった」ということを知った後でも，著者は絶対にカストロびいきであると推測した。被験者たちは，状況制約を完全に無視し，そのエッセイの著者の性質・傾向を推測したのである。明らかに状況制約を無視し著者の性質・傾向を推測するといったバイアス（偏見）を，「基本的属性錯誤 (fundamental attribution error)」とよんでいる。

　しかしながら，西洋文化に属している人たちとはまったく異質な自己を共有している相互依存型文化に属している人たちにとって，こういった基本的属性錯誤は，それほど広い範囲でみられるような強力な存在ではないのかもしれない。個々の人間が取る行動は状況要因によって変化するものであり，そういった状況要因に依存し，その要因によって導かれるものであることを認知することを，相互依存的な自己観は含んでいるのである。人の中に内在している性質よりも，むしろ「その人を侵害する状況的な力という観点に立って他者の行動を解釈するべきだ」と相互依存型文化に属している人たちはより信じがちなのである。

　ミラー (Miller, 1984) は，アメリカ人とヒンズー系インド人における社会的解釈の傾向を調査した。この調査では，ヒンズー系インド人とアメリカ人の被験者に，他者のために何かよいことをした知人，あるいは他者に何か悪いことをした知人，どちらかについて

話すようにと依頼した。そして，指示に従って自分の知人について話し終わった後で，被験者たちにその知人が善意あるいは悪事を働いた理由について説明してもらった。そこで一般的なアメリカ人の回答者は「その女性はとても無責任な性格だから」というように，性質といった観点に立ってその知人の行動を説明したのである。これに反して，ヒンズー系インド人にはアメリカ人のような，性質的な解釈はあまり見られなかった。その代わり，動作主の義務，社会的な役割，状況に特有な種々の要因といった観点に立った説明が多く見られたのである（シュエダーとボーン：Shweder & Bourne, 1984を参照のこと）。

ピアジェ（Piaget, 1952, 1954）の「知性の発達」理論に基づき，上記の結果に対して異なった解釈をした研究者も中にはいる（ライブスリーとブロムリー：Livesly & Bromley, 1973）。人間は知性の発達の多様な段階を経て成長し続けるのだが，その知性の発達は一般的に「具体的操作」からより高度な段階である「抽象的操作」へと進んでゆくものであると，ピアジェ（1952, 1954）は提唱している（第4章「文化と発達」を参照されたい）。この理論を枠組みとして使い，西洋人以外，たとえば上記のシュエダーとボーンの研究ではヒンズー系インド人成人はアメリカ人成人よりも，知性の発達が遅いと提唱した理論家もいるくらいである。ミラー（1984）の調査結果においても，インド人は具体的で状況特有の用語を使用し，アメリカ人はより抽象的な性質である用語を使用したのである。

しかし，こういった解釈は自民族中心的なものかもしれない。自分たちよりも劣った形で他の文化を特徴づけるときには，常に用心深くなければならないのである。実際，「自らを好意的に判断したい」といったわれわれの願望を，まさにこの理論は反映しているのである。今回の調査の場合は，抽象的な理由づけができる能力をもっているにもかかわらず，なぜインド人が抽象的な用語で社会行動を説明しようとしないのか，といった理由は自己観の相違性にあるのである。インド人は，他の人間や自分自身の行動を抽象的な用語で説明することは理屈に合わない，不自然な行為だ，と見なしているのである。では，認知能力の一機能として，文化間にある相違性を除外しようとする資料は存在するのだろうか。

さいわいにして，ミラー（1984）は異なった社会階級や学歴をもつ人からもデータを収集し，状況特有的な解釈といったインド人の傾向は社会階級や学歴などの要因には左右されていない，ということを明らかにした。こういうわけで，インド人の間でよくみられる「具体的状況・背景に基づいた考え方」の原因は，抽象的に理由づけするといった能力がないからというわけではない，ということが明らかになったのである。そうではなく，インド人に共通する「具体的状況に基づいた理由づけ」の原因は，ヒンズー文化できわめて顕著である相互依存文化的な推測にある，ということがわかったのである。相互依存的観点からの自己観において，他者の行動を説明するのにもっとも理屈に合った推測とは，その行動が「特定の状況」という要因によって制約され，方向づけられているといったものなのである。

■**達成動機の影響**　動機に関する西洋の研究では，動機とは動作主にとって内面的なも

のであると考えられてきた。何かを達成したり，誰かの仲間になったり，また何かを支配したりすることに対する人の動機は顕著であり，内在する自己にとって重要な要因となっている。つまり，顕在的行動を誘導し，活気づける要因となっているのである。しかし，相互依存的観点から自己を解釈する人の場合は，他者からの期待が社会的な行動を誘導することとなり，他者，あるいは自分の属する集団に対する義務にも責任を感じるようになるのである。こういった例は達成動機をもっとも端的に描いているものであろう。

「達成動機（achievement motivation）」とは，「人よりも卓越したい」という願望であり，そういった願望は，どんな文化でもあまねく見ることができるものである（メーアーとニコルス：Maehr & Nicholls, 1980）。しかし，今日の研究では，社会的あるいは対人的というよりも，個人的な理由，すなわち，より特定の方法で他者より卓越したいという願望が概念化されている。現在では古典的となっている2つの研究（アトキンソン：Atkinson, 1964；マックレランド：McClelland, 1961）が明らかにしたのは，「卓越したいという願望」は自らを前進させ，積極的に成功に向かうという個々の人間のもっている傾向に密接に関連している，ということである。実際に達成といった概念は，西洋文化であまねく共有されている自立的観点からの自己観と合致している。

一方，相互依存的な枠組みでは，幅広い社会的目標を達成するために卓越を目指そうとするのである。こういった達成動機の社会的な形は，相互依存的観点から自己を解釈している人たちの間でより普及している。他者との連結性を完全に理解するという意味で，相互依存的な自己はもっとも重要とされているのである。したがって，こういった相互依存型集団における達成動機の性質は，自己を自立しているものとして解釈している集団の達成動機の性質とは，かなり異質である。

ヤング（Yang, 1982）は，個人志向と社会志向といった2種類の達成動機を分類した［メーアーとニコルス（1980）の研究と比較されたい］。個人志向的な達成は，米国などの西洋文化でよくみられるものであり，「自分」といった個人のために，人は達成に向かって懸命に努力するのである。一方で，中国社会では，社会志向的な達成がより多く見られた。このタイプの達成は，個々の人間が，家族といった自らに関係のある他者のために，達成に向かって懸命に努力する。たとえば，ある中国人学生が，有名大学に入り，そして一流企業で就職するために一生懸命勉強している，と仮定しよう。行動という面において，学校や職場で成功するために努力しているアメリカ人とこういった中国人学生の間には，まったく差異はないのかもしれない。しかし，中国人の場合，そういった行動を取る究極的な目標は，自分のキャリアを向上させるといったような個人的なものではなく，集団的あるいは相互依存的なものなのである。相互依存的な目標には，自分の家族の社会的な地位を向上すること，家族の期待に沿うこと，あるいは今まで多大な犠牲を払って，自分を育て養ってくれた両親に対する義理や恩といった感覚を満足させることがある。つまり，中国人学生の達成願望は社会的に根づいたものであり，必ずしも「自分」といった個人の質や地位を向上させるといった願望を反映しているものではないのである。

上記の概念を支持して，ボンド（Bond, 1986）は中国人がもっているさまざまな動機の各段階を評価し，中国人のもっている個人志向的な達成動機は社会志向的なものよりも高いということを発見した。中国人がもっている達成動機は家族主義や親孝行と正の相関関係がある，とユゥ（Yu, 1974）は報告している。個人主義というよりは，集団主義である儒教や仏教の教えや哲学が影響をおよぼしている文化の多くにおいて，親孝行は主要な社会的構成概念として受け入れられているのである。つまり，こういった文化では「卓越したい」といった強い動機をもった人たちは，家族，とりわけ両親に対する恩義や義理について真剣に考えているのである。

　日本でも類似した観察が報告されている。ドイ（K. Doi, 1982, 1985）は卓越するための努力における傾向，つまり「達成の傾向」を測定するために作った30の質問を日本人大学生を対象に行なった。後に追加された30の質問は，「他者を気遣いたい」という願望，また「他者に気遣われたい」という願望（友好関係の傾向）を測定したものである。達成と友好関係に対する願望が高い人間にとって，達成動機と友好関係の間にはきわめて緊密な関係が存在しているということを，この調査の結果は示したのである。この結果は，一般的に上記のような2種類の動機は関連したものではない，と主張している西洋での研究結果とは，明らかに対照的である［アトキンソン（1964）と比較されたい］。上述した中国や日本の調査は，日常生活でたいせつな人間とかかわり合い相互依存しているといった社会的な傾向と達成は密接に関連しているということを示しているのである。

■**自己高揚と自己卑下の影響**　　ジェームズ（James, 1890）の研究以来，心理学者がくり返し実証してきたのは，自己を肯定的に見るためのもっとも有力な動機についてである。早ければ4歳という年齢で，アメリカ人の子どもは自分が他の人間より勝っていると考えるようになる。ウィリー（Wylie, 1979）は，アメリカ人成人が一般的に自分のことを平均より賢くまた魅力的だと考えている，という事実を発見した。また，アメリカ人学生に対する国勢調査で，リーダーシップ能力，つまり，他者とうまくつき合う能力という点において，平均より下だと思っている生徒はまったく存在せず七割の生徒が自分は平均よりも上だと信じ，また六割がトップ10パーセントの中に入っていると思っていることを，マイヤーズ（Myers, 1987）は発見した。このように，好ましい特性という点において一般市民，つまり他者を過小評価する傾向を「誤認独自特性効果（false uniqueness effect）」とよんでいる。米国では，この効果は女性よりも男性により強くみられる（ジョゼフら：Joseph et al., 1992）。この誤認独自特性効果は，米国では自尊心を高める手段の一例であるのだが，これは他の文化に属する人たちにも同じようにあてはまるのだろうか。

　相互依存的観点から自己を解釈する人にとって，自己高揚を維持するということは異なった形式を想定させることになるのかもしれない。相互依存的な自己をもつ人たちにとって，内在する自己の属性に対する肯定的な判断が，自尊心，あるいは自己満足感などに強く結びついてはいないのである。そうではなく，自尊心，あるいは自己満足感は，他者との相互依存的な役割を満たすことに関連している可能性が高いのである。

個々人が文化的な課題にうまく対処し，集団にうまく溶け込み，適した行動に従事し，他者の目標を促進し，調和を保つといった認識から，相互依存的な枠組み内での自己に対する全体的な尊重あるいは満足感は生まれるのかもしれない。また，他者との相互依存に順応するために，自分の中に内在する個人的な考えや感情を調節・調整する能力にこういった相互依存的な枠組み内での，自己に対する全体的な尊重，あるいは満足感は，由来しているのかもしれない。自分自身を「独自的，あるいは他の人間とは異なる」というように見ることは，相互依存的な自己にとって自己信頼，または自尊心といった感覚を維持するためには不要なものである。というのも，個々の人間のもっている独自特性に貢献している自己の属性は，あまり自己制約的ではないからである。独自特性をもつことは，もっともたいせつである人間関係から自らを疎外することになるという理由で好ましくはなく，「出る杭」というような存在にもなりかねないのである。

他者とは異なった存在として自己を見る傾向には文化的な相違性があるという初期の調査で，マーカスとキタヤマ（1991a）は日本人とアメリカ人の大学生を対象に一連の誤認独自特性の項目を含んだアンケートを施行した。「この大学に貴方よりも知能が高い学生は何割いますか」といったような形でこのアンケートの質問は作られ，能力（知能，記憶力，運動能力），独立性（自立性，自分自身の意見をしっかりともっていること），相互依存性（より同情的，より心が温かい）といった3つの分野からアンケート項目は構成してあった。

マーカスとキタヤマ（1991a）が行なった上記の調査データを図3-3にまとめた。このデータでもっとも注目すべき点は，自分の独自特性に対する判断における日本人とアメリカ人学生の間にある顕著な相違である。アメリカ人学生の三割が，さまざまな特質や能力に

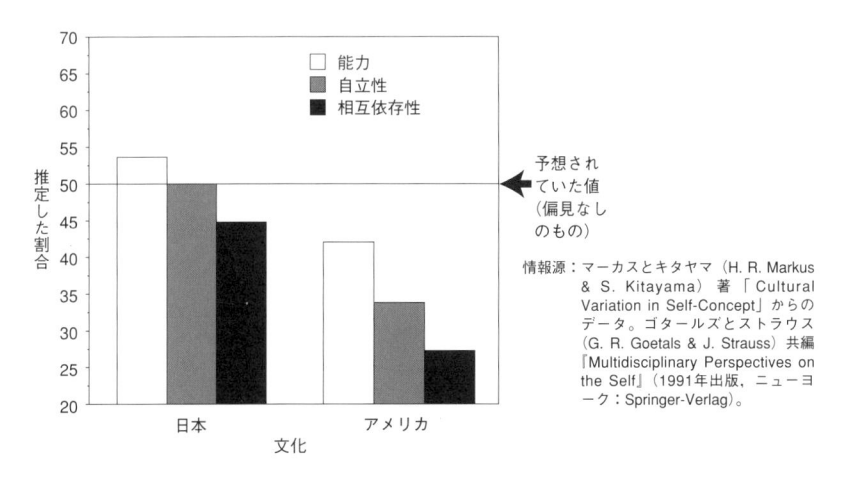

図3-3 3種類の行動分類において，人よりも優れていると考えている人の割合を推定したもの

情報源：マーカスとキタヤマ（H. R. Markus & S. Kitayama）著「Cultural Variation in Self-Concept」からのデータ。ゴータールズとストラウス（G. R. Goetals & J. Strauss）共編『Multidisciplinary Perspectives on the Self』（1991年出版，ニューヨーク：Springer-Verlag）。

おいて他者よりも自分の方がより優れていると信じているのに対して、日本人学生にはアメリカ人学生のような誤認独自特性がほとんどといってよいほど、見ることができなかった。日本人学生の場合、ほとんどの学生が「約半分の学生は自分よりも優れている」と答えたのである。この結果に対して、日本人の学生はきっと「半分」と答えるのが好きだから、そういった結果が出たのだろうと疑う人もいるかもしれないが、じつはそうではないのである。というのも、データにおける変動性は、アメリカ人、日本人の両者にとっても同一だったのである。独自特性を築きあげる必要のない日本人大学生の被験者にとって、この発見は象徴的で、かつ予測可能なものである。

■社会的に内包された感情の影響　　感情は他者から自立した自己を促進するタイプと、他者との相互依存を促進するタイプに大別することができる（キタヤマ、マーカス、マツモト：Kitayama, Markus, & Matsumoto, 1995）。目標や要望を達成したり、知性あるいは富といった望ましい属性を確認したりする場合に、「誇り」、「優越感」といった感情が生じる。こういった感情を経験することによって、自分の中に内在している属性を確認するといった傾向がある。同様にして、目標や要望など自分の中に内在している属性を封じ込めることによって生じる「怒り」や「欲求不満」といったような否定的な感情も存在する。いずれの場合も、社会的背景に関連して、自らの属性は顕著なものとなり対照的なものとなる。これら2種類の感情は社会から自己を分離したり、あるいは解放したりする傾向にあるだけではなく、同時に、社会からの自立性を促進する傾向にある。キタヤマ、マーカス、マツモト（1995）は上記の感情を「社会的束縛から解放された感情（socially disengaged emotions）」とよんでいる。

　友愛の情や尊敬の念といったような肯定感情は、多かれ少なかれ共同的で密接な人間関係から生まれる。肯定感情をいったん経験すると、他者との絆をさらに促進することになる。否定感情の中でも恩義や罪悪感といった感情は類似した傾向をもっている。このタイプの否定感情は、一般的に対人関係をうまく構築できなかった場合や、人間関係に何らかの害をひきおこした場合に生じるのである。このタイプの否定感情をいったん経験すると以前ひきおこした害を補ったり、あるいは恩返しようとしたりすることによって人間関係に調和を取り戻そうと努力するようになる。こういった行為が新しい人間関係に従事し、かつ自己を同化させることになるだけではなく、他者とともに相互依存しようと自己を促進させようとすることにもなるのである。このタイプの感情を「社会的に束縛された感情（socially engaged emotions）」とよんでいる。

　人は皆、否定感情、肯定感情どちらのタイプの感情も経験するものだが、相互依存的観点から自己を解釈する人間は、概して自立的観点から自己を解釈する人間とは異なった感情で社会的に関与しているのである。自立した自己よりも相互依存的な自己にとっては、社会的に束縛された感情は、より強いものであり、また自らの中に内在しているものである。それにひきかえ、自立的観点から自己を解釈する人たちは、「社会的束縛から解放された感情」を内在的に、そしてより強く経験しているのである。

■社会的な内包と文化特有的感情の影響　　感情の多くはどの文化においても共通するものであるが、特定の文化にとって比較的固有な感情も中には存在し（ラッセル：Russell, 1991），こういった感情を「文化特有の感情（indigenous emotions）」とよんでいる。上述した社会的に内包された感情は，西洋以外の文化では顕著である，ということを示唆しているものが，文化人類学の調査の中にはある。ラッツ（Lutz, 1988）は，ミクロネシアのイファラック（Ifaluk）という環状珊瑚島に住んでいる人たちの感情を調査した。そして，ファゴ（fago）という感情はこのイファルック文化にとって中心的な存在であるということを提唱した。ラッツによると，ファゴはおおまかに言って，同情，愛，悲しみといった感情が併わさったものとして述べることができるらしい。このファゴという感情は行動を促進し密接な対人関係を築き，かつ向上するものである。心理学の専門用語を用いると，ファゴはまさに「社会的に束縛された感情」の例である。ファゴに対比して，イファルックには，翻訳すると幸福と興奮が合わさったことば「カァー（ker）」も存在する。カァーは「危険で社会的な秩序を乱すもの」として受け止められている（p.145）。イファルックの人間は，カァーを「社会的束縛から解放された感情」だと見ている。

　よく似た分析が他の西洋以外の文化で使用されている。ドイ（T. Doi, 1973）は，日本文化を理解する上で，「甘え」という感情がきわめて重要である，と示唆した。甘えとは，他者に対して寛大さ，慈善心，好意などを期待することである。ドイによると，母と子の関係，つまり子どもは母親に依存したいと望み，また母親は子どもに対して無条件の世話と愛情を注ぐといった関係に，甘えの原型を見ることができるらしい。この原型が，後になって成人版の甘えに繋がることになる。この成人版の甘えはより細分化し洗練されており，上司と部下といった関係のような血縁関係でない人間関係にもあてはまる。部下は上司に対して好意，あるいは慈善心といった甘えを感じるのである。部下の甘えに応じた上司の行動は，2人の間に慈愛に満ちた絆を促進し強化することになる。しかし，上司に部下に対する慈愛がない場合は，両者に否定感情を引き起こすことになる。ここでも，イファラックのファゴという概念と同様に，社会的な束縛によって日本文化に対する「甘え」という感情の意味を明確にすることができる。

　上述した文化人類学的な調査は，これまで本書で述べてきた2つの自己観の典型的な例である。相互依存的観点から自己を解釈している人たちにとって，自己の公的，または相互主観的な側面は，意識的な経験によって得られるものである。しかし，一方で自立的観点から自己を解釈している人たちにとっては，私的，またはより主観的な側面がより強調されるのである。図3-2と3-3を比較してみることにする。社会的な内包は比較的，公的で相互主観的な感情であるため，集団主義文化にいる西洋人以外の相互依存的な人たちのもっている感情的な経験において，社会的な内包はとりわけ顕著である。それとは対照的に，自立した自己，あるいは良い感情と悪い感情，あるいは良いムードと悪いムードといったより内在的で私的な感情を促進する西洋では，個人主義的文化はより顕著なのかもしれない（クレイマン：Kleinman, 1988）。たとえ個人主義的文化に属する人間が，異なった感

情の社会的な内包を認知しているとしても，こうした解釈はあてはまるのである。

■**幸福の影響**　幸福とは，幸せという感情のもっとも一般的で絶対的な状態のことをいう。一般的で肯定的な状態を表現するために，「くつろぎ」「大喜び」そして「穏やか」といった用語を用いる。人は，文化に関係なく，このような方法で定義された幸福という概念を共有しているのである。しかし幸福という特定の状況，または幸福に付随する意味は，自立的観点からの自己観か，相互依存的観点からの自己観かによって決定する。自立的，あるいは相互依存的である文化的な課題を無事に達成した場合に，人間はもっとも幸せな感情を経験するのだと，研究文献は示唆している。

　キタヤマ，マーカス，クロカワ，ネギシ（Kitayama, Markus, Kurokawa, & Negishi, 1993）は，どれくらい頻繁に，3種類の肯定感情を含んださまざまな感情を経験するのかについて報告するように日本人とアメリカ人大学生に依頼した。感情を説明するために使われた用語には，「くつろぐ」「大喜び」「穏やか」といった一般的なもの，また「友愛の情」や「尊敬の念」といった社会的に関与したものや「誇り」や「優越感」といった社会的に解放されたものなど，より社会的に内包されたものもあった。上記3種類の感情の間にある相関性を調査することによって，互いに異なる文化間の興味深い相違性が明らかとなった（図3-4を参照されたい）。

　アメリカ人学生にとって，おもに「社会的束縛から解放された感情」の経験に一般的な肯定感情は相関していた。つまり，自立性，たとえば「誇り」などの「社会的束縛から解

図3-4　アメリカと日本での，一般的な肯定感情と，社会的に束縛された感情（socially engaged emotions）対 社会的束縛から解放された感情（socially disengaged emotions）の間にある相関関係の文化的な相違

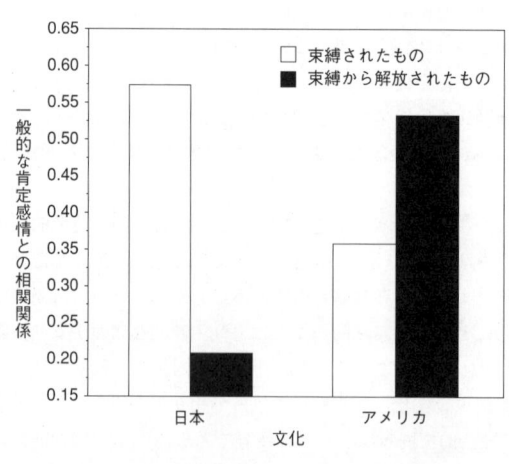

情報源：キタヤマ，マーカス，クロカワ，ネギシ（S. Kitayama, H. R. Markus, M. Kurokawa, & K. Negishi）著「Social Orientation of Emotions: Cross-Cultural Evidence and Implications」からのデータ（1993年オレゴン大学，未出版）。

放された感情」といった文化的な課題において成功を示唆する感情を経験したアメリカ人学生は、「ほぼ幸せ」だと感じたに違いない。その一方で、日本人学生にはまるで正反対の傾向が見られた。「相互依存性（「友愛の情」などの社会的に束縛された感情）」といった文化的な課題において成功を示唆する感情を経験した日本人学生が、「ほぼ幸せ」であると感じたのである。「幸せだという感情」の厳密な意味、あるいは内包は文化によって形作られており、また米国では自立といった文化規範、日本では相互依存といった文化規範に密接に結びついているのである。

● 批判的思考および自立した自己と相互依存的自己の分析評価

　本章の初めに述べたように、文化がわれわれの自己という感覚に影響をおよぼし、またそういった自己の感覚がわれわれの心理的特徴や行動様式といったさまざまな側面に影響をおよぼしている、といった事実に対する疑いはほとんどといってよいほど存在しない。ここで再検討しているマーカスとキタヤマの研究は心理学の分野にとって大きな影響をおよぼしてきた。文化によってどのように自己概念が異なるのかといった一例として、このマーカスらの行なった研究が提示しているのは、自己における文化の影響を理解するための概念上の枠組みである。マーカスとキタヤマの選んだアプローチは、自己認識、社会的解釈、動機づけ、感情に関連した多様で幅広いクロス・カルチュラル（比較文化）研究を統合し、まとめることを可能にしたという別の利点もある。自立的観点からの自己観と相互依存的観点からの自己観といった概念は直感的に筋が通っており、主流心理学と同様、比較文化心理学の分野においても受け入れられている。

　しかし、上記の理論だけではなく、いかなる理論でも学術的に評価するということは、「筋が通っているのか通っていないのか」いう問題、あるいは「理論が予測している結果が出たのか出なかったのか」といった問題を超えるものでなければならない。より困難かつより必要とされる分析レベルが、理論の背後に隠れている仮説の調査、またそういった仮説を支持する直接的な証拠に関連しているのである。このような裏づけなしには、予測されていた結果（例：自己認識）が生じた理由が、理論的な枠組み（例：自立した自己と相互依存的な自己）を原因とするのか、あるいは他の要因を原因とするのかということを知ることはできないのである。要するに、予測された結果を通してよりも、その枠組みそれ自体が支持される必要があるのである。

　たとえば、アジア人とアメリカ人を比較した調査は、「自立的自己観と相互依存的自己観」といった概念を支持するために使われてきたものである。しかしながら、これら2つの集団間にある相違性の原因が異なった自己観にある場合やこういった自己観が個人主義と集団主義に関連している場合、下記のように少なくとも2つのおもな仮説があげられることになる。

(1) アジア人は依存相互的観点からの自己観をもち，アメリカ人は自立的観点からの自己観をもっている。
(2) アジア人は集団主義的で，アメリカ人は個人主義的である。

こういった2つの仮説が正しいかどうかということを実験によって確かめることなしに，調査によって生じた相違が自己観という文化的な概念による相違性によるものなのか，あるいは，地理，社会階級，主食などといった集団間にある他のタイプの相違性によるものなのかを知ることは厳密にいって不可能なことである。実際，こういった問題に取り組むには，実験を用いて調査する以外に方法がないのである。

第一の仮説を調査する研究の障害として，個人レベルでの自己観を測定するために信頼できる方法が不足しているということがある。しかし，さいわいにも，シンゲリス(Singelis)ら（シンゲリス，1994；シンゲリスとシャーキィー：Singelis & Sharkey, 1995）は個人レベルでの自己観測定法を開発することに成功した。そして，ハワイ大学に在学しているおのおのの民族集団に属する学生たちの自己観を実験する2種類の調査にその測定法を使用した。どちらの調査においても，ヨーロッパ系アメリカ人に比べて，アジア系アメリカ人はより相互依存的である。その一方で，アジア系アメリカ人と比較すると，ヨーロッパ系アメリカ人はより自立的である，ということが発見された。米国内にいる異なる民族集団であるにもかかわらず，シンゲリスらの発見は，アジア人とアジア人以外の自己観における相違性に関するマーカスとキタヤマの主張に明らかに合致している。ところが，同様の測定法を使用したカーターとディネル（Carter & Dinnel, 1997）の調査では，アメリカ人と日本人を実験したところ，日本人はアメリカ人に比べてより自立的であるという結果がでた。他の文化集団に対する研究でも，自立的 対 相互依存的な自己観において差異が認められなかったと報告し，第一の仮説の一般化に疑問を呈している（ワトキンズとレグミ：Watkins & Regmi, 1996）。

ダブル，バーナル，ナイト（Dabul, Bernal, & Knight, 1995）の最近の調査によって，上記の発見に対する予想外の展開が明らかになった。これら3名の研究者はメキシコ系アメリカ人と英国系アメリカ人の若者に自己観に対する自由形式のインタビューを行なった。メキシコ系アメリカ人は英国系アメリカ人に比べて，より他者中心的に自分自身のことを述べていること，また英国系アメリカ人にとっては，自己中心的な自己記述がより重要であることが，符号（コード）化による全得点を集計することによって判明した。しかしながら，使用頻度によって得点を計算し直した際に，2つの民族集団の間には差異がまったく存在しないということが判明した。この発見は，上述した第一の仮説の正当性を疑問視するだけではなく，異なった研究方法やデータ分析を用いたせいで異なる結果が得られたのだという可能性を示唆しているのである。

「アジア人は集団主義的でアメリカ人は個人主義的である」といった第二の仮説にも問題が多々ある。前章「文化の理解と定義」で説明したように，個人レベルの個人主義的傾向や集団主義的傾向を測定するために，現在では多数の測定方法を使用することができる

ようになった。こういった測定方法は，過去数年の間，広範囲にわたって使用されており，アジア人（とりわけ日本人）のステレオタイプ（固定的概念）となっている集団主義を，概して支持しないという結果が出ている。たとえば，マツモトら（Matsumoto et al., 1997）はIC（個人主義－集団主義）個人間における評価表（interpersonal assessment inventory）を使ってICの傾向を測定し，アメリカ人は日本人よりも集団主義的であることを発見した。このマツモトらの研究の追跡調査で，マツモト，クドウ，タケウチ（Matsumoto, Kudoh, & Takeuchi, 1996）は，職をもった平均40歳の日本人は，日本人の大学生に比べて，より集団主義的であることを発見した。この調査結果は，過去の日本は集団主義的だったのかもしれないが，現在は疑わしいと示唆しているのである。

　カーターとディネル（1997）も，同じような発見を報告している。ヤマグチ（Yamaguchi, 1994）の集団主義測定法，トリアンディスの集団主義的な価値指数（トリアンディスら，1990），またシンゲリス（1994）の自己観測定法といった過去の研究，またアメリカ人と日本人被験者に対する個人主義的自尊心や集団主義的自尊心のさまざまな測定法をこのカーターとディネルの研究は評価したのである。この2人の研究者の予想に反して，集団主義は日本よりもアメリカ的な特徴であり，また自立的観点からの自己観はアメリカ人よりも日本人の特徴であるという結果が出た。この結果は，アジア系アメリカ人対ヨーロッパ系アメリカ人における上記のシンゲリスの発見に反するものである。カーターとディネル（1997）は，集団的な自尊心という点においても，アメリカ人と日本人の間には差異がまったくない，ということも発見した。

　他の研究でも，カシマら（Kashima et al., 1995）は，オーストラリア，米国本土，ハワイ，日本と韓国の被験者に対するさまざまな集団主義的測定法と自己中心的測定法を評価した。韓国人と日本人は米国本土のアメリカ人やオーストラリア人よりも，集団主義という点において高得点を産出する一方で，後者，つまり米国本土のアメリカ人やオーストラリア人は自分がどのように力を発揮するかといった点や，あるいは自己主張という点において，高得点を産出するという結果が出た。この発見は文化的相違性に対する過去の概念に合致するものである。ところが，もう一方の対人関係の測定においては，米国本土の女性がもっとも高い得点を産出し，その後は，オーストラリア人女性，ハワイ人女性，韓国人男性，ハワイ人男性，オーストラリア人男性，米国本土の男性という順であった。予想に反して，日本人の男性と女性の得点はもっとも低いものであった。

　最近になって，タカノとオサカ（Takano & Osaka, 1997）は，上述したアメリカ人と日本人の間にある個人主義と集団主義の測定法を比較した他の10種類の調査を再検討した。協調性に関する調査および5種類のアンケート調査の結果，2つの国の間には差異がまったくない，ということがわかった。協調性における2つの実験的な調査とアンケート調査の結果では，アメリカ人と比較すると，日本人はより個人主義的だということが判明した。これでアメリカ人よりも日本人は集団主義的であるという報告をした調査は，集団主義的な構成要素を無視して個人主義を定義したホフスティーデ（Hofstede, 1980）の最

初の調査のみということになった（第2章「文化の理解と定義」で，すでに説明ずみである）。

　自立的観点からの自己観と相互依存的観点からの自己観に関するマーカスとキタヤマ（1991b）の概念上の枠組みの根底にある2つの仮説の正当性を受け入れることが困難であるということを，こういった調査のすべてが示唆していることになる。ここで引用したさまざまな調査だけではなく，「同じ調査で同じ被験者内に存在する」個人レベルの自己観や集団レベルのIC傾向を同時に評価するといった実験が，2つの仮説にとってもっとも重要になってくるのである。こういった評価なしに，提示された要因のみがデータ結果に影響を与えているとは言い切れないのである。しかしこういった研究は，残念ながら現在の時点では存在しないのである。

　では，われわれはいったいどのようにしたらよいのだろうか。「自己」に対する文化の影響，それに従った個々の行動における文化の影響に対する認識を推進したという点において，心理学の分野に大きく貢献した研究として，マーカスとキタヤマ（1991b）の「自立的な自己観 対 相互依存的観点からの自己観」といった最初の概念はとても重要であったといえよう。しかしながら，「自立的な自己観 対 相互依存的観点からの自己観」といった概念に賛同する一方で，こういった概念の背後にある重要な仮説を客観的に実験することも，本分野において必要であると断定することができよう。これら2種類の自己観は，実際に存在するのだが，もしかしたらこういった自己観の背後にある基盤は個人主義や集団主義以外の何かにも関連しているのかもしれない。したがって，この問題をはっきりさせるためには，さらなる研究が必要とされるのである。

● 自立的観点からの自己観と相互依存的観点からの自己観を超えて：相関した自己概念と孤立した自己概念

　実際，「自立した自己」と「相互依存的な自己」といった概念は，心理学の歴史を通して提示されてきた自己に関する他の二元性や人間性と異なっているわけではない。こういった自己に関する他の二元性や人間性には，グイシンガーとブラット（Guisinger & Blatt, 1994）が引用しているフロイド（Freud, 1930/1961）の「他者との団結 対 利己主義的な（あるいは自己本位の）幸せ（union with others versus egoistic happiness）」，アンギャル（Angyal, 1951）の「降伏と自立（surrender and autonomy）」，バリント（Balint, 1959）の「物に対する愛着と空間に対する愛着の傾向（ocnophilic（object-loving）and philobatic（space-loving）tendencies）」，バカン（Bakan, 1966）の「親交と媒介（communion and agency）」，ボーエン（Bowen, 1966）の「協調と個性（togetherness and individuality）」，ボウルビィ（Bowlby, 1969）の「愛着と別離（attachment and separation）」，フランツとホワイト（Franz & White, 1985）の「個性化と愛着（individuation and attachment）」，スチュワートとマリー（Stewart & Malley, 1987）の

「対人関係と自己定義 (interpersonal relatedness and self-definition)」, スラビンとクレインマン (Slavin & Kriegman, 1992) の「相互主義的衝動と個人主義的衝動 (mutualistic and individualistic urges)」などがある。ドイ (1973), キムとベーリー (Kim & Berry, 1993), ヒーラスとロック (Heelas & Lock, 1981) を含む理論家の多くは, 米国で主流となっている心理学と他の文化で主流となっている心理学における自己の概念化の間には差異があると主張している。サンプソン (Sampson, 1988) は, 自己と他者の間にある境界は明確なものではなく, 他者は自分自身の一部であるといった「調和した個人主義」と個人主義とを比較させつつ, アメリカ心理学で主流となっているアプローチ法での自己に対する感覚を「自立した個人主義」として言及している。

　グイシンガーとブラット (1994) が提唱したのは, 米国で主流となっている心理学は伝統的に自己啓発に重点を置いており, 対人関係向上における自立, 独立性, アイデンティティを強調しているということである。しかしながら, グイシンガーとブラットは, 自然選択に対する進化的な重圧が2つの基本的な発達アプローチ法: (1) 主流心理学で説明されている自己定義に関する方法と (2) 対人関係向上に焦点を当てた方法を助成しているとも提唱している。グイシンガーとブラットは, 「協調性」「利他主義」「恩返し」は自己啓発の側面であり, 自立や個人的な定義と同じくらい重要である, といった自らの主張を支持するために, 社会生態学や観察調査から論拠を引用している。さらに, こういった二重発達プロセスは, じつはお互いに矛盾したものではなく, むしろ基本的にお互い絡み合っているものである。したがって, 成熟した自己の感覚をより発達させるということは, ある程度, 他者の成熟した自己の発達に左右されているのである。

　より最近になって, ニーデンサルとバイカ (Niedenthal & Beike, 1997) は, 上述した概念にもう一歩踏み込んで, 「他者と相互関係状態にある自己概念」と「孤立した自己概念」の両方の存在を提示した。自己に関する過去の理論は個性, 動機, 文化のレベルによって自己を異なった種類に分類していたが, このニーデンサルとバイカの新しい見方では認識表現レベルに焦点を当てている。「他者の概念に対する精神的な連結を通して意味を引き出している概念がある一方で, 本質的, あるいは認識上では孤立している解釈をもった概念もある」(p.108) と, ニーデンサルとバイカは特に主張している。グイシンガーとブラット (1994) のように, ニーデンサルとバイカも「他者と相互関係状態にある自己概念」と「孤立した自己概念」は, 二極分割的なものではなく, むしろお互いが関係しあい二元的である, と主張している。おもにこういった2つの傾向における認知構造の特徴を言及しつつ, ニーデンサルとバイカ (1997) が示唆しているのは, 同時に互いに関係したさまざまな構造を用いて多かれ少なかれ個々の人間は自己を表現しているということであり, また1人ひとりの人間が, 互いに関係し, 同時に孤立した自己概念を同じ領域内でもつことも可能なのだ, ということである。

　以上, 一貫した二元的なシステムの中での「自立」や「個性」といった概念は, アメリカ心理学で主流となっているが, そうした概念に関連した問題を取り込みながら, 自己の

概念における最近の進歩は，われわれが文化と自己を理解するための広範囲におよぶ影響力をもっているのである。もし，こういった二元性が共存するのであれば，文化は自己のどちらか1つの解釈というよりも，両タイプの解釈を強調することになるのかもしれない。ある自己の感覚がもっている相対的な重要性は，異なった状況・背景によって異なるかもしれないし，また文化はこういった相対性にも影響をおよぼしているのかもしれないのである。文化と自己の関係に関して明確な認識を得るために，また，どのように文化が自己を経由し，個々の人間の行動に影響をおよぼしているのかということを明確に理解するためにも，自己のもっている同時的な相対関係を調査する研究が今後いっそう必要となってくるのである。

多文化アイデンティティ

「文化的アイデンティティ」という用語は，それぞれの文化における個々の人間の心理的メンバーシップを意味するものである。文化というのは心理的な構成概念，つまりある共有された規則もしくはシステムのことで，人が1つの文化的なアイデンティティだけではなく，状況によっては2つ以上のアイデンティティをもつことも可能である。文化集団の間に存在する境界が軟化し，さまざまな文化集団間のコミュニケーションや相互作用，また，異文化間の結婚が増加しているために，現在の多文化アイデンティティはますます，ごく一般的になりつつある。文化は心理的な構成概念として定義されているため，多文化アイデンティティの存在は，多文化的な人々の心の中に複数の心理文化的なシステムが存在することを示唆している。

実際，多文化的な人々がもっている複数の心理的存在を，最近のいくつかの研究が実証している。たとえば，オイサーマン（Oyserman, 1993）はイスラエルで勉強するアラブ人とイスラエル系ユダヤ人の学生を対象として4件の研究を行なった。イスラエル地域にはさまざまな文化が存在し，社会的，集団的なアイデンティティがあることはよく知られているが，オイサーマンは，この地域の歴史は英国の影響を受けたがゆえに個人的な側面もかなりあるはずである，ということを示唆した。オイサーマンの研究では，個人主義，集団主義，公的と私的な自己に対しての重要性，集団内の摩擦を評価するといった多数の検査を被験者に課したのである。この4件の研究結果によって，世界観としての個人主義は自己の私的な側面，および自己と他者を区別することに関係がある，ということがわかった。そして，集団主義は，社会的なアイデンティティ，自己の公的な側面，集団間のあつれきに対する認識の増大に関係があった。アラブ人とイスラエル系ユダヤ人，どちらの文化集団も両方の文化傾向を支持し，これら2つの文化集団で，自己と他者に対しての理解を整理するため，個人主義的な世界観と集団主義的な世界観が互いに使用されていることを，このオイサーマンの研究は示唆している。

オイサーマンら（Oyserman, Gant, & Ager, 1995）は，別の研究で自己の多様な概念の存在を裏づけた。ヨーロッパ系アメリカ人とアフリカ系アメリカ人の若者の学校での「がんばり」における，自己の多様で脈絡化された影響を調査した。この研究が指摘しているのは，異なる自己観がヨーロッパ系アメリカ人とアフリカ系アメリカ人のものごとを達成するためのストラテジーを予測する，ということである。しかも，とりわけアフリカ系アメリカ人の男性の場合，ものごとの達成度に対する自己観のバランスで学校での成績が予測できる，ということが判明したのである。

　他の研究において，多様な文化が存在する社会に住む文化的に多様な人々の中に「文化の再認識」という効果が発見された。たとえばコズミツキィ（Kosmitzki, 1996）が行なった研究では，単一文化的，または二文化併用的なドイツ人とアメリカ人について調査し，自分自身，自己の文化集団，それ以外の文化集団を対象として，被験者の特性帰属を評価した。単一文化的な人と比べて，二文化併用的な人は，自己の出身文化をより身近なものとして識別した。また，二文化併用的な人は，自己の出身文化をより肯定的に評価し，2つの文化の違いはより大きい，と評価した。つまり，自己の文化内に住んでいる単一文化的な人と比べると，二文化併用的な人は自己の出身文化の伝統的な価値をより強く支持しているのである。

　これは奇妙な結論と思われるかもしれないが，他の研究によってもよく裏づけられているのである。たとえば，本書の著者である私，マツモトが行なった研究の1つに，日系アメリカ人と日本に住む日本人の対人関係における集団主義的な傾向を評価したものがある。この研究の結果，日本に住む日本人と比較すると，日系アメリカ人はより集団主義的であるということがわかった（マツモトら, 1997）。韓国系アメリカ人と韓国に住む韓国人を対象とした同様の研究においても，同じような結果が得られた（リー：Lee, 1995）。中国，日本，韓国，フィリピンから米国にわたった移民に関する社会学的な研究においても，出身文化より米国に住む移民集団文化の方が，より伝統的であることが示唆されている（タカキ：Takaki, 1998）。中国系アメリカ人は米国のどこにでもいるが，そうした移民集団においては今でも文化的伝統，習慣，文化遺産，言語等が維持されているのである。

　この結果をどのように説明したらよいのだろうか。1つの可能性としては，移民が米国に到着した時，その当時の自国文化をいっしょにもち込んだことがあげられる。そして，多様な文化社会での生活によるストレスのため，コズミツキィ（1996）が指摘しているように，「文化の再確認」という効果が出現するようになったのである。移民集団は自分といっしょにもち込んだ文化を結晶化するため，この心理的な文化が代々引き継がれていくことになる。ところが，自分といっしょにもち込んだ自国本来の文化が変わらないように次世代に引き継がれていく一方で，自国の文化それ自体は時が進むにつれて変化してゆく。しばらく経過してから，文化の価値観という点において移民集団と自国集団を比較すれば，本来の自国文化そのものは変わりつつあるが，移民集団の結晶化した文化がさほど変化していないため，自国文化より移民文化の方がステレオタイプ（固定観念）化されている文

化に類似している，という結果が出るのである。要するに，移民集団の人々の多くは，多様な文化的なアイデンティティをもちながら育つ一方で，多様な文化の中で自国文化本来のアイデンティティこそが尊敬するに値すると考え，文化的伝統・遺産をたいせつにするようになるのである。

結論

文化とは，自分が他者と共有する特徴や属性（もしくは帰属性）を見分けるための，マクロ・レベルの社会的な構造概念である。しかも，個々の人間の中にある心の本質にも，文化は影響をおよぼしている。文化に自分の経験，行動，態度，感情が形作られているため，自己概念，自己観，自己アイデンティティといった基本的な自己の感覚を形作ることも，文化は手助けしているのである。日常生活では，文化によって影響されている自己認識の中心となるものをどこへ行っても保持している。職場，学校，遊ぶ所，仲間に会う所といったように，どこへでも自らの文化，および文化によって限定されたアイデンティティと感覚を自らとともにもっていく。自らを取り巻く世界と他者の行動はこういった自己観によって理解されているのである。自己観という文化的フィルターは微妙に自らの行動を誘導しているのである。

文化が自己の中核に影響をおよぼしているということもあり，行動における他の文化の影響について調査する前に，文化の影響の重要性について考えるべきだと思われる。というのも，本章で論じた情報は，これから本書で提示するすべての情報にかかわってくるからである。読者には，「文化がどのように行動に影響をおよぼしているのか」ということを，これから本書を良み進む上で考察し続けてもらいたい，と願うしだいである。

第4章
文化と発達

　「文化と心理学」の研究において文化的相違を明らかにしようと試みようとする際に，当然のように疑問として浮かびあがってくるのは，そもそもこうした相違がどのように発生するのかということである。異なる文化背景を有する人々に相違が生じるプロセスで，いったい何が起こるのであろうか。両親，（核家族に相対する意味での）拡大家族，学校その他の社会機関からの影響は，どういうものがあるのだろうか。人間は行動および文化の相違へつながる（生まれながらの）生得的性質をもって誕生するのだろうか。あるいは，そのような行動および文化的相違は，全面的に環境としつけによるものなのだろうか。人間が異なる文化のもとで育った場合に，幼少期と発達期にどのような心理的相違があるのだろうか。

　この章では重要な疑問の2つを検証する。まず最初に，「自文化」化（もしくは文化化：enculturation）とよばれるプロセスがどのように機能するのか，すなわち，どのようにして人間は文化を習得するのだろうか，ということである。この分野での研究は，気質，愛情，育児スタイル，教育システム，といったものに焦点を当ててきた。次に，幼少期と発達期全般にわたって，どのような精神的相違が，文化という枠組みを超えて存在しているのだろうか，ということがあげられる。こうした疑問は，認識，モラル，社会感情，発達，といった側面に関連しているのである。

●「自文化」化と社会化

　おのおのの社会で幼少期というのは，他のどんな時期よりも一生のうちで，もっとも文化的にも環境的にも影響を受けやすいという，きわめて変化と激動に富んだ時代である。

どの文化にもおそらく共通していると思われる幼少期の側面の1つとして，この時期から幸福で豊かな大人になりたいという願いをもっていることがあげられる。しかし，何が幸福で何が豊かなのかという意味には確かに文化的相違というものがある。発達の全体的な目的は似てはいるが，文化はその背景において，計り知れないほどの多様性を見せているのである。

　おのおのの文化は，成人として適切な役割を果たすのに必要な能力への指針を示している（オグブ：Ogbu, 1981）が，これは文化と環境により異なる。子どもは特殊な能力を育む自然環境の中で社会に適応してゆく（ハリソン，ウィルソン，パイン，チャン，ビュリエル：Harrison, Wilson, Pine, Chan, & Buriel, 1990）。例をあげると，成功するために正規の教育が必須となっている文化・社会に住んでいる子どもは，幼児期の始めからこの価値観に取り巻かれており，こうした子どもは，きわめて小さいころから本を読み，教育を受ける。また，子どもに将来の生計を立てる手段の一環として，糸紡ぎとはたおりをさせる必要があると考える文化・社会もあり，子どもは早くからこうした仕事を見せられている。人は皆，だれでも自然に自らの社会と文化に馴染んでゆく。成人するまでに，行動に関する文化規則を多く学び，第二の気質となるこうした文化規則を何度も実践するのである。成人としての行動の多くは，こうした習得パターンと規定により影響を受け，何も考えず自動的に無意識にこうした行動を行ない，身につけてゆくのである。

　さらに，人生のどこかの時点でこうした行動規定とパターンを習得しているはずである。文化とは，真の，そして広い意味において，人生の多くの異なる様相にかかわるものなので，ただ単にどこかに座って本を読み，学び，1人で完全にマスターするのは不可能と思われる。文化は実践を多く重ねて時間をかけ，長いプロセスを通して学ぶ類のものである。こうした学習は行動主義の古典的条件づけ，オペラント条件づけ，社会の内容を観察によって学ぶ「社会学習」を含んでおり，心理学者が長年にわたって発見してきた学習プロセスに関連している。文化を学ぶプロセスで，われわれはまちがいを犯すが，人，グループ，公共機関がいつもわれわれの周囲にあり，支援の手を差し伸べ，あるときはまちがいを正すようにしてくれるのである。

　社会化（socialization）とは，文化に影響される行動規定とパターンを学び吸収するプロセスのことである。長い時間をかけて起こるこのプロセスは，社会と文化の規範，姿勢，価値観，信条のシステムを学び，習得することと関連している。社会化のプロセスは，人が生まれたその日から始まる。生まれつきの生得的気質と性質は，実際には，社会化プロセスの一部なのだ，と信じている人もいるくらいである。これはおもしろくて興味深い意見ではあるが，社会化のプロセスとその影響に関して，大部分は誕生後の生活に関係している，と考えているわけである。

　社会化のプロセスに近いものは，「自文化」化（もしくは文化化：enculturation）というプロセスである。実際のところ，社会化と「自文化」化という2つのことばにはわずかの相違しかない。一般的に社会化という用語は，「どのような背景で誰に何というのか」

という社会と文化の規則を学ぶ実際のプロセスとメカニズムに使いがちである。一般的に「自文化」化とは，発達を通して根づいてゆく主観的かつ隠れた心理的な側面をもつ文化の社会化プロセスの結果をいうのである。このような理由で，「自文化」化と社会化のことばの類似点と相違点は，文化と社会ということばの類似点と相違点にも結びついているのである。

今日よく耳にする「自文化」化に近いことばは，「異文化」化（acculturation）である。このことばはすでに慣れ親しんだ文化から異なる文化に順応するプロセス（その多くは身につけること）を意味し，一般的に移民（1つの国から別の国に移り，移住先の文化を学ぶこと）に関して使用する。社会化（あるいは「自文化」化）因子とは，社会化プロセスをしっかり助けてくれる既存の人々，機構，機関である。このうちで，まず初めに重要なものは親である。親は，子どもが学び，実践しているときにまちがいを正しつつ子どもに文化風習を教え込み，身につけるのを助ける。しかし親だけが唯一の社会化の因子ではない。兄弟姉妹，拡大家族，友人，仲間も多くの人にとって社会化と「自文化」化の重要な要因である。学校，教会，ボーイスカウト，あるいはガールスカウトといった社会団体もこのプロセスの重要な要因となっている。事実，社会化のプロセスを学ぶにつれて，文化というものがたくさんの人と機構に教えられ，身についてゆくということは何の不思議でもない。

ここでは，「自文化」化のプロセスに貢献していると思われる発達のプロセスを調査した研究を綿密に考察してゆくことにする。どのように社会化を行なうかに関して，情報を提供してくれる発達のプロセスでの文化的相違に関する研究がさいわいにも豊富にある。生活上重要な機関を通じて，どのようにして文化が伝わってゆくかを知るため，学校教育に関して相当な数の比較文化研究が，行なわれている。近年，研究者は多様性に富んだ社会化の力と人間の相互作用がいかに手助けとなって文化を生むかということと，人がどのように文化的，民族的アイデンティティを身につけてゆくのかについて調査を行なった。気質という点で，異なる文化の下に生まれた子どもは，それぞれ異なる生得的な性質を使いながら，ある特定の文化的習慣を学ぶのだ，という可能性を調査することで，この展望を始めることにする。

文化と気質

■伝統的知識　　親なら誰でもいうことは，子どもは1人ひとりがそれぞれ異なるということである。単に見かけが異なる，というのではなく，最初から気質の点で異なっている，ということである。おのおのの乳児は独特の個性をもって世に存在する。のんき，神経質，活発，控えめといった周囲への反応の特質は，生まれたときから存在し，乳児の周囲の人から異なる反応を引き起こす。誕生したときにすでに存在している世界において，生得的に基づいた相互作用のスタイルである，と気質は一般的に考えられている。

本流の心理学で，トーマスとチェス（Thomas & Chess, 1977）は3種類のおもな気質

の区分を説明している。それらは「扱いやすい」「扱いにくい」「慣れるのに時間がかかる」という3つである。「扱いやすい」気質は，積極的で敏感で安定し順応性があり，適度に真剣なスタイルの行動をするもの，と定義されている。「扱いにくい」気質は，一般的に消極的な雰囲気が特徴の，激しくて不安定で引っ込み思案なスタイルである。「慣れるのに時間がかかる」子どもは，活動や経験の中で慣れるのに時間が必要である。最初は引っ込み思案で消極的な反応を見せるかもしれないが，時間と周囲の助けで順応し，積極的な反応を見せるようになる。

親の気性と子どもの気性の相互作用は，「適合度」として知られているように，人格形成の鍵となるようである。子どもの気質への親の対応というものは，子どもの周囲に対するその安定性と不安定性を助長し，またその後の「愛着（愛着行動，アタッチメント）」に影響をおよぼす。（注：後に述べるように，愛着とは，特定の他者に対して形成する情緒的・精神的な絆のことである。）

■**気質に関する比較文化研究** アメリカ文化圏外で育った子どもは，アメリカ人の子どもとは異なる一般的な気質のスタイルをもっているのだろうか，という研究がいくつか行なわれた。もしそうしたものが存在するのなら，気質の相違に関する影響は大きいわけである。異なる文化の下に生まれた子どもが，生まれつき異なる気質をもっているならば，周囲に異なる反応を示すだろうということである。おまけにこうした子どもは，アメリカ人が考えているのとは異なる養育者と環境から反応を引き起こす。気質と周囲の反応における，この基本的な2つの相違がおそらく生み出すものは，学習と社会経験面，そして大人になるにつれて変わる世界観と文化面での根本的な相違であろう。

実際に，フリードマン（Freedman, 1974）が発見したのは，中国系アメリカ人の乳児がヨーロッパ系アメリカ人や，アフリカ系アメリカ人の乳児と比べて穏やかでおとなしい，ということだった。顔に布を置いて鼻をおおうと，中国系アメリカ人の乳児はおとなしく横になり，口から息をした。しかしヨーロッパ系とアフリカ系の乳児は頭を横に動かし，あるいは手で布を引っ張って取ろうとした。日系アメリカ人と北米原住民であるナバホ族の乳児をヨーロッパ系アメリカ人の幼児と比較した際にも，フリードマンは似たような相違を発見した。同様にチスホーム（Chisholm, 1983）もナバホ族の幼児を広範囲に研究し，ナバホ族の子どもはヨーロッパ系アメリカ人の子どもに比べて穏やかである，ということを発見した。

チスホームが論ずるのは，妊娠中の母親の状態（とりわけ高血圧レベル）と幼児の短気な性格の間には明らかな関連性がある，ということである。ナバホの乳児（ガルシアコール：Garcia Coll, 1990）と同様，マレーシア，中国，アボリジニ，白人のオーストラリアの子どもにも，母親の血圧と過敏症の関連が見られた。ガルシアコール，セプコスキー，レスター（GarciaCall, Sepkoski, &Lester, 1981）が発見したのは，ヨーロッパ系アメリカ人あるいはアフリカ系アメリカ人の幼児とプエルトリコ人の幼児を比較した際に，プエルトリコ人の母親の妊娠中の健康状態の相違が子どもの気質の相違に関連している，とい

うことであった。プエルトリコ人の子どもは，敏感ですぐには泣かなかった。筋肉運動といった運動能力においてアフリカ系アメリカ人の乳児の方が高得点を示した。

　考慮すべき重要な文化的要素は，親の反応と幼児の気質の間の相互作用である。この相互作用は，確かに，文化と社会化プロセスの発展を理解するための1つの鍵である。アジアと北米原住民の文化背景をもつ子どもに顕著であるが，穏やかな気質とおとなしさは，母親の対応によって，幼児期後期でおそらくさらに確固としたものになると思われる。ナバホ族とホピ族の子どもは，ゆりかごの中でしっかりとくるまれて，長い時間を過ごす。中国人の親が尊重するのは，協調性であり，協調性は感情の抑制を通じて維持するものである（ボンド，ワング：Bondo & Wang, 1983）。そのため子どもの気質の相違は，独自の文化風習を教え促す育児スタイルや行動に励むおのおのの文化の親にとって，好都合なのかもしれない。であるから，こうしたタイプの風習を学ぶ子どもの生得的な気性の土台として，気質は役立っているのだろう。

　文化が異なると，なぜ気質は異なるのであろうか。気質の相違は遺伝的そして生殖の歴史の相違を反映するのだ，と言えるかもしれない。したがって，機能的順応のプロセスを通じ，世代を超え，環境的そして文化的な圧力が，子どもに小さな生得的相違を生む手助けをしているのかもしれない。さらに，妊娠中に母親がする文化的な経験（たとえば，食事とかその他の文化に関する特定の慣習）が出産前の環境の一因となり，幼児の生得的構造に多少の修正を加えて文化風習に対応するようにしているのかもしれない。この関係の正確な本質は，著者（マツモト）の知る限りでは，まだ明白ではないのである。

　気質における相違に関する研究の遂行と解釈についてまわる問題の1つは，人種と人種の相違の定義におけるむずかしさである。しかしながら，異なる文化的背景を有する成人の観察で，こうした相違が生まれながらに存在することは，明らかである。であるから，たいせつなことは，世界中のどんな文化でも，成人の1人ひとりが発達に貢献しているのだということを理解することである。この分野のこれからの研究は，異なった文化のグループに属する人の文化的習慣と，実際の行動に焦点を当てること，そしておのおのの文化の習慣と行動と幼児の気質の関係を調査することである。

文化と愛着行動

■**伝統的知識**　愛着（もしくは，愛着行動，アタッチメント，attachment）とは，幼児ともっとも身近な養育者との間に育まれる特別な絆のことをいう。心理学者の多数が信じていることは，愛着の質が愛する人との関係に生涯にわたって影響するということである。愛着は，子どもに精神的な安心感を与える。いったんついたら，乳児は母親から引き離されたとき，苦痛を覚える。ハーロウとハーロウ（Harlow & Harlow, 1969）による赤毛ザルを使用した愛着行動の研究が光を当てたのは，愛着行動の発達での身体的な触れ合いと安心感の重要性であった。そして，ボウルビィ（Bowlby, 1969）が結論づけたのは，幼児は養育者に愛着をもつように，あらかじめプログラムされた生得的な土台をもってい

るに相違ない，ということであった。すなわち，ボウルビーは母子間の情緒的結合は生得的なものであるとし，依存を愛着行動とよび変えたのであり，その理論の中でこうした愛着行動を「母子が近接状態を相互に維持し生存の可能性を高めるように働く本能行動」として位置づけたわけである。この先得的行為のレパートリーには幼児の微笑と鳴くような声（cooing）が母親の身体的愛着を生み出すといった行為も含まれる。

エインズワース，ブレアー，ウォーターズ，ウォール（Ainsworth, Blehar, Waters, & Wall, 1978）は3種類の異なるスタイルの愛着を提唱した。すなわち，「安心した（secure）」愛着型，「不安定で回避（avoidant）」を示す愛着型，「不安定で抵抗・葛藤（ambivalent）」を示す愛着型，というスタイルである。「安心した」愛着型の子どもをもつ母親は暖かく，敏感である。母親を避けるのが特徴の「不安定で回避」的な愛着型の子どもをもつ母親は，でしゃばりで，刺激しすぎだ，と考えられている。「不安定で抵抗・葛藤」的な愛着型の子どもは，母親の注目を探し，また避け，行ったり来たりして母親にどっちつかずの反応を示す。こうした「不安定で抵抗・葛藤」的な愛着型の子どもをもつ母親は，鈍感であまり子どもにかまわないのが特徴である。

愛着行動は「信頼」という概念を実証しているのである。エリクソン（Erikson, 1963）は心理的発達の生涯プロセスで最初のたいせつな段階として，「基本的な信頼」の形成を説明した。愛着行動の乏しさは，不信感の構成要素である。つまり，幼児期の要求がうまくかなえられなかった結果だ，ということである。「基本的な信頼」は，後の人間関係とその次の発達段階に影響をおよぼすと思われる。エリクソンは自発性，独創力，能力を確立しつつかかわるタスクとして，他の幼児期の段階を提示した。それは，子どもの生活の中で母親，あるいは他の重要な人物が，どのように子どもに対応したかが，自己発達のすべてに影響を与える，というのである。

■**愛着行動に関する比較文化研究**　米国では，「安心した」愛着型が理想とされている。エインズワースとそのグループが，このタイプの愛着行動を説明するのに選んだことばと，他の2つのタイプを説明するのに使う非建設的なことばは，その背後にあるバイアス（偏見）をまさに浮き彫りにしている。しかし理想とする愛着の概念はおのおのの文化で異なる。たとえば，ドイツ人の母親はきわめて早い時期に子どもの自立を重んじ，奨励し，「不安定で回避」的な愛着型を理想とみなす。だからドイツ人の親は，「安心した」愛着型の子どもを「甘やかされている」とみなすのである（グロスマン，グロスマン，スパングラー，スース，ウンズナー：Grossman, Grossman, Spangler, Suess, & Unzner, 1985）。イスラエルのキブツとよばれる集団農場で育った子どものうち，半数が「不安定で抵抗・葛藤」的な愛着型を示し，三分の一しか「安心した」愛着型を示さなかった（サギ，ラム，リューコウィクツ，ショハム，ドヴィアー，エステス：Sagi, Lamb, Lewkowicz, Shoham, Dvir, & Estes, 1985）。伝統的な日本の家庭で育った子どもも，高い割合で「不安定で抵抗・葛藤」的な愛着型（実質的に，「不安定で回避」的な愛着型ではない）の特徴を示す（ミヤケ，チェン，キャンポス：Miyake, Chen, & Campos, 1985）。伝統的な日本の母親は，

たまにしか子どものそばを離れず，子どもに強い依存心の意識を植えつける。アメリカ文化の研究結果では，一般的に，「不安定で抵抗・葛藤」的な愛着型の幼児は子どもにあまりかまわない母親を連想させる，ということであるから，日本の場合はきわめて興味深いものがある。この依存心が立証しているものは，伝統が培った日本文化の理想である家族への忠誠心である。母親が仕事をもち，伝統的な意味で日本的でない家庭での愛着行動のパターンは，米国と類似している（デュレット，オオタキ，リチャーズ：Durrett, Otaki, & Richards, 1984）。

　母親との親密性は，安定して健全な愛着行動に必要だとの概念をうながしている比較文化研究もある。実際に，米国内の研究に基づいた伝統的愛着論でも，この概念は広く浸透している。しかしエフェ族（ピグミーによくまちがえられるが，そうではない）という名で知られ，密林に住む移動民であるアフリカ部族に関する研究結果が示しているのは，「母親との親密性が健全な愛着に必要である」と学者が考えているパターンとは非常に異なる，ということである（トロニク，モレリ，アイビー：Tronick, Morelli, & Ivey, 1992）。エフェ族の幼児は，大部分の時間を母親といっしょに過ごさず，さまざまな人に面倒を見てもらい，いつも10人程度の人の目の届く範囲内にいる。母親以外の多数の人と気心の知れた心の絆をもち，父親とはわずかの時間しか過ごさない。トロニクらの研究者によると，養育者が多数いるにもかかわらず，エフェ族の子どもは精神的に健全である，ということである。

　こうした研究では，エフェ族の中では母親との仲のよさや，親密度は必要ではない，ということを立証しているが，他の文化背景をもつ子どもの場合には必ずしもそうであるとは限らない。エフェ族の立場は，明らかに保育園に通う北米の子どもの場合と比較できる類のものではない。エフェ族は多人数の拡大家族をもち，この家族が発育中のエフェ族の子どもの生活の普遍的な役割を果たしている。対照的に，北米の保育園では，職員は一般的に雇用されている率が高く，子どもとの関係は短い期間にすぎない。エフェ族の研究が明らかにしているのは，子どもの生活の中でいつもそばにいる多数の養育者は，北米の伝統的概念のようにかけがえのない健全なものである，ということである。

　ミヤケ（Miyake, 1993）が行なった日本人幼児の愛着パターンの研究は，この重要な点を総括し，強調している。ミヤケは，この愛着パターンについて多数の研究を行なったが，そうした研究の多くで，日本人には「不安定で回避」的な愛着型の子は見うけられない，と報告した。愛着の大部分が「安心した」愛着型と特徴づけられる米国とは対照的に，日本の愛着はその大部分が（離れるのを引き止める強い願望を表わす）「不安定で抵抗・葛藤」的な愛着型であると特徴づけられる。そのようにして母子間の依存心を植えつけているのである。気質と愛着の密接な関係を立証している研究は他にもある。生後2日目と5日目の期間に気質の一般的基準であるおしゃぶりの妨げに対するいらだちの反応を計り，泣き声を区分した。その結果，穏やか（すばやい上昇，短い継続，早い泣き止み）もしくは，むずがり（中断気味，耳障りな質，いやそうな顔と声）のどちらかであることがわか

った。生後2日目と5日目の泣き声の本質が1年後の愛情を予期している，との発見である。すなわち，穏やかな泣き声は「安心した」愛着，むずがり気味の泣き声は，（日本流の）「不安定で抵抗・葛藤」的な愛着に関連しているということである。

　他の文化の愛着行動パターンおよび文化的な境界，幼児気性，愛着スタイルが，どのように関連しているかを理解するためには，まだまだ研究しなければならないことが数多く残されている。現存する研究ではヨーロッパ系アメリカ文化の典型的な型がいちばんよい，もしくはすべてである，という仮説を支持してはいない。愛着行動の質と発達プロセスについての概念は，おのおのの文化の見方からくる性質上の判断である。文化はそれぞれ異なっているものであり，何かが他よりも優れた価値観をもっているとは限らないのである。

文化，育児，親であること，家庭

■**伝統的知識**　親はもっとも重要ではないにせよ，発達のプロセスで重要な役割を演じていることは，明らかである。親のスタイルは非常に異なる。バウムリンド（Baumrind, 1971）は，3種類の重要なパターンを発見した。「権威主義的な（authoritarian）」親は有無をいわさぬ服従を求め，子どもを支配する必要があるものとしてみる。「甘い（permissive）」親は子どもに自分自身で生活を統制させ，確固とした指針をほんのわずかしか与えない。「毅然とした（authoritative）」親は厳しいが，公平で，理想的である。このスタイルは，協力的で，社会的に余裕があり，精神的にも健全で，有能で，自立的な子を育むように見受けられる。他の研究者（マッコビー，マーティン：Maccoby & Martin, 1983）は，「放任（uninvolved）主義」という4番目の親のスタイルを定義した。「放任的な」親は自分自身の生活に没頭しすぎて，子どもに適切に応じないし，関心がないと考えられている。

　親以外の人との関係も発達に影響する。子ども時代も初期をすぎるにつれて，友人とのつきあいもしだいに変わってゆく。そしてこの変化は，おもに認知発達によるものである。自分と他者とのことを考え，世の中を理解するという新しい能力は，子どもにより深く意義ある人間関係を育む要因となるのである。

■**養育スタイルに関する比較文化研究**　過去20年あるいは30年以上にわたって行なわれてきた相当な数の比較文化研究では，文化の相違における養育スタイルの相違を吟味し，多種多様の精神的構造の文化的な相違と，この養育スタイルの相違の果たす役割を調査してきた。こうした研究の多くは，米国と日本の親のスタイルの相違に焦点を当てている。なぜなら，アメリカ文化とはきわめて異なる日本文化は，米国の研究者が比較的入手しやすいものだからである。ヨーロッパとインド文化も，日本文化と同様に研究が進められており，この話題に価値ある情報を提供している。

　米国と日本の母親は，どのようにして親の言うことを聞くように子どもをしつけているのかを調査した興味深い研究がある。この研究で（コンロイ，ヘス，アズマ，カシワギ：Conroy, Hess, Azuma, & Kashiwagi, 1980），アメリカ人および日本人の母親と第一子が，

架空の状況6場面についてのインタビューを受けた。それは日常の相互作用で母親が遭遇し，大人の仲裁を必要とするときに，子どものふるまいを象徴するものにどういうものがあるかを聞くためである。そして回答に基づいて，母親の管理（コントロール）の方法を「権威」「規則」「感情」「結果」あるいは「モデリング（模範を示す）」といったカテゴリーに分類し，一覧表を作成した。親の権威を強調するアメリカ人の母親と比較すると，日本の母親は感情に訴え，大いなる柔軟性を示した。結論として，研究結果は「自文化」化と社会化パターンの広い文化的相違を反映している。だから日本では個人と個人という対人関係の絆に焦点を当て，対照的に米国では報酬と罰という直接的手段に重点を置くのである。

育児方法の相違は，他の文化グループでも発見されている。ケリーとツェン（Kelley & Tseng, 1992）は，ヨーロッパ系アメリカ人と中国系アメリカ人の母親を比較した。ヨーロッパ系アメリカ人の母親は，「繊細さ」「一貫性」「非制限」「しつけ」「規則の設定」で得点が高く，他方，中国系アメリカ人の母親の方は，「体罰」と「怒鳴ること」において点数が高い，ということを発見した。中国系アメリカ人が本来の文化へのつながりを維持する必要性がある，ということをケリーとツェンは得られた結果に関連づけて論じている。デヴェレクス，ブロンフェンブレナー，スシ：Devereux, Bronfenbrenner, & Suci, 1962）の報告では，ドイツ人はアメリカ人よりも愛情，交際，直接的な罰，規則に関しては，親としてのふるまいに熱心である，ということであった。

異なる文化背景を有する人々が行なう育児法の数多くの相違の中でも，文化的相違をもっともよく代表しているのは，「寝室をどのようにするか」に関するものである。大都市郊外に住む西洋人の親，とりわけアメリカ人が非常に懸念することの1つに，赤ちゃんを親と離れた部屋に1人で夜通し寝かしつけることがある。1人で寝ることが自立心を育むのに役立つだろうという想定に基づき，アメリカ人はいっしょに寝ることを避け，1人で寝るのは怖くないことだ，ということを子どもに諭すために，特別な毛布やおもちゃを与える。

他の文化の多くは，この価値を共有してはいない。ヨーロッパの田舎では，幼児は生まれて最初の年のほとんどを母親といっしょに寝る。これは世界の文化の多くにとって真実である。（特別な毛布やおもちゃといった）元気づけるもの，あるいは就寝時の習慣というものは，他の文化に共通するものではない。マヤ族の母親は，数年間子どもにいっしょに寝ることを認める。なぜなら，子どもと深い絆を結ぶ必要性を認識しているからである。赤ちゃんが生まれると，年長の子どもは同じ部屋にある別のベッドに移るか，他の家族メンバーとベッドをともにする（モレリ，オッペンハイム，ロゴフ，ゴールドスミス：Morelli, Oppenheim, Rogoff, & Goldsmith, 1992）。伝統的な日本の家庭では，赤ちゃんは父親がいる所か，離れた部屋で母親といっしょに寝る。またこの習慣は，文化における子どもの発達目標と一致する行動や価値観を育む。

両親の間での男女の役割の区別に関するかなりの相違を，比較文化心理学でも示してい

る。たとえば、ベスト、ハウス、バーナード、スピッカー（Best, House, Barnard, & Spicker, 1994）はフランス、ドイツ、イタリアで親子の相互影響（干渉）を調査した。フランスとイタリアの父親は、母親より没頭して子どもと遊ぶが、ドイツではその反対であることを発見した。デヴェレクス、ブロンフェンブレナー、スシ（Devereux, Bronfenbrenner, & Suci, 1962）が発見したのは、米国の家庭では母親の相互影響（干渉）がドイツより著しく目立つ、ということであった。それは、ドイツの家庭と比較すると、米国の家庭では男女の役割区分が確固としたものである、ということを示唆している。メキシコ人の親子関係を研究しているブロンスタイン（Bronstein, 1984）が発見したことは、父親は母親よりも子どもと遊び、そしてつきあうが、その一方で、母親は即時の身体的要求に応えることにおいて、養育的である、ということである。

　親のスタイルにおけるこのような文化的相違の多くは、育児と文化について親がもつ期待に関連しているのではないかと考えられる。ジョシとマクリーン（Joshi & MacLean, 1997）は、インド、日本、イギリスで幼児発達に関する母親としての期待度を調査した。この研究では、子どもが各45項目の発達課題を達成するのに親が望む年齢を示唆する質問を、母親に対しておこなった。日本の母親はイギリスの母親よりも教育、自己管理、周囲の環境に対する自立の分野を高く望んだ。インドの母親は環境的自立を除き、すべての分野で日本とイギリスより低い期待度を示した。他の研究（ルーサーとクゥインラン：Luthar & Quinlan, 1993）で発見したのは、インドと米国の親のスタイルに関するイメージは「懸念」「自己」「快活さ」「うつ的な傾向」に関連している、ということであった。

　比較文化研究が示唆しているのは、親のスタイルの文化的相違点だけではない。文化的類似点も同様に立証しているのである。ケリーとツェン（Kelley & Tseng, 1992）の発見によれば、ヨーロッパ系アメリカ人と中国系アメリカ人は、子どもが「3歳から5歳」の時よりも「6歳から8歳」の時に、行儀、学校関連の技能、感情のコントロールに重点を置く。ソリー-キャマラとフォックス（Solis-Camara & Fox, 1995）が、親の行動チェックリストとよぶ100項目にわたるランク表を使って見い出したものは、メキシコと米国の母親は、発達度の期待あるいは親としてのふるまいに相違がない、ということであった。パップス、ウォーカー、トリンボリ、トリンボリ（Papps, Walker, Trimboli, & Trimboli, 1995）の指摘によれば、英国系アメリカ人、ギリシア人、レバノン人、ベトナム人グループの母親全員がいちばんよく使うしつけの方法は、権力の行使である。ケラー、チャシオティス、ルンデ（Keller, Chasiotis, & Runde, 1992）の発表では、米国、ドイツ、ギリシアの親には、子どもに対することばと声の出し方の潜在性において、文化的類似点がある、ということであった。

　このように、親のスタイルと子育てにおのおのの文化の相違点と類似点があるということを、研究によって得られた結果は示している。こうした研究のすべてが、親のスタイルは文化が示唆する発達目標と一致する傾向がある、と示している。このことは、生存に必要な特定の価値観、信念、態度、行動での文化的相違は、発達目標の相違と関連している、

ということである。

　社会を構成し，発達段階にある人間は，生存にかかわる文化関連の学習を続ける。発達プロセスが似ている人間は皆，文化の目的に沿って生きるよう創られている。しかし，目的の特定の性質によって，人間には相違が生まれる。

　親のスタイルにおける文化的相違は他の社会的要因にも同じく反映されている。もっとも重要なものの2つに「経済」と「拡大家族」がある。

■経済機能として親であるということの多様性　　国と文化が異なれば，親であることと育児をすることは，非常に異なる経済状態の下で行なわれる。そしてそれは米国でも同じである。この異なる状態が，あちらこちらの文化で著しく異なる社会化プロセスを生む。育児の習慣が異なると思われるのは，考え方の相違というだけではなく，生活水準の明白な相違という理由も考えられる。米国の基準を用いて他の国の文化背景を有する親を評価することは，とんでもない結論を招くことになる。スラム街に住むブラジルの母親の場合を考えてみよう。こうした母親は，食物と衣服といった生活必需品を得る収入を稼ぐために外に出て働いている間，5歳以下の子ども3人を物のない暗い部屋に一日中鍵をかけて閉じ込めているのである。しかし，豊かで栄養満点の食事をすることがあたりまえの前提でもって，このようなブラジルの母親のやり方を非難することはとうていできないのである。

　ある最近の研究が，こうした問題に焦点を当てた。この研究では，米国とアルゼンチンの第一子の母親に対して，仕事をする理由と勤務時間についての調査を行なった（パスキュアル，ヘインズ，ギャルペリン，ボーンスタイン：Pascual, Haynes, Galperin, & Bornstein, 1995）。両国間で，「結婚期間の長さ」と「妊娠中に働くかどうか」ということが，出産後に「仕事に就くかどうか」の予測になるのかということを調査したのである。米国では，よい教育を受けて高い地位の職をもつ女性は，労働時間が長いが，アルゼンチンでは，米国と同様の社会的地位をもつ女性は労働時間が短い。かように，文化と経済条件の相違が，この2つの国で仕事をするかどうかの決定にかかわってくるのである。

　子どもを抱き上げ肩へもってくると，子どもは泣きじゃくるのをやめ，無視され甘やかされるのをいやがり，泣くまま放っておかれる子どもは，もっと泣きじゃくる。これは，どこでも共通する話である。しかし中国のへんぴな田舎の川沿いの地域では，生後間もない幼児は母親が畑で働いている間，そのまま放っておかれる。子どもはまっすぐ体を支え，吸収性のオムツのような役目をする大きな砂の袋の中に入れられる。泣いても子どもはすぐに泣くのをやめる。なぜならば，どんなに泣いても，何の反応も返ってこないということをすぐさま学ぶからである。

　幼児の死亡率が高い社会であれば，親の注意はあくまでも基本的な身体の要求を満たすものに集中するであろう。親の選択の幅は非常に限られていて，他の発達プロセスで必要なものを無視するしかないのかもしれない。時として，厳しくかつストレスの高まるような環境条件への対応が，われわれが肯定的に考える親の行動である。たとえば，スーダンでは伝統的に母親は出産後40日間を一日中幼児と共に過ごす。親戚が母親の世話をしてい

る間,母親はくつろぎ,子どもに全神経を集中する（シーダーブラド：Cederblad, 1988）。

レヴァイン（Levine, 1977）が立てた理論は,育児環境は重要な順に並んだ一連の目標を反映する,ということであった。第一に「丈夫で長生きをすること」,次に「自身に結びつく行ないの促進」,最後に「徳行,名声」といった他の文化的重要性を育む行為である。米国の家庭の多くは,2番目の2つの目標を満たすのを非常に考慮しているのでさいわいである。多くの国で生き延びるという目標が,親が費やす時間の中でしばしば他の目標よりも上に位置する。実際,これは米国の多くの地域でもまぎれもない事実である。

■拡大家族　家族構成も,子育てと子どもの世話に大きな影響を与える。非ヨーロッパ系アメリカ文化の多くで,拡大家族をよく見かけることができる。たとえば,1984年には,米国で31%のアフリカ系アメリカ人の子どもは拡大家族といっしょに住んでいた。その一方で,他の人種の子どもではわずか19.8%しかそのような家庭で生活していなかったのである（米国国勢調査局：U.S. Bureau of the Census, 1985）。たとえ豊富な資源に恵まれていても,拡大家族は子育てにおいて不可欠な要素である。多くの文化で拡大家族の子育てを重要で欠かせない部分として見なしており,また日常生活のストレスを和らげる役目も果たしている。また拡大家族の子育ては,世代から世代へと文化的な遺産を継承する重要な手段でもある。

拡大家族は,ヨーロッパ系アメリカ人とは,きわめて異なる方向で子育てを支え,促進する。親のスタイル（権威主義,甘やかし主義,毅然的主義,放任主義）の研究は核家族構成を前提としている傾向がある。米国で少数民族の家庭は拡大家族としての特徴をもち,一般的にヨーロッパ系アメリカ人の家庭よりも保守的である。例として,日系アメリカ人の家庭は年齢と性別の厳格な役割,権威者に対して従う子どもの素直さを強調した拡大家族の特徴があった（トランキナ：Trankina, 1983；ヤマモトとクボタ：Yamamoto & Kubota, 1983）。

拡大家族の場合でも,母親はもっとも重要な養育者とみなされるが,子どもは父,祖父母,きょうだい,いとこ相互作用しあう。ヒスパニック系,フィリピン系の家庭は祖父母を子どもの重要な模範として,また親を助ける者として見なしている。親戚と家を共有するという拡大家族の特徴は,上手な子育てのために家族がもっているものを最大限に生かすよい方法と考えられている。

拡大家族の重要性を認識するのに,米国以外の国を見る必要はない。しかし重要な相違は,米国で拡大家族が育児を行なうというのは,好ましい事態というより,貧しい経済事情の結果であると見られているのである。事実,120万人にのぼる米国の子どもが,1990年に貧困家庭所得以下で生活しているが,その多くが未婚の母の子として生まれている。ここでは,拡大家族が子育てに重要な役割を果たしている。祖母は未婚の娘と住み,より活発に孫とかかわってゆく。子どもは重要な教育者の多様性を経験し,中流階級ヨーロッパ系アメリカ人核家族とは異なる社会的な相互作用を受ける。このようなイメージが成り立つのは,民族をも社会階級と混同するという現実があるからである。

十代で親になるというのも，伝統的な親という概念に関して，われわれに異なった考え方をすることを要求している。拡大家族で母方の祖母の存在からわかるのは，十代の母に関するマイナスの効果を打ち消している，ということである（ガルシアコール，1990）。祖母は，幼児の発達に関する貴重な知恵をもった中心人物としての役割をよく果たす。祖母は，また，十代の母親より敏感で，子どもに罰を与えない。三世代同居家庭では，祖母は娘に対し教師として，またよい模範としての重要な役割を果たし，孫に対して好ましく，プラスの社会的な相互影響を与えるのである。

拡大家族はある国から他の国へとその構成内容は異なるが，物，精神的支え，育児の共有という点では共通している。このような環境の下で育った子どもの経験は，ヨーロッパ系アメリカ人の核家族の中で育った子どもとはまったく異なるはずである。つけ加えて，伝統的な両親がそろっている家庭というのも，ヨーロッパ系アメリカ人の中では変貌してきている，ということを認識する必要がある。同様に，これからの研究はまちがいなく，アメリカ文化において，親であるということの概念を変えてしまうことであろう。

気質，愛着行動，育児：まとめ

これまで取りあげてきたことは，世界中で起こる「自文化」化について，たくさんある中のほんのいくつかだけを物語っているにすぎない。子どもは社会化と「自文化」化全体で起きる文化習得に必要な助けとなる生得的性質，あるいは気質をもって生まれてきているのかもしれない。愛着行動，親のスタイル，育児といったものにおける相違は，独自の文化で育まれた発達プロセスの目標へ到達するための学習の土台を子どもに与える。親，好ましい愛着スタイル，就寝の取り決め，またその他の具体的なメカニズムを通じての育児は，子どもに価値観や基準が伝わっているというおのおのの文化の確固たる性格を表わしている。あらゆる文化でこのような習慣がしきたりとなっているので，情報の継承が世代から世代へ受け継がれてゆく。文化的に特有な価値観を学ぶことは，社会化の成果と同様，社会化プロセスの一部である。

このすべてがどのように起こるかということを，今日の比較文化心理学ではどのように考えているのだろうか。ボーンスタイン（Bornstein, 1989）によれば，発達における初期の研究のいくつか（たとえば，コーディルとフロスト：Caudill & Frost, 1973；コーディルとワインスタイン：Caudill & Weinstein, 1969）は，おもに幼児と子どもに変化をもたらす精神的な親の行動の中で文化の役割に焦点を当てた。この例が示唆しているのは，子どもが文化にふさわしい行為に沿ってゆけるよう，文化は親に（とりわけ母親に）文化の構成内容と環境といったものを明らかに提供しているということである。

文化→母親→幼児

一方，生物学的な問題に焦点を当てた研究（シャンド，コサワ，デセルス：Shand, Kosawa, & Decelles, 1988）もあり，そうした研究では「発達モデル」を構築しようとしている。そのモデルではまず，遺伝子の影響や生物学や遺伝によって幼児の気質を説明す

る。そして，幼児の気質が母親の行動様式に与える影響を説明し，そしてやがては母親の行動様式が文化的相違を生み出すのだと説くのである。

遺伝子→幼児→母親→文化

現在の比較文化研究では，上述の理論モデルの両方を支持している。たとえば，子育ての方法に関する研究では，前者（文化が子どもに影響を与えるというモデル）を支持し，気質や愛着に関する研究は後者（生物学的要素が文化に影響を与えるというモデル）を支持している。この分野の最近の研究（ハロウェイとミナミ：Holloway & Minami, 1996）では，両者を融合して，文化的意味合いをいっしょに作り出す相互パートナーとして親子を概念化することを示唆している。この見解によれば，子どもの積極的な情報収集の手順は，結果的には文化を再生しているのだが，また同時に文化の新しい要素を生み出してもいる。言語面での親子相互作用（インタラクション）が与えているのは，親子間のさまざまなものの見方が新しい現実を構築する拠り所なのである（子どもが親をモデルにして行動を学ぶばかりでなく，親が子どもをモデルにして行動を学ぶこともありうる）。こうした最近の理論が試みているものも，自文化以外の他の文化から「押しつけられた」共通の理解（普遍性）を当然のことと思うよりはむしろ，親子間で共有している文化的意味を見いだすことにある。

この研究分野でこれからの展望として期待されているのは，こうした環境下で気質，愛着，子育て法，心理学的な文化の相互作用を評価しながら，こうしたさまざまな構成要素すべてにあるギャップを埋めることである。理想的には，長期にわたる縦断研究がなされれば，時を経て1人の人間が文化に適応してゆくプロセスで発生するこうしたさまざまな構成要素の相互作用を，研究者は調べることができるだろう。

しかしながら，上述したように，複雑な社会においては，親や家族のみが子どもを文化に適応させるエージェント（変化させる人，あるいは物）の役割を演じているのではない。今日の多くの社会や文化において，きわめて重要かつ公に認められた唯一の「しつけのメカニズム」というのは，「教育システム（教育制度）」なのである。

文化と教育

われわれの多くは，一国の教育システム（制度）を技能や知識を伝達する機関としてのみ考えている。しかしながら，1つの社会の教育システムは子どもをその社会に適応させ，その社会の文化価値を教え確固としたものにする上で，もっとも重要なシステムとしての役割をおそらく演じているのであろう。この分野に関する，国際的な比較文化研究の多くが注目してきたのは，数学成績における到達度の国際比較である。

■**数学成績における国際比較**　数学を習うということは，われわれが文化，社会化，教育システム（制度）を理解する際に，重要な位置を占めている。もちろん，数学能力の獲得は，いかなる社会においても，科学の究極の発展のために重要である。それゆえに，このことは研究者の多大な関心を集めてきたわけであるし，政府からであれ民間からであれ，

多額の研究資金を受けてきたのであろう。それでもやはり、数学と文化には、きわめて特別な関係がある。なぜなら、スティグラーとバレインズ（Stigler & Baranes, 1988）が述べているように、数学的な技量というのは「抽象的な認知構造に基づいて論理的に構築されているのではなく、むしろ過去に習得した、受け継いできた知識や技量と新しい文化の入力との結合から産出される」ものであるからである。文化は数学に影響を与えるばかりでなく、数学で表現されたもの、それ自体なのである。言い換えれば、文化とは「どのように社会が数学を教え、習うか」なのである。

学校での数学教育に関する国際間の研究は、従来、世界中の学生の数学能力を比較してきた。たとえば、国際教育到達度評価学会（IEA）（フッセン：Husen, 1967）が比較調査してきたのは、12か国の中学2年生と高校3年生の数学達成得点である。米国の中学2年生は、数学の全体的な成績で12か国中下から2番目で、平均点はすべての分野で参加国の平均点よりも低かった。アメリカ人高校3年生の数学成績にいたっては、さらに参加国の平均点よりも低かった。後にIEAが再実施した17か国間の研究によれば、米国の学生の数学成績は他の国と比較すると低下が著しかったのである。ゲーリー（Geary, 1996）によれば、数学における米国のエリート学生のトップ5％は大学進学を目的とした私立高校の数学コースに在籍していたにもかかわらず、代数と微積分で国際標準と比べても、平均点を取ったにすぎず、幾何においても平均点より若干高かっただけである。

こうした調査結果は、初等学童も対象に含めた他の研究によっても立証されている。日本や中国の数学における優秀者は、小学1年生ですでに米国の小学5年生レベルに到達しようとしている（スティーブンソン、リー、スティグラー：Stevenson, Lee, & Stigler, 1986；スティグラーとバレインズ：Stigler & Baranes, 1988）。アメリカ人児童の相対的とは言え、お粗末な数学成績は、韓国児童との比較でも顕著である（ソンとギンズバーグ：Song & Ginsburg, 1987）。さらに、その違いは計算問題の試験だけでなく、研究者が作成・実施した数学試験すべてにおいて観察されたのである。

もちろん、こうした研究結果には米国のあらゆるレベルの研究者が何十年にもわたり不安を抱いてきたわけである。こうしたアメリカ人学生の数学の技量における相対的にお粗末な成績は、重要な社会懸念であるばかりでなく将来の健全なアメリカ経済にとっても憂うべきものなのである。なぜなら潜在的に技量をもたない、または技量の乏しい労働者が実社会にどんどん送り込まれているからである（ゲーリー：Geary, 1996）。数学能力（とりわけ重要なのは数学の基礎となる論理的推論能力であるのだが）と、数学と結びついた理性の訓練が、人生の道のりにおいて必須である。それゆえ、相対的とは言えお粗末なアメリカ人学生の数学の成績は、米国のこれから将来に深刻な影を落としているのである。

こうした相違の考えられる原因を探る際に、ゲーリーが示唆したのは一次的数学能力と二次的数学能力の区別である。一次的数学能力とは、言語や、数の計算のように、すべての人々がおそらくもっている進化的なプロセスによって形成される生得的能力に関連している。二次的数学能力とは、一次的システム上の大部分に基づく非生得的な能力のことで

ある。一次的能力が生得的に習得されるのに対して，二次的能力の習得は文化の影響を強く受けているのかもしれない。

■**数学能力における国際間較差について考えうる生物学上の原因**　もし生物学的要因が数学能力の国際間較差を招いたのであれば，一次的数学能力の国際間の相違が存在しているはずである。断言することはできないけれども，間接的な証拠によれば，一次的数学能力の国際間の差は存在していない。数学能力の国際間較差に関しての研究がこれまで注目してきたのは，一次的数学能力ではなく二次的数学能力に基づく数学成績との関係のように思われる（ゲーリー：Geary, 1996）。たとえば，「人種間での知能指数（IQ）の相違，または脳の大きさの相違についての研究が，数学成績の較差を説明することができるのだ」と言う人がいるかもしれない。しかしながら，そうした知能指数の相違は，徐々に小さくなる傾向にあり，数学能力の差異を説明するには十分とは言えない。さらに，日本，米国，中国の子どもの平均知能指数の比較によれば，違いはまったく存在しないのである（スティーブンソンら，1985）。それゆえ，知能指数がこうした子どもたちの間の国際間較差を生みだしている，とは言えない。本書のいたるところで述べているように，人種分類に基づく生物学的差異の解釈には問題がある。

■**数学成績に影響を与える社会的・文化的要素**　数学成績の国際間較差が，「一次的数学能力よりもむしろ二次的数学能力に関係している」ということからわかるのは，社会・文化的要因が，数学成績の違いを生み出すのに重要な役割を果たしている，ということである。文献研究で調査されてきたのは，「言語の相違」「学校制度」「親と家族観」「教師の教え方のスタイルならびに教師と生徒の関係」「生徒の態度や評価」といった数多くの考え得る要因であった。これらの要因を調査する分野のおのおのの研究が示唆しているのは，これらの要因のおのおのが数学成績の国際間較差の一因となっており，こうした要因すべてが1つの集合体として「文化と教育の関係」の十分な証明となっている，ということである。

■**言語**　スティグラー，リー，スティーブンソン（Stigler, Lee, & Stevenson, 1986）による研究によれば，日本，中国，米国の子どもを対象にした計算・暗記問題の国際間較差は，数や（数の）数え方に関連した言語の相違によるところが大きい。たとえば，日本語には，1から10までの数に独特な言語表示がある。11という数は，その場合10－1（じゅういち）で，12は10－2，20は2－10，21は2－10－1と続いてゆく。ところが，英語には20，30，40などの10桁の数表示だけでなく1から19まで独特の数の表示法がある（これに関しては，「言語と文化」の章を参照のこと）。ミウラ，オカモト，キム，スティーア，ファヨル（Miura, Okamoto, Kim, Steere, & Fayol, 1993）の研究によれば，東アジアの生徒は計算問題では米国の生徒と比べてまちがいが少なく，計算や数に関する基本的な算数概念を理解している。こうした言語の相違というのは，ある程度は数学成績の国際間較差の原因ではあろうが，その原因のすべてではない。

■**学校制度**　これまでの研究によれば，子どもが参加する教育システムは，国際間の数

学成績の差を生み出すと同時に文化的な価値を付与する重要な役割を果たしている。ある社会や文化の中に存在する学校で教えられている内容が反映しているのは，その社会や文化の価値基準に基づいて選択された事柄である。文化が異なれば，その社会が（子どもの）将来の成功に必要だとみなすテーマも異なるわけである。ある一定の内容を教えることにより，教育システムはその文化固有の認知・知性に対する見方を確固としたものにするのである。

　教育が行なわれる環境も考慮する必要がある。産業社会の多くでは，正規の教育システムをもっていて，教育を「行なう」はっきりとした教育のエージェント（教師）とはっきりとした場所と建物（学校）が存在する。また別の文化では，正規の教育は，その地域社会の長老の指導により小さなグループの中で執り行なわれている。また，「正規の教育は家の務めだ」としているところもある。そこでは，母親が自分の子どもに，所属する地域社会の一員として必要な認知的技能およびその他の技能を，個人的に教授している。しかしながら，どのような環境であろうと，教育が発生する媒体というのは，教育を受ける者の中における一定の文化的価値観を確固としたものとするのである。

　授業計画（lesson plans）の構成や計画，実施は，文化的に社会化（socialization）を促進する重要な役割を果たしている。文化が異なれば，教師の教え方のスタイルも異なる。ある文化では，一方通行的な教授モデルが奨励されている。そこでは，専門家である教師が生徒に知識を授け，生徒は黙って聞いて学ぶことが期待されている。また別の文化では，教師がリーダー的な役割をつとめ，教師が全体的な構造や骨組みを提供し，それにより生徒は原則や概念を見いだしている。「ほめる」ことを重要なプロセスとみなしている文化もあれば，生徒が学ぶプロセスでおかした誤りに焦点を当てる文化もある。また，生徒のさまざまなレベルに応じ，学習障害をもつ生徒，肉体的障害のある生徒，または際だって優れた才能をもっている生徒向けに特別な授業や学校システムを提供している文化もあれば，生徒間のそうした差異よりはむしろ生徒を同等に扱うことを重視する文化もある。

　生徒はいったん学校にいると，親から離れて，起きている時間のほとんどを学校で過ごす。親との主たる関係で始まる社会化のプロセスは，学校や遊びの場面における友達へと引き継がれてゆく。学校は文化的価値観や態度を子どもに教える。言い換えれば，子どもの知的発達だけでなく，子どもの社会的そして情緒的な発達をうながすのに，学校は貢献しているのである。

　文化に子どもを適応させる教育システムの役割に対する理解を深めるのに注目すべき点は，数学教育はシステム化された教育環境のみで執り行なわれるのではない，ということである。たとえば，プルーワット文化に属するミクロネシア諸島の人々は，必要不可欠な数学能力を航海から学ぶ。また海岸沿いに住むガーナ人は魚を商うことにより数学を学び，ブラジルの私設馬券屋は馬券を売ることで数学を学ぶのである（アシオリーとシュリーマン：Acioly & Schliemann, 1986；グラッドウィン：Gladwin, 1970；グラッドウィンとグラッドウィン：Gladwin & Gladwin, 1971）。

教育がどのように施行されようと，1つの社会や文化が選択するのは，教育の構造・構成・計画・実施に関してであり，それらの選択すべてがある一定の文化観を促進し堅固にするのである。われわれは，自らの文化観の中に埋没しているため，その文化観を常に認識しているとは限らない。自らのもっているバイアス（偏見）や自らが行なった選択を知るには，他の文化における教育を観察し，自国の教育と比較する必要がある。そうした比較がなされれば，両者の教育の相違点や類似点はおのずと明らかになる。

■**親の価値観，家族の価値観**　これまでの研究が示してきたのは，日本人，アメリカ人，中国人の文化観や信条の体系の重要な相違が，教育に影響をおよぼしているということである。たとえば，日本と中国の親や教師は，アメリカ人の親や教師と比べて，子どもすべてを同等に扱う傾向にある。一方，米国の親や教師は，子どもたちの違いを見つけ，自分の子どもや生徒を特別なものとして扱う理由を見いだそうとする。この親や教師の子どもに対する見方の違いは，日米中の文化間に存在する個人主義と集団主義の間の文化的な緊張に明らかに根づいている。

　米国の親や教師は，日本と中国の親や教師と比べると，生得的な能力を後天的な努力よりも重視する傾向にある。しかしながら，日本と中国の親にとっては，努力は才能よりずっと重要なのである。努力に対する認識の違いもまた，3か国間の文化的な相違に根づいていて，教育にきわめて大きな影響を与えている。米国の親は，日本や中国の親と比べて，低レベルの能力にたやすく妥協する傾向にあり，問題が生じたときでも，その原因を自分ができないこと（たとえば才能）に帰する傾向にある。文化が異なれば，どこに原因を求めるかは異なり，そのことは自己の解釈（self-construals）が文化により異なることと直接関係しているのである。

　「才能が努力より重要だ」という信条には，別の側面がある。それは，子どもには能力的な限界があるのだ，という信条である。いったんこの信条が，文化的慣行となると，その文化の中での教育システムがどのように対応すべきかが，方向づけられる。アメリカ人のシステムの場合では，結果として重視されるのは，生徒1人ひとりのユニークで生得的な相違を見いだすことであり，生徒の独自性に応じて個別のクラスを提供することである。その結果として，個人のレベルや目的に応じた授業が増加し，全体的なグループ授業が減少する傾向にある。

　成績や学業の成功に関して，親の価値観や家族の価値観を論じた研究もある。たとえば，チャオ（Chao, 1996）によれば，中国では幼稚園児をもつ母親が重視するのは，子どもが成功するのに必要な教育に対する高い投資や犠牲，子どもの教育を直接的に管理したいという願い，そして自分が子どもの成功に重要な役割を果たしているという信条である。しかし，米国において幼稚園児をもつ母親は，学業成績をさほど重要視せず，中国の母親のように直接的に教育に関与しようという気もさほど示さないが，自分の子どもが自尊心を築くことには心を砕いている。クシュ（Kush, 1996）によれば，ヨーロッパ系アメリカ人とメキシコ系アメリカ人は学業成績のレベルでは異なっていたが，親の教育レベルを統計

分析上の統制をした場合，子どもの学業成績の相違は存在しなかった。ヤオ（Yao, 1985）が比較したのは，ヨーロッパ系アメリカ人とアジア系アメリカ人の「成功者」（高い業績をあげた人たち）である。この研究によれば，ヨーロッパ系アメリカ人の家族生活は，アジア系アメリカ人と比べ，管理されておらず，週末や放課後にも子どもに塾などの特別な教育を与えてはいない。しかし，アジア系アメリカ人の家族は，ヨーロッパ系アメリカ人の家族と比べて，自分の子どもの生活を管理し，学校での勉強を補う放課後の課程外の補習を積極的に子どもに与えている。この節で論じている相違やその他の相違からわかるのは，数学や学業成績の国際間および比較文化間の較差は，親の教育に対する態度や家族の特性に左右されるのだ，ということである。これに関連した相違は，こうした家族の一員である生徒の中でも見受けられるのである。

■**生徒の態度と評価**　これまでの研究の多くは，アジア人またはアジア系アメリカ人と，ヨーロッパ系アメリカ人の子どもの文化的な相違の比較研究であった。たとえば，パン（Pang, 1991）が研究したのは，試験に対する不安や自己像（self-concept），そしてミドルスクールに通うアジア系アメリカ人，ヨーロッパ系アメリカ人の生徒が親からの支援をどのように認識しているか，ということである。その結果，アジア系アメリカ人の子どもには，ヨーロッパ系アメリカ人の子どもと比べて，自分の親を喜ばせようという強い願望や，親からの大きなプレッシャーがあったが，親からの支援のレベルが高いことも示した。ヤンとガイエル（Yan & Gaier, 1994）が注目したのは，アジアと米国の学部生と大学院生の学業の成功や挫折の原因の所在である。ヤンらによれば，米国の学生は，成功には努力が必要だ，と認めつつも，挫折と努力は関連性がない，とした。しかし，アジア人の学生は，成功するにも挫折するにも努力がどちらにも同じように関連する，と考えていた。この結果は，前述した親の態度と類似もしくは一致し，さらに本書の別の箇所で述べた帰属性（もしくは属性：attributes）のかたよりにも一致している。類似した調査結果は，日本，中国，米国の小学4年生を対象にした研究からも得られている（タス，ジンマー，ホウ：Tuss, Zimmer, & Ho, 1995）。

　国際間の相違は，他のサンプルでも同様に発見されている。たとえば，オェティンジェンら（Oettingen, 1997；ステツェンコ，リトル，オェティンジェン，ベイルツ：Stetsenko, Little, Oettingen, & Baltes, 1995）は，米国，ドイツ，ロシア人の学業成績についての信条を比較した。オェティンジェンらによれば，この3か国の中で，米国の子どもは個人作用と管理期待のレベルではいちばん高かったが，その一方で，そうした信条と実際の成績の相関関係ではいちばん低い結果を示した。つまり，アメリカ人は自分の学業の結果を管理しているといちばん信じているが，この管理はアメリカ人の実際の成績とは無関係であった。また，バーレンバームとクリーマー（Bierenbaum & Kraemer, 1995）が比較発表したのは，アラブ系とユダヤ系高校生の学業における成功と挫折にまつわる原因の所在の差異である。こうした研究結果は，次の4つのことを示唆している。（1）異なる国や文化で学ぶ学生は，きわめて異なる世界観，態度，帰属意識で学業に臨んでいる。

（2）こうした相違は，他の研究でも観察された親の価値観・態度等の相違に関連性がある。（3）学生のもつ世界観等の相違が，学業成績の国際間較差の一因となっているかもしれない。（4）さらには，そうした学生の世界観等の違いは，文化と密接な関係がある。

■**教師の教え方のスタイルと教師・学生の関係**　スティグラーらは，前述した数学成績の国際間較差についての原因を見つけようと，実際の教室での観察を行なった（スティグラーとペリー：Stigler & Peryy, 1988)。教室での時間の使い方についての主要な相違が，数学成績の差異を生み出しているように思われる。日本や中国の子どもは，一年の多くの日数，一日の多くの時間を学校で過ごし，時間の大半を純粋に学業科目，さらに言えば，数学に専念して時間を過ごす。さらに日本や中国の教師は，米国の教師と比べて，多くの時間をクラスで生徒といっしょに過ごす。平均的なクラスのサイズでは，米国と比較すると，日本や中国のクラスの方が大きいので，この違いは注目に値する。結果として，米国の生徒は，教師の監督・指導下では，さほど時間を過ごしていないのである。

授業中，米国の教師は，生徒の正しい反応（答え）に対する報酬として「ほめる」傾向にある。しかし，日本の教師は，生徒がまちがえた答えを例として使いながら計算プロセスや数学概念の議論に導こうとし，これからもわかるように，まちがえた答えに注意を払う傾向にある。台湾の教師も，日本人と同じような方法で教えている。こうした教師の教え方のスタイルの相違というのは，どこに重きをおくかという違いである。アメリカ人は，特異性や個人主義に重きを置き，一方，日本や中国では，グループ・プロセスに携わる方法を見つけ，グループ・メンバーといっしょにまちがいの責任を共有することに価値を置いている。アメリカ式の「ほめる」やり方にはもちろん長所もあるが，日本や中国式のグループ学習のもつ利点を見落としてしまっているのである。

もちろん，他の文化でも同様に相違は存在する。たとえば，マッカーガー（McCargar, 1993）は，10か国の文化グループ内の違いを，生徒の役割の期待において8段階，教師の役割の期待において11段階に分け論述した。まとめると，こうした研究が強調しているのは，教室で毎日実際に起こっている教師の教え方のスタイル，期待，実際の行動という観点から見れば，学業成績の国際間の違いを説明できるのはないか，ということである。

■**まとめ**　学業成績の国際間較差は，異なる文化の国民の間に存在する生物学的な違いによって必ずしも説明されるのではない，ということをわれわれは知っている。とりわけ，計算方法に関係のある数の表示の違いといった言語間の相違は，1つの要因でありうるかもしれないが，そうした違いの程度を説明することはできない。そうではなく，研究が示唆しているのは，学業成績の国際間の違いは，数多くの社会的および文化的要因の結果であり，そうした要因の中には，教育システムとして制度化しているものもあれば，親または親の価値観で培われているものもある。1つの要因が国際間の学業成績の違いをすべて説明できる，と示唆している研究はどれ1つとして存在しない。相違が生み出されるのは，こうした要因や他の要因の組み合わせからなのである。

学業成績における国際間較差やその差異の基礎となっている文化間の相違は，単に文化

により作り出されているのではない。生徒がどんな文化に属していようと，いかなる学科や分野においても，生徒の学業成績というのは，経済，地理，資源，文化的な価値や信条，能力，経験，言語，そして家族変遷の型（dynamics）の複雑な相互作用の結果なのである。

　学業成績の相違に関する研究が強調しているのは，社会における重要な「自文化」化（enculturation）のエージェントとしての教育システムの役割である。つまり，ここで論じている相違全般は，学業成績における国際間較差の一因となっているだけではなく，文化そのものに存在する相違の原因にもなっているのである。親と子どもの態度，教育の実践と教科課程，教師の態度，その他関連した要因のすべてが，文化を伝達する重要な務めを果たしている。そうした要因すべてが，文化や社会の一員として，重要な文化的な価値を生徒に伝達し，その結果，世界の多くの社会の子どもが社会化し文化に適応してゆく上で，主要な役割を演じている。こうした慣行における相違は，価値，信条，態度，規範そして行動の違いを反映するだけでなく，そうした違いを堅固にし，そうした重要な文化の情報が世代を通じて受け継がれてゆく手助けをしているのである。人生において就学期は，いかなる文化においても実に重要な時期である。そして，文化は社会全体からの影響を受けて子どもの中で確固としたものとなってゆくのである。

総合して考えると：文化と文化アイデンティティの発達

　この節では，人が文化に適応してゆくプロセス（気質，生物学的な資質，愛着，子育て法，子どものしつけの実践，教育システム）に影響を与える数多くの要因を調べてきた。こうしたプロセスのすべては，人が文化に適応してゆく際に，どのように人の頭の中で，組み立てられているのだろうか。この質問に直接的な形で答えてくれる研究は，残念ながらあまり存在しない。われわれが，知り得ていることの大半の基礎をなしているのは，さまざまな証拠を，首尾一貫した全体にまとめあげようと試みている文化人類学や比較文化心理学の理論的・概念的研究なのである。

　たとえば，トマセロ（Tomasello, 1993）が示唆しているのは，文化の習得は，人間の発達において，3つの異なる方法（模倣，教育，協同作業）によって実現される，ということである。この3つのプロセスは，社会的・認知的概念の発達や，「自文化」化が起きるのに必要なプロセスの発達に，順番に関連していると思われる。模倣は，意図的エージェントの概念に依存していて，視点の獲得を必要とする。教示されたものを習得するには，心理的なエージェントが必要であり，協同作業で学ぶということは，熟慮する能力に依存し，統合的な視点の獲得を含んでいる。健常児と自閉症の子どもにおける社会認知と文化習得の側面と，野生のチンパンジーと文化に適応したチンパンジーにおける社会認知と文化習得の側面の相互関係においても，上述した文化習得のメカニズムは説明することができる。[しかしながら，文化習得における模倣の重要性に，意義を唱える人もいる。ヘイズ（Heyes, 1993）を参照のこと]。

　研究者の中には，文化とはその場に応じたコンテクスト（状況）に関連した学習の統合

として特徴づけられる，と示唆する者もいる（ヤコブソン：Jacobson, 1996）。文化に適した習得が，多様かつ異なるコンテクストで進むにつれて，そうした文化特有の習得は，理解・評価レベルまたは行動のレベルのいずれかで，コンテクストを超越して結合した全体となる。同様に，ショア（Shore, 1991）による文化認知の定義は，文化テキストと文化モデルを体系化したものの総体と，意味構築の主観的プロセス（われわれが主観的な経験を通して文化の象徴に気づいてゆくプロセス）である。異なる認知プロセスと感覚の経験により，コンテクストにとらわれず，スキーマ（過去の経験や反応様式を体系化した図式）をつなげることや，そうした経験を通して構築される文化の意味を提供することが円滑に行なわれる。

スーパーとハークネス（Super & Harkness, 1986, 1994）が提唱しているのは，「自文化」化が，スーパーらの言う発達的ニッチ（もしくは発達的ニッチェ：developmental niche）とよばれるものの中で起きるということである。発達的ニッチとは，子どもが発達してゆく社会化環境を意味する。この発達的ニッチは，構造的で主観的な枠組みを形成し，その枠組みの中で，子どもは自分の社会にとって重要な文化的な価値やモラルを習得するようになるのである。スーパーらによれば，この発達的ニッチには，3つのおもな構成要素（物理的・社会的環境，子どもや子育ての習慣，面倒を見る人の心理状態）がある。子どもはこの3つの構成要素すべての影響を受けながら育つ。もっと正確に言えば，この3つの構成要素の相互作用に影響されているのである。この3つの構成要素は，すべて，環境や人間の生態系の中で発生している。この発達的ニッチの中で，発育上の子どもは，自分の「自文化」化を確実なものとしながら，親や教師といった社会適応化の助けをするエージェントの影響を受けることができる。また，同時に，子どもも自分の気質をその相互作用にもち込んでいるのである。

「自文化」化の問題は，最近注目を集めているテーマの1つである民族性のアイデンティティの発達に関連している。アイデンティティは，概して，ある文化または民族性の自覚に言及している。こういう点において，アイデンティティの概念は「自文化」化の概念とは異なるものである。人は，意識して文化習得しようとせずとも文化に適応してゆくことができる。実際，民族性アイデンティティの発達は，段階的に起きる傾向があることが，これまでの研究でわかっている。たとえば，メキシコ系アメリカ人の民族性アイデンティティの発達を研究したバーナル（Bernal, 1993）は，4歳児でさえも自分の民族性のアイデンティティの知識をわずかながらもつ傾向がある，と報告している。しかし，メキシコ系アメリカ人の子どもは成長するにつれ，自分たちの受け継いできたものについての知識は広くなりかつ複雑になってゆく。フィニーやシャビラ（Phinney & Chavira, 1992）が提示したのは，民族性のアイデンティティは，青年期，成人期を通して確固としたものとなってゆき，自尊心にもつながってゆく，ということである。

このようにして，入手可能な研究が示唆しているのは，文化は一定の認知的スキーマや特定のコンテクストに関連した構造により習得されるかもしれない，ということである。

さらに，個人が（そうした構築の発生を説明する）社会的な認知能力を発達させるにつれて，文化的な意味合いは，特定のコンテクストにとらわれず構築されてゆく。こうした文化の構築に関連した意味の自覚・認識は，文化や民族性アイデンティティの発達につながる。これからの研究としては，こうした考えを直接的にテストし，世界の異なる文化圏の人々において，こうしたプロセスがどの程度まで類似しているのか，またどの程度まで異なっているのかということを探ることが必要である。

発達における文化と心理学的プロセス

本章の前半では，人はどのように自らの文化の内容を習得するかという「自文化」化の性質について述べてきた。本章の後半では，認知，社会情緒，モラルの発達といったさまざまな発達における，文化の類似点や相違点を論じる。こうしたテーマは，主流心理学の分野でも比較文化心理学の分野においても，発達心理学を志す者の関心を集めていて，こうした研究をする人たちは，文化が発達のプロセスに与える影響に着眼している。

認知発達

■ピアジェの理論　　認知発達は，心理学の専門分野であり，思考能力は時とともにどのように発達してゆくのかを研究したものである。認知発達理論は，伝統的に幼児から成人期までの期間を対象としている。20世紀後半にこの分野で主流となっているのが，ピアジェの認知発達理論である。ピアジェはスイスの子どもの観察で理論の基礎を作った。ピアジェが主張するのは，子どもたちは発達の時期が異なると問題解決の方法も異なる傾向がある，ということである。この違いを説明するために，ピアジェ（Piaget, 1952）が提案したのは，子どもは幼児から青年になるプロセスにおいて4つの段階を経験するということである。

1. 感覚運動期（Sensorimotor Stage）：この段階は誕生からおおよそ2歳まで続く。見知らぬ人やものが目の前にいるという不安は，この時期に共通している。この時期のもっとも重要な達成は，対象物の永続性の習得である。たとえば，この時期の初期のころは，（対象物である）弾んでいるボールがソファーの下に転がっていったら，対象物のボールが存在しないと子どもは認識している。しかし，やがては，対象物のボールはソファーの下に隠れてはいるが，存在し続けている，と現実認識するようになる。後発模倣，言語習得，心的な想像などの，この時期に典型的に現われる他の認知発達は，後年の認知発達や「自文化」化に重要にかかわっている。模倣や想像は，観察学習の重要な認知構成要素であり，ことばによる社会適応プロセスの意志疎通を適切かつ確実なものにするために，言語能力

は必要である。

2. 前操作期（Preoperational Stage）：この段階は，おおよそ2歳から7歳まで続く。ピアジェはこの時期を5つの特徴という観点から定義している。その5つの特徴とは，保存，中心化，不可逆性，自己中心性，アニミズムである。保存（conservation）とは，物体の物理的量というものは，その物体の外観が変化しても変化しない，ということを認識する能力である。中心化（centration）とは，問題の一面にしか焦点を当てない傾向を指す。不可逆性（irreversibility）とは，あるプロセスを元の状態に戻すことを想像する能力がない，ということである。自己中心性（egocentrism）とは，他者の立場に立ち，その人の視点を理解する能力が欠如していることをいう。アニミズム（animism）とは，無生物も含めた，あらゆるものに生命が宿っている，と信じることをいう。たとえば，この時期の子どもは，自分のそばにある本を，「疲れている」とか「お休みが必要」と考えたり，月が自分を追っかけていると思ったりするのである。

3. 具体的操作期（Concrete Operations Stage）：この段階は，6，7歳から11歳くらいまで続く。この時期の子どもは，実際の事物や出来事に関して考える能力を新たに獲得する。子どもたちは，あるプロセスを元の状態に戻すことが想像でき，ある問題を多面的に見ることができる。また，自分の考えとは違う考えが存在することも理解し始める。この新しい自覚により，子どもは保存の原則を学んでゆく。具体的操作期の子どもは，6つのリンゴはどのようにグループにまとめてもいつも6つであり，粘土の量もどんな形であろうと変わらないことを理解する。こうした能力は，前操作期では現われなかった。しかし，この時期の子どもは，ある問題に直面した時，試行錯誤的に解決する傾向にある。

4. 形式的操作期（Formal Operational Stage）：この時期は，11歳から成人期まで続く。この時期には，人は平和や自由，正義などの抽象的な概念について論理的に考える能力を発展させる。問題解決のアプローチも，より体系的で思慮深くなってくる。

　ある段階から次の段階への移行は，子どもが初期の考え方と並行して新しい能力を開発してゆくように，しばしば徐々に進んでゆく。このようにして，子どもの行動は，子どもがある時期から次の時期に移行してゆくプロセスの2つの段階の「混在状態」を表わしているのかもしれない。

　ピアジェが仮定したのは，2つの基本的なメカニズムがあって，ある段階から次の段階への移行の原因になっているということである。その2つのメカニズムとは，同化（assimilation）と調節（accommodation）であり，同化とは，自らを取り巻く世界に関する既存の理解の中に，新しい考えを組み入れるプロセスをいう。調節とは，既存概念と矛盾する考えを受け入れる際に，この自らを取り巻く世界に関する自らの理解を修正するプ

ロセスを指す。

■**比較文化的観点から見たピアジェ理論**　ピアジェ理論に基づいた比較文化研究は，4つの主要な問題に焦点を当てている。現在までの研究で明らかになっているのは，ピアジェの発達段階に対応する認知能力の発達は，さまざまな面において，文化的類似性や相違性が実に興味深く関与しているということである。

「ピアジェの提唱する発達段階は文化が異なっても同じ順序で起こるのであろうか」。こうした問題を取りあげた研究によると，異なる文化の下でも，ピアジェ理論の発達段階が同じ順序で現われることは確実である。たとえば，イギリス，オーストラリア，ギリシャ，パキスタン各国の子どもを対象に実施した調査（シェイヤー，デミトリオ，ペレズ：Shayer, Demetriou, & Perez, 1988）では，異なる社会に属する子どもたちが，ピアジェ理論のタスクを同じ具体的操作期で行なったことを発見している。4歳児が対象物の永続性を認識できず，5歳児が保存の原理を理解できるなどという文化は存在しないのである。こうした調査結果からわかるのは，まったく異なる文化圏の子どもでも，ピアジェ理論で発達段階グループごとに分類されるタスクを，確かに似たような順序で習得するということである。

「ピアジェがおのおのの発達段階と対応するとした年齢は，どの文化圏でも同一であろうか」。研究の結果，異なる社会に属する子ども間では，ピアジェ理論の発達段階における第三段階および第四段階に到達する年齢差が著しく，文化による差異が大きいことがわかっている。その差は5年から6年にも開くことがある。しかしながら，子どもが答えを示すよりも早い時期にタスクを解決する潜在能力をもっている可能性が，見落とされている。具体的操作期にある子どもは試験の際，一般的に最初に思いついた事柄を答える。被験者である子どもが，こうしたタスクを行なう機会に恵まれている文化圏から来ていたとしたら，発する答えはおそらく正解であろう。逆に，子どもがその概念について考えたことがなければ，誤った答えを口にするのはもっともであり，そのまちがいは後にならないと気づかない。このような現象が起こる可能性を確認すべく，試験期間の最後に再試験を行なったところ，子どもたちの多くは2回目の試験では答えを修正することがわかった（ダーセン：Dasen, 1982；ダーセン，ラバリー，レチツキー：Dasen, Lavallee, & Retschitzki, 1979；ダーセン，ニーニ，ラバリー：Dasen, Ngini, & Lavallee, 1979）。だから，タスクを実行できるかどうかということが，必ずしも実際の認識能力や適性を示しているわけではない，と心がけておく必要がある。

「ピアジェ理論における発達段階の段階間だけでなく，おのおのの発達段階の範囲内でも文化的差異は存在するのであろうか」。ピアジェ理論のおのおのの発達段階内で，子どもがある特定の能力を習得する順序にはかなりの文化的差異がある。カナダのイヌイット（Inuit）族，アフリカのバオル（Baoul）族，オーストラリアのアランダ（Aranda）族といった部族の子どもを対象とした比較研究によると，ある空間上のタスクを，イヌイット族の子どもは全員7歳で，アランダ族の子どもの半数は9歳で実行したが，バオル族の子

どもにいたっては12歳になるまでそうしたタスクの半分すら達成できなかった（ダーセン：Dasen, 1975）。ところが，液体保存を扱った検査では，この順序がまったく異なる結果を示したのである。バオル族の子どもは8歳でこの問題を解決し，それに続いてイヌイット族では9歳，アランダ族では12歳という結果であった。同じタスクであるのに，なぜこれほどまで達成できる年齢に差異が生じるのであろうか。イヌイット族やアランダ族の子どもたちは，遊牧社会の中で生活しており，家族が常に住む場所を点々とする。そのため，空間的能力を早く習得しなければならないのである。逆に，バオル族の子どもは定住社会の中で生活している。つまり，ふだんは水を汲み，穀物を蓄える生活を送っており，移住することはほとんどないのである。ピアジェ理論の具体的操作期でのタスク遂行の順序に子どもたちが日々の生活から学んだスキルが，影響を与えていると考えられるのである。

「西洋文化以外の文化圏では科学的な推論を発達の最終到達点と評価しているのであろうか」。ピアジェ理論では，形式的操作（formal operations）に関係する科学的な推論ができるようになることが，認知能力発達の普遍的な最終到達点である，と考えている。つまり，スイスや他の西洋諸国でもっとも価値があるとする考え方（形式的操作）を尺度として，世界中のあらゆる文化を評価しようというのである。ピアジェは，科学的推論を人間が目指す最終達成目標であると考えたため，ピアジェ理論では科学的推論にたどり着くまでの段階を追跡する構成となっている。この視点は，少なくとも近年までは，北米の心理学者や北米一般の人々から広く受け入れられていたものである。

比較文化研究は，このピアジェ理論の視点がけっして普遍的に適用できるものではないことを示唆している。社会が異なれば，どのようなスキルや行動に価値を置き，評価を与えるかが異なってくるのである。たとえば，伝統的なイスラム社会の中で尊敬の対象となっていたのは，つい最近までは，宗教的な指導者や詩人であった。イスラム圏の教育制度に科学や数学も組み込まれてはいたものの，主要な教育目標は人々を科学的方法で教育することではなかった。むしろ信仰を重んじ，一般教養を身につけ，詩や文学を深く鑑賞する心の育成を目指していた。このような文化的背景を有する人々はピアジェ理論の上位タスクを遂行する際に不利であることが予測される。なぜならば，ピアジェ理論のタスクは，もっぱら西洋の物理，化学，数学の分野をもとに確立したものだからである。

抽象的，仮説的な思考のプロセス（過程）が認知能力の発達プロセスにおける究極の，または望ましい最終到達点として位置づけられない文化が多い。たとえば，そうした文化の多くでは，認知能力の発達は，むしろ他との関係を通じて進むものであると考える。つまり，対人関係における状況にうまく対処できる思考力や思考プロセスとの関係が強いものであると考えるのである。認知能力の発達それ自体よりも，北米の人々が「一般常識」であると考えることを望ましい発達結果だと考える文化が多いのである。この価値構造は，より集団主義的，集団思考の文化において特に顕著であり，そのような文化の下では高レベルの個人主義的な抽象的思考は好まれない場合が多い。

■**ピアジェ理論の要旨と検討**　ピアジェ理論の形式的操作期に関する比較文化研究によ

り明らかになったのは，文化によってはピアジェ理論の第四段階のタスクを遂行できる人がきわめて少数である，ということである。これは，果たしてそのような文化が，認知能力の発達が低い段階で停止していることを意味するのであろうか。この問題に答えるために，まず考察しなければならないことは，ピアジェ理論が高レベルの認知能力の発達を測るのに，文化的視点から判断して適切な方法であるかどうかである。実際のところ，ピアジェ理論のタスクは，他の文化圏では無意味かもしれないのである。文化的に適切かどうかという問題の他に，いったい何が検査されているのかという問題もある。形式的操作期での検査を行なえば，被験者が限られた範囲の科学的な問題を解けるか否かはわかるかもしれない。しかし，ピアジェが選択しなかった範囲で，高度な認知的能力が発揮できるかどうかは，そうした検査では計れない。さらに，西洋的教育システムのもとで高校や大学に通ったことのない人が，形式的操作期での検査で思わしくない結果を出すのは明らかである（ローレドゥー・ベンダビッド：Lauredeau-Bendavid, 1977；シェア：Shea, 1985）。この発見により，ピアジェ理論のタスク遂行には認知的能力と比べて，どの程度まで既習知識に頼っているものなのかという問題が，再び浮上するのである。

ある特定の文化を取りあげた場合，その文化の中でも認知的能力には大きな差異が存在することも忘れてはならない。1つの文化の中での認知的能力の差の広がりは，異文化間の認知的能力の発達に関する有効な結論や推論を導き出すことを困難にする。たとえば，形式的操作期での試験は西洋以外の文化圏の人々だけでなく，北米社会に属する成人にとっても困難である場合が多い。ピアジェが予測していたほどには，科学的推論は西洋社会の中でも浸透しておらず，その適用は特定の活動に限られているようである。あるタスクに科学的な推論を適用できる人であっても，他の状況下ではかなり異なった推論をするかもしれないのである。ピアジェ理論の形式的操作期タスクを遂行できる人が少ないため，ピアジェの認知能力発達の第四段階が普遍的であると証明することができない。成人のほとんどはピアジェ理論のタスクを遂行する能力が備わっていても，その能力を発揮するための動機や知識をもちあわせていない可能性もある。認知能力や知能に関して複数の側面を測ることを目的とするタスクで有効な結果を求めるならば，試験者と被験者が事前に何を評価するのかを確認しあうことが必要である。認知能力に求められる最終達成点や知能の定義における文化的相違が，このジレンマを引き起こしているのである。

■認知能力の発達に関する他の理論　　ピアジェ理論は米国においてもっとも影響力をもつ理論ではあるが，西洋社会の科学者によって提言されている段階理論の1つに過ぎない。たとえば，18世紀のドイツの哲学者，ヘーゲル（Hegel）はすべての社会を，キリスト教を頂点とする信仰宗教の分類による順番で進化段階に並べた。ダーウィン（Darwin）の進化論が普及した後の19世紀には，段階理論の数は増加した。モーガン（Morgan, 1877），スペンサー（Spencer, 1876），タイラー（Tylor, 1865）といった作家の中にも，人類が一連の段階を経て，未開社会から市民社会へと進化したと提言する者がいたのである。

20世紀初頭にもっとも有力な段階理論を提唱したのは，フランスの哲学者，レヴィ・ブ

ルール（Levy-Bruhl, 1910, 1922, 1949）であった。過去の学者同様，レヴィ・ブルールは西洋人の神秘的，宗教的な信仰に関する事柄から結論を導き出している。レヴィ・ブルールは，西洋が西洋の観点から見て未発達な国より優れているとする「大分割理論（Great Divide Theory）」という優越理論を提唱し，西洋人と未開社会に住んでいる人々との間にはっきりとした境界線をひいた。レヴィ・ブルールは，西洋人は異なった考え方をもっており，それは西洋文化の影響を受けているからだとした。レヴィ・ブルールの説では，非西洋人は論理的矛盾を認識せず，個人のアイデンティティー意識が欠落しているというのである。さらに最近では，新たな優越理論を提唱した科学者（グーディー：Goody, 1968, 1977；ヒプラー：Hippler, 1980；ルリア：Luria, 1976）もいる。これらの科学者たちはさまざまな名称で西洋人と非西洋人を呼び分けているが，このような分類の仕方に共通した考え方は，非西洋国の文化的発達や考え方がヨーロッパのそれと比べ，劣っていると判断している点である。

　こうした優越理論については注意を要する点がいくつかある。第一に，西洋の人々が自分たちの築いた段階理論を指標に，他の文化（もしくは，西洋の中の少数民族）をどれだけ西洋に近いかどうかという視点で評価し，その結果として西洋の優越性を主張しているのであり，これは偶然の産物ではけっしてない。たとえば，19世紀の段階理論は当時の帝国主義の植民地政策と一致していたのである。ヨーロッパ諸国の優越性を説く段階理論を支持することで，西洋統治の拡大を正当化することができたのである。

　他にも問題はあった。段階理論者は，非西洋圏の人々の宗教的信仰は非論理的であると批難し続けていたにもかかわらず，西洋圏の信仰の論理性は通常問題とされなかったのである。何年にもわたってレヴィ・ブルールの理論は文化人類学者から方法論，結論ともに厳しく批判されている。レヴィ・ブルールは，自らはフィールドワークは行なわず，彼の研究データとなったのは伝道師や旅行者から聞いた話であり，こういった人々はその対象となった国のことばを話せなかった場合が多かったのである。

　しかし，自己の視点によって判断を下すのは，西洋人に限ったことではない。比較文化研究によると，自らの文化を他の文化より好み，さらには他の文化よりも高く評価することが多いのだという。例をあげると，東南アジア諸国30か国を対象に行なった調査で，その対象者は自己の文化を高く評価し，また，自己の文化と類似性の高い他の国の文化を「発達」していると回答したという（ブルーワーとキャンベル：Brewer & Campbell, 1976）。

　以上のことからピアジェ理論を検討してみよう。強調すべき点がいくつかあるが，その1つはピアジェ理論はピアジェ以前の理論に比べると，かなり洗練されたものであることがあげられる。概念を実験によって導き出すタスクを考案することで，ピアジェは認知能力の発達を測定する新たな基準を生み出したのである。この基準は試験者の視点による判断に左右されにくいものである。ただし，ピアジェの考案した試験でも，試験に使用する道具やデータ分析の解釈は研究者の主観に左右される可能性は残っている。しかし，この

ような試験は,現在にいたるまで多くの文化間で実施され,試験者の主観に左右されない,はっきりとした客観的な結果を出している。それでも,認知能力の発達は複雑であるため,そのようなタスクによってすべての複雑性を捕らえることは困難であると思われる。

道徳的推論

われわれが社会や文化の中で成人として機能するために必要となるのは,道徳的な判断や推論の発達である。子どもは成長過程において,自分を取り巻く世界に関する複雑な理解を身につけてゆく。この認識変化は,同時に,道徳的判断にも変化を生じさせる。ものごとの善し悪しの判断を,誉められることと叱られることによる解釈から,正しいか正しくないかの原理に基づいて導き出すようになるのである。

道徳的理性と文化は緊密な関係にある。道徳的原理や倫理は,何が適切か,不適切かに関して人々に指標を与える。この指標はその特定の文化の所産であり,世代から世代へと受け継がれてゆくものである。それゆえ,道徳的理性というものは,それが埋め込まれている「裏に潜んだ,主観的な,暗黙の文化」の影響を強く受けるのである。道徳的理性は適切な行動と不適切な行動のガイドラインでもある法律を定める判断基準にもなる。この点で,文化は社会規律にも影響を与えているのである。このような理由から,道徳的理性は,われわれの文化や文化間の相違性の理解にとって特別な場所に位置づけられている。

道徳的推論能力の発達に関する知識は,少なくとも米国ではローレンス・コールバーグ(Lawrence Kohlberg)という心理学者の研究に大きく影響を受けている。コールバーグの道徳的推論および判断のモデルは,ピアジェの認知能力の発達モデルに負うところが大きい。

■**コールバーグの道徳理論**　コールバーグの道徳的発達理論(1976, 1984)では,道徳的推論能力に3つの一般的な発達段階を設定している。後に,コールバーグはこれら3つの段階をそれぞれ2つに分け,合計6段階の道徳的発達段階としたのである。

1. 前慣習的道徳観とは,罰を受けることを避け,報酬を手に入れるために規則に従うことを意味する。このレベルで行動する人が窃盗が悪であると咎める理由は,窃盗犯は捕われ,拘留される,あるいは罰を受ける可能性があるからである。ものごとの正当性は,行動に付随する罰,あるいは報酬によって判断するのである。
2. 慣習的道徳観とは,他者の承諾や社会規範によって定義された規則と自らの行動の適合性を意味する。このレベルの下で行動する人は,社会に属する他の人々が一般的に窃盗を認めないため,窃盗は悪いことであると判断するのである。
3. 後慣習的道徳観とは,個人的信念や意識に基づく道徳的推論を意味する。このレベルで行動する人は,2つの理由づけのいずれかをもとに窃盗というものを判断する。1つ目は,社会的な必要性から判断する場合である。2つ目は,その人が理解する社会的な必要性に取って代わって働く,その人自身の道徳的信念や価値観による判断である。

ギリガンら（Gilligan, 1982）は，コールバーグの理論はかたよっており，男性が人間関係を見る視点にのみ立った結果のものであり，女性の視点を考慮していない，と批判した。ギリガンは，男性の道徳的論法は抽象的な正義感に基づいて形成されるが，それに対して，女性の道徳的論法は義務感や責任感に基づくものである，と論じている。この熱い議論にもかかわらず，研究の再検討結果は，道徳的論法には性別による差はあまりないことを示唆している（ウォーカー：Walker, 1984）。比較文化研究はこの論点に光を当てる可能性を秘めているのである。

■**道徳的推論の比較文化研究**　「道徳的原理と推論が普遍性をもっているのか，それとも文化固有のものであるのか」という分野には，文化人類学者や心理学者も同様に興味をもっている。文化人類学，民族誌学者の中には異なる文化圏での道徳原理や領域（ドメイン）を観察した者が多い（シュウェーダー，マハパトラ，ミラー：Shweder, Mahapatra, & Miller, 1987）。こうした研究の多くが，伝統的なアメリカ的視点に立った道徳的理性を補完し，時には対峙していたことにはもっともな理由がある。文化，道徳的理性，倫理観，そして法律は互いに非常に密接な関係にあるのである。

比較文化研究の結果が示唆しているのは，コールバーグの道徳観に関する理論が，さまざまな点で普遍的であるということである。たとえば，スナーレー（Snarey, 1985）は，27か国で45種類の研究を行ない，その結果，コールバーグ理論の初めの2段階は普遍性がある，と主張する。他にも類似した結果が出ている。香港，中国本土，そして英国の被験者を対象としたマ（Ma, 1988）の研究や，香港，中国本土，英国，米国の被験者を対象としたマとチャン（Ma & Cheung, 1996）の研究，香港在住中国人を対象としたホーとルー（Hau & Lew, 1989）の研究でも，同様の結果が出ている。

しかしながら，コールバーグの上級段階の普遍的一般性については，道徳観に関する比較文化研究から疑問の声が多く挙がっている。コールバーグの理論では，基礎となる前提のひとつとして，社会の法律や文化的慣習に関係なく，個人的な信念や意識に基づく道徳観がもっとも高レベルの道徳的推論である，としている。この前提は，コールバーグが理論を打ち立てた文化的環境から生じたものである。コールバーグの研究は1950年代から1960年代の米国中西部の男性を対象として進められたため，その特定の環境をもとに理論を構築したことになる。そのような地域と時代のもとでは，個人主義，独自性，個人的な意識といった民主的な概念が望ましいとされていたかもしれないが，同じ概念が普遍的な道徳的信念として他の文化圏においても適用できるのかどうかは，明らかではないのである。

事実，コールバーグがそのような文化的先入観を心に抱いていたことに対して，批判を浴びせている研究者もいる（ブロンスタインとパルディ：Bronstein & Paludi, 1988）。ミラーとバーソフ（Miller & Bersoff, 1992）は，インドと米国の被験者を対象に道徳的判断タスクを行ない，その結果を比較した。その結果，大人，子どもにかかわらず，インド人のほうがアメリカ人よりも人を助けないことを道徳違反であると判断した。こういった判断は，命に危険があるか否か，自分と関係のある人か否かにかかわらず同様の結果を示し

た。ミラーとバーソフは，こうした文化的相違性は所属意識と正当性に関する価値観に関係するのではないかと考え，インド人はより広い範囲で社会的責任，つまり助けを必要とする人に手を差し伸べるという社会の一員としての個人の責任を教え込まれているのではないかと示唆した。ミラーとバーソフ（1992）が提唱した個人間の責任感の問題は，ギリガン（1982）が主張する米国における性別（ジェンダー）のバイアスと関係する。ギリガンの発見が性別の違いだけでなく，文化的な相違性からの影響を受けている可能性は高いのである。

　前述したスナーレー（1985）のレビュー（研究論評）では，高レベルの道徳的推論はコールバーグが最初に展開した理論よりもはるかに文化固有性が強い，と結論づけている。バーグリング（Bergling, 1981）やエドワーズ（Edwards, 1981）による比較文化研究でも，類似した結論を導き出している。コールバーグの理論は，口答での推論によって道徳段階を評価する方法論そのものが問題であるのと同様に，他の文化圏で高レベルに位置づけられる道徳観を認識することができないかもしれないのである。もし異なる文化圏ではそういった高レベルの道徳観を異なる尺度で測るのであれば，そうした相違は，人々の道徳的，倫理的な適否に関する判断に深い相違があることを示唆するだろう。人が自分の属する文化の中で育ち，また，逆に人が文化を育てることを鑑みれば，文化の中の基礎となる道徳観や倫理観に根本的な違いが生じることもありうる。そして何よりも，道徳観における文化の機能としての根本的な違いは，文化間に生じるおもな葛藤を引き起こすもととなるのである。

　最近の研究で例証されたのは，道徳的判断における文化的類似性や相違性を理解するには，内なる理想から実際に表出する行動まで異なる抽象概念レベルでの道徳観の研究が重要になるかもしれないということである。こうした研究（カーロ，コーラー，アイゼンバーグ，ダシルバ，フロリック：Carlo, Koller, Eisenberg, DaSilva, & Frohlich, 1996）では，ブラジルと米国の青少年を対象に前社会的道徳的推論を分析し，実際の前社会的行動の観察を通して評価した。どちらの文化の下でも年齢や性別による前社会的道徳的推論の相違や，前社会的道徳推論と前社会的行動との関係は同様に観察された。しかし，内面的な道徳的推論には差異があった。米国の青少年のほうがブラジルの青少年よりも高い得点をあげる結果となったのである。こうした結果から考察すると，道徳的推論や道徳観に基づく行動における文化的類似性，あるいは文化的相違性を調べる際には，観察対象となっている道徳観のレベルの差を考慮しなければならないということがいえる。今後の比較文化研究で，道徳観と関連する広範囲におよぶ心理現象のもとで，同じグループの被験者間にみられる類似性や相違性を調査するには，こうした多様なレベルにおよぶ道徳観を組み入れてゆく必要があるのである。

社会的感情の発達

　社会化のもとでは，認識能力の発達と道徳的発達の2つが，人の発達の全体像を構成す

るのに必要な要素である。3つ目の構成要素は社会的感情の発達である。もちろんのことだが，これらはわれわれの生活における思考能力の発達と同じくらい重要な要素である。

■**エリクソンの社会的感情発達理論**　現在もっとも有力な社会的感情発達理論は，著名な学者であるエリック・エリクソン（Erik Erikson, 1950）が提唱したものである。エリクソンの社会的感情発達理論は，まさに人が一生を通して行なう社会化の理論である。エリクソンによれば，社会的感情の発達というものは，誕生したときから年老いるまで継続し続けるプロセス（過程）であると考える。エリクソンは人の一生に普遍的な8段階を据え，そのそれぞれを人が自ら克服してゆかなければならない葛藤や緊張であると特徴づけている。

1. 基本的信頼　対　基本的不信（乳児期）：乳児期（出生〜1歳）においては，基本的信頼と基本的不信の対立がおもな緊張状態をもたらす。この緊張状態は，乳児が保護者あるいは周囲の人々とどのような関係を築くかによって，克服できる程度が異なってくる。人間の乳幼児は動物の中でも出生後，他者への依存度がもっとも高い生き物である。そのため，必要な保護を受けるためには他者を信頼しなければならないのである。こういった乳幼児と乳幼児が必要とする保護を与える保護者間の相互作用を通して，乳幼児は信頼感や不信感を身につけてゆくのである。

2. 自律性　対　恥・疑惑（幼児期前期：1〜3歳）：運動神経が発達し，筋肉が発育してくると，乳幼児は自律性のある生き物となってくる。自力で動き回れるようになると，独立，力量，支配などといった感覚が芽ばえてくる。身近な例をあげると，運転免許を取得したばかりの人を連想してみるとよい。乳幼児に芽ばえる感覚というのは，そういった人が抱く行動範囲が広がってゆく感覚と似ている。成長過程にある幼児の保護者やその幼児を取り巻く環境が，乳幼児が身につけるこのような新しい能力にどのように対処してゆくかが，そういった能力の発達とそれに関連する対峙点を克服する基礎能力の構築につながるのである。

3. 積極性（主導性）　対　罪悪感（幼児期後期，遊戯期：3〜5歳）：第三段階目の発達段階では，幼児は目的のある行動をする。つまり，目標達成のために，自ら動きまわる力を発揮するようになるのである。幼児が引き起こす新たな挑戦に，周囲の人々がどのように対処するかがこの段階での対峙点克服の基礎となる。このような状況のもとで，幼児は積極的に行動しようとする意識が芽ばえてくる。保護者やまわりの大人が，そのような幼児の積極的に行動しようとする力を伸ばすか，それとも潰すかが，幼児のこの段階での対峙点を解決し乗り越えてゆくための基礎能力の構築に影響を与えるのである。

4. 勤勉感（生産性）　対　劣等感（学童期：6〜12歳）：多くの社会や文化圏でこの年齢は，おもに小学校に代表される正式な形をとった指導が始まるころである。エリクソンによると，学童自身が勉強をすることの倫理や訓練など，勤勉さ（生

産性) の意識と関連する概念に直面する時期である。生産性の意識が未発達の段階にあるため、同時に劣等感も助長されるのである。

5. アイデンティティ (自我同一性) の確立 対 役割葛藤・混乱 (思春期)：既述の社会心理学的変化とともに、思春期は青少年に生物的、生理的変化をもたらす。この段階を特徴づける問題は、個人のアイデンティティ、所属場所、人生の中で果たす役割という観点から自分がいったい何者であるのかということである。思春期にさしかかると、誰もがこの疑問を感じ、答えを探し求める。こういった疑問を抱き、答えを求めることで、われわれは確かなアイデンティティを発展させることができる。逆に、疑問をもたず、疑問に答えられないと、自分の役割に混乱・葛藤を感じることとなるのである。

6. 親密性 対 孤立 (初期成人期：21〜40歳)：親密性とは、個人が他との緊密な関係を築きあげられるかどうかを指す。親密性に相対するものとして孤立 (孤独) があげられる。孤立とは、他者と緊密な関係を築くことができないことを指す。この段階でエリクソンが重要であると強調するのは、エリクソンの理論の本質にあたる「人は社会的な動物である」という考えである。

7. 生産性 (生殖性) 対 停滞 (成人期：45〜65歳)：成人になると、われわれは自らの人生が生産性のあるものであったかどうかという問いに直面する。何らかの意味で社会に役立ったか、仕事や人間関係において何かを生み出すことができたか否かによって人生の生産性度を評価するのである。ここでの生産性で重要な点となるのが、次世代に役立つことをなしえたか否かという意識である。こういった対峙点で望ましくない結果に陥ると、停滞感が生じ、生きることの目的や有益性を疑問視することとなる。

8. 自我の統合性 対 絶望 (老年期)：人生の最終段階では、人は自らの人生を振り返る。自分自身の人生を振り返ったとき、われわれは、自らがどのように人生のおのおのの段階に踏み込み、そこで直面したおのおのの問題点をどのようにして克服してきたかを考える。自分の人生を振り返り、自らが人生の諸段階でそれぞれの対峙点を克服し、乗り越えてきたことに誇りをもつと、自分の人生および自分自身に対する統合性という意識が芽ばえるが、逆の場合には、絶望感と嫌悪感に陥るのである。

■「自文化」化の意味でのエリクソンの理論　エリクソンは米国という1つの国の中で研究している間に自論を展開したが、研究のための調査対象はヨーロッパ、米国、アメリカ原住民の文化といった多様な文化圏に住む人々におよんでいた。エリクソン自身が米国ではなくヨーロッパで生まれ育ったため、複数の文化圏での経験と文化的視点をいくぶんかもちあわせていたために、自身の目指すところでもあった比較文化の視点を通して、社会化と社会感情発達の理論を展開することが可能であったのである。一般的に、比較文化研究、文化人類学研究とともにエリクソンの理論を支持している (フェランテ：

Ferrante, 1992)。

　エリクソンの理論には,「自文化」化のプロセス（過程）を理解するのに重要な点が多く含まれている。第一に,それぞれの発達段階を特徴づけている対峙点は,解決・決断にはいたらないということである。逆に,その対峙点は,連続性の中で個人が自分を示すためにつけたラベルであると考えるべきである。個人間の相違は,程度の問題であり,けっして完全に2つに分割された対峙点の相違ではないのである。

　第二に,ある段階における「正しい」決断は,その前段階における正しい決断に起因するのである。この現象のもとでは,人生の中で起こる事柄を1つにつなげる連続性が存在するのである。この視点によれば,「自文化」化とは一生を通じて生み出す解決・決断の連続によって結合したおのおのの現象の集合体であると考えられる。

　第三に,何が「正しい」決断かどうかの判断は文化によって異なるということである。たとえば,個人主義のアメリカ文化の下では,第二段階での自主性を高く評価するかもしれないが,他の文化圏では子どもの自立性よりもむしろ他者への依存関係を評価するかもしれない。エリクソンの理論で重要なのは,それぞれの段階において好ましい決断が据えられていることではなく,個人がその決断を下すというプロセスを経なければならないということである。文化が異なれば,このような対峙した決断にも異なった傾向が現われるかもしれないのである。

　第四に,それぞれの段階の基礎となる対峙点を表わすためにエリクソンがつけたラベルは,異なる文化間ではあまり適切ではないかもしれないことがあげられる。たとえば,「疑惑」は英語では言うまでもなく,ネガティブ（否定的）な意味を含む。しかし,「疑惑」に異なるラベルづけをする文化圏も存在する。そのような文化圏では,英語の場合と異なり,「疑惑」が「自律性」に取って代わり,逆に好ましい結果であると評価されるかもしれない。個人の自律性を低く評価し,他者との依存関係を高く評価するような集団主義を重んじる文化圏では,重要視するものとして「自律性」ではなく,「依存」や「協調性」をあげるかもしれない。興味深いことに,このような文化圏では,恥は過剰な自立性に対する社会的制裁処置の働きをもっているのである。

　最後に,エリクソン（1950）は,これらの段階を経る順序はある程度決まってはいるが,必ずしも固定されているわけではないことを明示している。実際のところ,段階ごとに示された対峙点は一生を通じて存在する事柄であっても,特定の時点における関連性が強いことがある。この社会的感情の発達の視点によって,エリクソンの理論は特に柔軟性をもつため,文化間の社会化を理解するのに都合がよいのである。

　エリクソンの理論は,発達の社会感情的背景や「自文化」化のプロセスを理解するのに役立つ枠組みを提供している。こういった枠組みは,先に述べた認知的,道徳的背景の発達と対をなすと考えるべきである。子どもも大人も通り抜けなければならないという感情の対峙を強調することで,この枠組みがわれわれに訴えるのは,社会化や「自文化」化のプロセスが感情の対峙に満ちており,その対峙が発達に重要かつ情緒的な意味を付加する

ということである。

その他の発達過程

　発達に関する心理的プロセスの比較文化研究は，そうした分野の中でもっとも注目を集めており，広く分析されているところでもある。そうした状況にはもっともな理由がある。発達に関する心理的プロセスの比較文化研究は，長年他の研究で成人に観察された相違性に関する疑問点に対して重要な洞察力を提供してくれたのである。成人間でどのように，そしてなぜ文化的相違性がみられるのかを説明するために，主流か否かを問わず心理学では文化的相違性の起源の背景や原因を解明すべく発達に関する研究に焦点を当ててきたのである。

　過去10年間，比較文化発達研究はさらに注目を浴びてきている。こうしたことは，心理学全般において文化が注目を集めていることに大きく起因している。比較文化発達研究は発達に関する多くのプロセスにまで広がっている。たとえば，未来志向の目標と献身（ナーミ，プール，セギナー：Nurmi, Poole, & Seginer, 1995），評価のプロセス（ダラル，シャーマ，ビスト：Dalal, Sharma, & Bisht, 1983；ディマルチーノ：DiMartino, 1994），社会的期待（ロザラム・ボラスとペトリエ：Rotherram-Borus & Petrie, 1996），青年期の感情的な人間関係（タカハシ：Takahashi, 1990；タカハシとマジマ：Takahashi & Majima, 1994），タスク持続性（ブリンコ：Blinco, 1992），葛藤と悩みに対する幼稚園児の反応（ザン・ワクスラー，フリードマン，コール，ミズタ，ヒルマ：Zahn-Waxler, Friedman, Cole, Mizuta, & Hiruma, 1996），対処法（オラ：Olah, 1995；セイフジ・クランケとシュールマン：Seiffge-Krenke & Shulman, 1990），そして社会的相互作用（ファーバーとハウス：Farver & Howes, 1988）があげられる。もちろん，他の発達項目を取り扱った研究は他にも存在する。全体の流れから考えて，こうした研究は，文化間の発達にみられる類似性や相違性の双方に焦点を当てており，今後の輝かしい新研究への道標となることであろう。

結論

　われわれは社会化や「自文化」化のプロセスについて広範囲にわたる知識をもっている。本章の前半では，発達心理学，教育学，社会学，そして文化人類学が，われわれのそうした知識にどのように影響をおよぼしているかを述べた。これは形成過程にいる幼児期や子ども時代に限らず，思春期，青年期，そして人生全体にまでおよぶものである。本章の後半では，認知，道徳的推論，社会的感情を含むさまざまな分野での人間発達で，文化ごとに類似性や相違性がみられることを述べた。

　本章で提示した発達研究から，「自文化」化がどのようにして起こるのか，また，文化

が発達心理面でのプロセスにどのように影響を与えるのかに関する包括的な視点が理解できる。しかし，調査を要する事柄はまだ山積している。今後の研究では，「自文化」化のプロセスを直接観察し，「自文化」化の原因の多くがその文化自体におよぼす影響を調査しなければならない。われわれの文化に対する定義や理解，それに付随する発達研究での測定は，異なる発達段階ではそれぞれ異なるものかもしれない。たとえば，幼い子どもにとって文化とは，アイデンティティや言語使用の自覚より下のレベルで，単なるスキーマ（既得の知識体系）であったり，褒美を与えることで強化される行動パターンだったりするのである。（注：スキーマとは記憶内に貯蔵された出来事などの現実世界にかかわる事柄の抽象的表現であり，認知構造に言及している。）今後の研究で調査しなければならないのは，このような方法の他にどのような方法で文化が解明できるのか，また，実際の発達では愛着，子育て，その他関係するものが文化の定義にどのような影響を与えるのかである。

同時に，発達段階における文化の影響の調査についても課題が多く残ったままである。現在のところ，比較文化研究は幼児や子どもに焦点を当てているが，主流心理学では青年期，成人期，中年期，そして老年期をも含めた一生を通しての発達段階をむしろ重要視すべきだと気づきつつある。今後の研究において一生を通じての発達の類似性や相違性を調査しなければならない。そうした調査では，エリクソンや他の研究者たちの，比較文化的な視点の理論に秘められている普遍性，または文化独自性を探求しなければならない。そういった研究は，今後の心理学の分野に大きく影響を与えることとなるだろう。

本章で議論してきた発達における相違性は，すべてわれわれ1人ひとりの中で文化意識が発達することを裏づけるものである。文化はそれぞれ特別な，かつ独自の方法で影響をおよぼすため，おのおのの文化はその文化に属する者の中に，他とは異なったある特定の傾向や相違性を植えつける。誰でもそうであるが，ある文化の中にいると，そのような相違性や文化がどのように自分の中で育ってゆくのかはわからないものである。外に目を向け，他の文化の発達や社会化に触れたときに初めて，自分が何者であるのかに気づくのである。そうして，初めてそのような相違性や類似性が自分の文化であること，少なくとも，自分の文化の現われであることを自覚することができるのである。それゆえ，本章で取りあげた研究は，文化が異なれば発達も異なるということを示しているのだが，この相違性が実は同時にその文化の発達の一因ともなるのである。

第5章
文化と感情

● **生活の感情の重要性**

　感情が欠落していたり，感情のない生活というのは想像しがたいものである。われわれにとって，感情はたいせつである。たとえば，野球を観戦している時の楽しい気持ちや，愛する人にふれる時の幸福感，そして友人と夜外出し，映画を見たり，ナイトクラブに行ったりする時に感じる楽しさ。反対に，悲しい感情や不愉快な気持ちもたいせつである。愛する人や家族を失った時に感じる悲しみ，侵害された時の怒り，未知の境遇で感じる，圧倒されるような怖さ，公衆で過ちを犯したため，他者に対して感じる罪悪感や羞恥心。感情というのは人生経験に色彩を添えている。われわれが誰なのか，他者との関係はどうであるか，どうふるまうかなどを教えてくれる。感情は出来事に意味を与える。感情なしでは，出来事は単なる事実でしかないのである。

　コンピュータとわれわれ人間との違いは，感情をもっているかどうか，ということである。今日，コンピュータはわれわれに代わって，効率よく大部分の仕事をこなしてくれる。科学の進歩で複雑な思考回路を機械にさせることができるようになってきたが，現代の科学では，われわれの感じ方をコンピュータに同じように感じさせることは，まだまだ不可能である。

　感情は，生活の中でいちばん重要な側面である。人は感情をもち備えているだけでなく，扱い方を学ぶ必要がある。そして，そこから少なからず感情に対する価値を見つけるのである。われわれを取り囲む生活は，コンピュータに人工的な知能，批判的な考え方や判断力などをもたせる科学開発に焦点をあわせているように思える。しかし，感情がこうしたことを実現させるための重要なカギとなるのである。

　感情は個々の違いの源泉となるものである。どのように感情をとりまとめるのか，何と

よぶのか，どのくらい重要視するのか，どう表現して認知するか，そしてどう感じるか。答えは人により，文化によりさまざまである。こうした個人レベルや文化レベルで起こる答えの相違が，「国によって人は違うんだなあ」とわれわれが見たり感じたりする相違の根源となっているのである。

　本章は，こうした相違だけでなく，異なった文化間での人間感情の類似点も探求する。最初に，感情表現は文化により異なるが，文化にかかわらず，どの感情表現が共通するかを検討し，すべての文化と文化に特有な感情認知，感情の経験，感情の契機（感情を引き起こす出来事），感情を評価するプロセスに注目した後で，感情の概念やことばについて検討する。そうすることにより，人類に共通な感情を少なからず見つけることができるであろう。共通な感情があると，表現，認知，経験，感情に先立つ何か，評価や概念といった感情の面にも類似性を生むのである。そして，この共通の基盤の上に，文化が感情を形成する際に影響を及ぼす。その結果，文化の類似点や相違点となるのである。普遍性という概念と文化の相違を統合することは，人間感情の文化比較研究においての課題である。

文化と感情表現

　文化が感情に及ぼす影響の調査で，感情表現から検討を始めるのは，次のふたつの理由による。まず第一に，表情における感情表現の比較文化研究は，感情の比較文化研究や主流研究の基礎となっている。ゆえに，表情を比較文化の観点から研究することは，この心理学の分野において歴史的に重要な意味があるのである。第二に，表情を比較文化の観点から研究した結果，どの文化にも共通する普遍的な表情があるということが立証された。これまでの研究では，感情表現は生得的だ，と示唆している。ゆえに，文化の影響を考慮する前に，誰にも存在する生物学上の観点からみた感情を十分に理解することが重要である。したがって，普遍的な表情における感情表現から話を始めることにする。

顔の表情による感情表現の普遍性

　何年にもわたって，哲学者は表情による感情表現に普遍性があると主張し議論を重ねてきた（ラッセル：Russell, 1995を参照のこと）が，表情による感情表現に関する近代比較文化研究の多くは，チャールズ・ダーウィン（Charles Darwin）の研究に影響されている。多くの人は「種の起源（On the Origin of Species）」でダーウィンが概説した進化論を知っているであろう。ダーウィンは，「人は他の類人猿やチンパンジーなどの原始的な動物から進化した」とし，「われわれの動作は進化の適合プロセスで選択されてきた」と提唱した。ダーウィンは，「種の起源」の出版後に書いた「人間と動物の感情表現（The Expression of Emotion in Man and Animals）」の中で，顔の表情による感情表現は他の動作と同様，生物学的に生得的であり，進化論的に適応によるものだ，と示唆した。ダー

ウィンは人種や文化に関りなく,地球上に住む人間は非常によく似た表情で感情を表現すると主張し,これらの表情による感情表現はゴリラなど,種を超えて観察することができると述べた。ダーウィンは「表情による感情表現は,伝達と適応するための価値をもち,うれしい気持ちや,環境や社会の情報などを社会の人たちに伝えることで,種の生存を確保する」と説明した。

20世紀始めから半ばにかけてのいくつかの研究では,ダーウィンのアイデアである感情表現の普遍性をテストした(例:トリアンデスとランバート:Triandis & Lambert, 1958;ビナーク:Vinacke, 1949;ビナークとフォング:Vinacke & Fong, 1955)。残念ながら,多くの研究は方法論上の問題があり,それらの研究から結論を出すのは困難であった(エクマン,フリーセン,エリスワース:Ekman, Friesen, & Ellsworth, 1972を参照のこと)。同じ時期に,マーガレット・ミード(Margaret Mead)やレイ・バードウイステル(Ray Birdwhistell)などの著名な人類学者は,顔の表情による感情表現は普遍的ではない,と主張した。これらの研究者は,そうではなく,顔の表情による感情表現はことばと同じように学ばなければならない,と述べ,違う文化には違うことばがあるように,違う文化には違う顔の表情があるのだと説明した。

1960年代までに,心理学者のポール・エクマン(Paul Ekman)とウォーレス・フリーセン(Wallace Friesen)(エクマン,1972),またエクマンやフリーセンとは無関係にキャロル・イザード(Carroll Izard, 1971)が,最初の方法論上の適切な研究を行なったが,こうした研究で顔の表情に関する論議は終結した。こうした研究者たちは,シルバン・トムキンズ(Sylban Tomkins, 1972, 1963)の研究に触発されて,現在の「普遍性の研究」とよばれる研究を行なった。こうした初期の研究は4種類に大別されており,新しい発見はそれに続く世界中のいろいろな文化での研究で反復・再現され,その発見の確かさが確認されたのである。

普遍性研究の最初の研究で,エクマンやフリーセンはトムキンズと協力して,普遍的であると思われる表情の写真を選んだ(エクマン,1972)。研究者たちはこの写真を5か国(日本,米国,アルゼンチン,ブラジル,チリ)の人に見せ,それぞれの感情を分類させた。これらの研究者は次のように推論したのである。もし表現が普遍的ならば,すべての文化で何の感情が描写されているか,同意するであろう。もし逆に,表現が文化により異なるのであれば,意見は合致しないはずである。「怒り」「嫌悪」「恐怖」「幸福」「悲しみ」「驚き」の感情に関する判断は,5か国の間で意見がみごとに一致した。イザード(1971)は類似した研究を他の文化でも行ない,同様な結果を得たのである。

しかしながら,これらの研究の問題点は,研究で対象となった文化が,教育や,産業の面で,比較的近代化された文化だった,ということである。ゆえに,5か国の人々は,どのように写真の顔の表情を認知したらよいのか学んだ可能性がある。この5か国がテレビ,映画,雑誌といったメディアを共有しているのは事実であり,学んだという可能性が高い。このため,これらの研究は「共有している視覚の情報が入力となっている」という理由で

批判された。

　この問題点を考慮に入れ，エクマン，ソレンソン，フリーセン（Ekman, Sorenson, & Friesen, 1969）はニューギニアの文字を使用していない2つの部族で同様の研究を行なった。文字がないという環境のため，エクマンらは研究方法を少し変更した。感情を表現することばを使わせるのでなく，人々にどの話が顔の表情をよく説明しているか選ばせた。ニューギニアの人々が写真の中の感情を判定したデータは，上述の近代化された社会の人々が示した結果と酷似していた。ゆえに，この部族の人々が判断したモデルの表情の判断結果は普遍性を立証する2番目の構成要素となったのである。

　エクマンらは，ニューギニアの研究をさらにおし進めた。他の部族のメンバーに依頼して，いくつかの異なった感情を経験した時にどういう顔になるか，その表情を見せてもらったのである。これらの写真を米国にもち帰り，ニューギニアの部族とまったく面識がないアメリカ人の被験者に見せたのである。部族の顔が表わす感情を分類した結果，データはそれまでに行なわれた研究結果と酷似していることがわかったのである。部族の人々が判断をした感情表現は，普遍性を立証する3番目の構成要素となったのである。

　現在にいたるまで行なわれてきたこうした研究のすべてが，表情による感情表現の判断を含んでいる。そして，これらの研究は，もし表現が普遍的なら，異なる文化間でどの感情が描写されているか意見が合致する，という推論に基づいている。しかし，人は何かを経験した時に，表情を自発的に表わすのか，という疑問が残る。この疑問点を考慮して，エクマン（1972）とフリーセン（1972）は日本と米国で研究を行なった。被験者に内緒で，きわめて多量のストレスを引き起こす刺激を被験者に見せた時の顔の反応をビデオに録画した。ビデオ録画の分析の結果は，アメリカ人と日本人は同時に，似た顔の表情をしたのである。そして，これらの表情は，それまでの研究の中で普遍的と考えられてきた表情と合致していたのである。この自発的な顔の表情による感情表現は普遍性を立証する4番目の構成要素となった。図5-1は「怒り」「嫌悪」「恐怖」「幸福」「悲しみ」「驚き」の6種類の原型となる感情表現を表わしている。これらは，どの文化でも普遍的な表現だ，と認知されている。（7つ目の感情である「軽蔑」は，最近の研究と関連させて後ほど論じることにする。）

　以上4つの発見が，伝統的に普遍性研究を構成してきた要素であり，普遍性を説明する大部分であるが，それがすべてではない。人ではない霊長類や生まれつき目が見えない幼児（エクマン，1973を参照のこと）を対象とした重要な研究でも，普遍性の主張は支持されている。霊長類の研究は，ダーウィンが最初に提唱した進化論を基とした顔の表情による感情表現を支持している。生まれつき目が見えない幼児の研究が意味しているのは，人間の文化に共通する表情を視覚を通してで学ぶというのが事実ではない，ということである。すなわち，これらの研究は，顔の表情による感情表現が普遍的であり，生得的であるということを証明するための重要な論拠となるのである。

　もしこれらの結果が正しいとすると，研究者たちは他の事柄も説明できるのである。た

「怒り」　「嫌悪」

「恐怖」　「幸福」

「悲しみ」　「驚き」

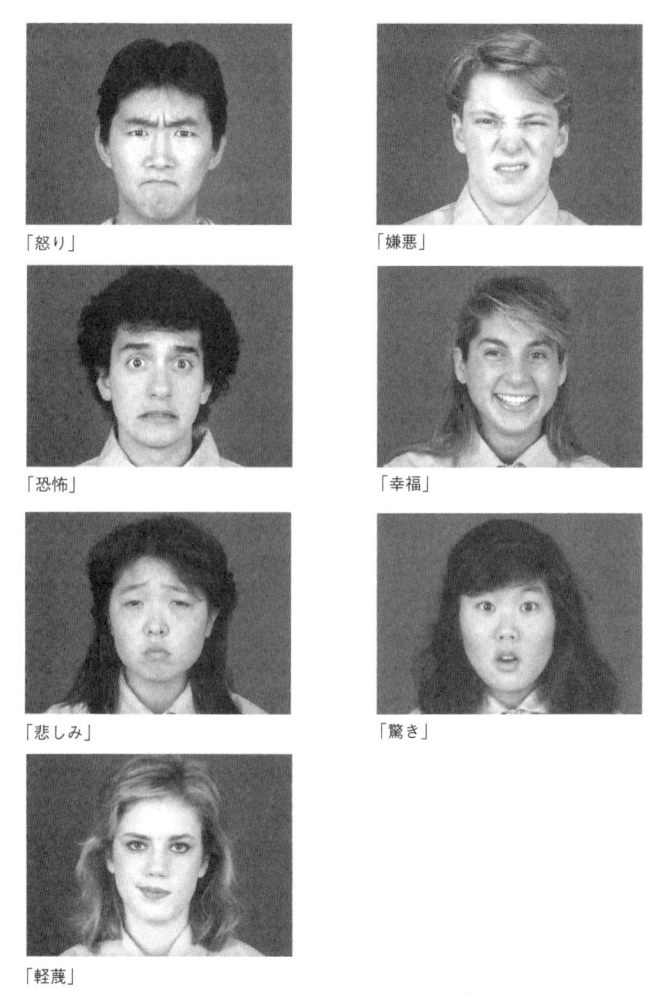

「軽蔑」

図5-1　顔による7つの普遍的感情表現

とえば，人は同じように同じ感情を表現する能力を生得的にもち備えると説明できるのである。さらに，他の感情の面に類似点を関連づけることも可能である。人は同じ感情を根本的に同じように経験する能力をもち，多くの似た出来事や心理的論題はすべての文化における人間に，同じ種類の感情を呼び起こす，と提唱できるのである。簡潔に言うと，人は同じ感情を経験し，表現し，認識する能力をもって生まれているのである。

　当然，われわれは「愛」「憎悪」「やきもち」「誇り」などの普遍的と考えられている感

情よりも，もっと広範囲の感情を経験する。しかしながら，基盤となる感情の存在が経験，性格，社会文化環境と融合することで，感情の世界に数限りない微妙な違い，混合，色づけをするのである。これは色の三原色という基盤になる色があり，それを基にして違う色を作りだすということに似ている。

同様に，普遍的な感情が存在するために，感情を表現したり，認知したり経験したりする方法が文化的に異ならない，ということではない。本章で紹介・考察する多くの研究は，文化が感情に多大な影響を与えることを示唆している。普遍的な感情の存在が意味しているのは，基本的な感情を基に文化的な型どりが始まるということである。この観点は文化の相違を考察にするにあたり，きわめて重要である。

表情の中でみられる文化的相違：文化表示規則

表情による感情表現に普遍性があっても，われわれは文化的な背景が異なる人たちの感情表現をどのように認知したらよいのか，とまどったことがあるはずである。それと同時に，われわれの感情表現が意図した通りに相手側に伝わったのだろうか，と思うはずである。多種多様な文化の人たちの感情表現は類似点だけでなく，相違点もある。これらの経験は，ほんの数十年まで研究者が顔の表情について一般的に信じてきた事柄とは対照的である。多くの研究結果が感情の普遍性を証明しているにもかかわらず，われわれの日々の経験そしてマーガレット・ミードなどの著名な研究者の経験が，「人の感情表現は文化により異なる」とどのようにして説明できるのであろうか。

エクマンとフリーセン（1969）はこの疑問を熟考し，「文化表示規則」という概念をこうした矛盾を解く説明として提唱したのである。エクマンとフリーセンは，文化の相違はその中に存在する規則で普遍的な感情がどう表現されるかにより生じる，と説明した。これらの規則は，おのおのの文化の状況により，それぞれの感情を適切な表示にすることに重点を置いて説明されている。これらの規則は，各人が幼い時から学ぶもので，普遍的な感情表現が社会環境によりどのように調整すべきか指令を発するのである。人は成人になるまでに，この規則を習慣的に受け入れ，十分に練習してしまうのである。

エクマン（1972）とフリーセン（1972）は「文化表示規則」の存在とこの規則が感情表現の違いを作る役割を演じているということを証明する研究をデザインした。前に紹介した研究では，アメリカ人と日本人の被験者たちにストレスであると思われるビデオを見せ，その顔の反応をビデオ録画した。じつは，この研究には2つの条件があった。1つ目は，被験者たちだけでビデオを見ている。2つ目は，その後で，年齢が上で立場の高い研究者といっしょにもう一度同じビデオを見る。そして，再び被験者の顔の表情を録画したのである。ビデオテープの分析結果は，全体的にアメリカ人は一貫して嫌悪，恐れ，悲しみ，怒りなどの否定的な感情も表現するが，日本人は研究者とビデオを見た場合には，きまって笑顔を見せるのである。研究結果は普遍的，生得的な感情表現が文化によって決められた表示規則が作動して適切な表現を作り出すことを証明した。1つ目の条件下では，まだ

表示規則は作動していないのでアメリカ人も日本人も同じ表情をした。2つ目の条件下では表示規則が作動しており，否定的な感情があるにもかかわらず，日本人は研究者の気分を損なわないように笑顔をみせたのである。この結果がもつ意味で印象的なことは，同じ被験者が異なる条件下で違う表現を示したことである。

ゆえに，表情による感情表現は普遍的，生得的であるという要素とおのおのの文化にある表示規則からの二重の影響を受けているのである（図5-2を参照のこと）。感情が誘発された時，メッセージは「顔の表情による感情表現」プログラムに送られる（エクマン，1972）。このプログラムには，それぞれの基本的な表情の原型配置構成情報が保存されている。原型の配置構成は感情表現の普遍的な側面でできているだけでなく，生物学的に生得的である。しかし，同時に，メッセージは脳の「文化表示規則」の部分にも送られる。ゆえに，感情は2つの要因の結果により表示される。表示規則が適用されない場合は，普遍的な表情が出現する。しかし，社会的要因によっては，表示規則が普遍的な表現を抑圧したり，拡大したり，拡小したり，制限したりする。このメカニズムこそが，人は同じ基礎となる感情をもっているにもかかわらず，人の表現が異なることを説明するのである。

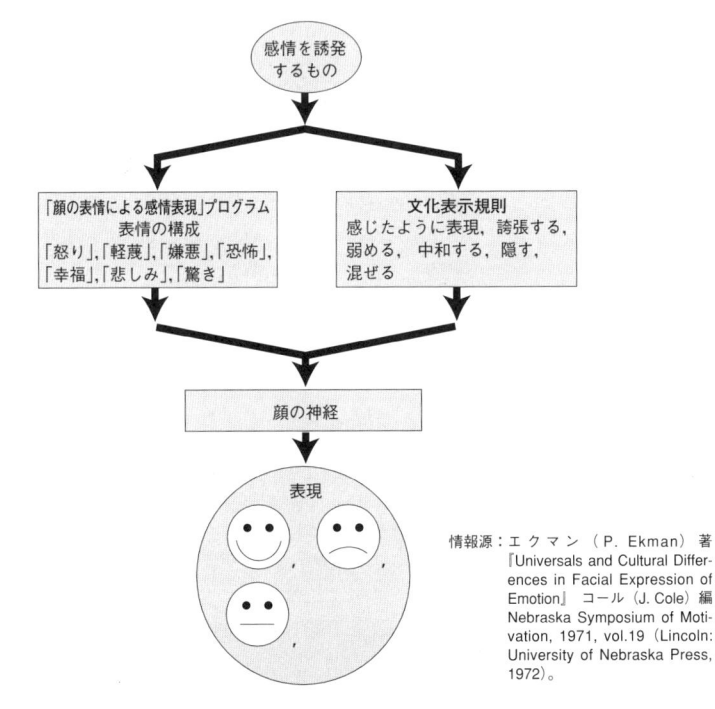

情報源：エクマン（P. Ekman）著『Universals and Cultural Differences in Facial Expression of Emotion』コール（J. Cole）編 Nebraska Symposium of Motivation, 1971, vol.19 (Lincoln: University of Nebraska Press, 1972)。

図5-2　感情表現の神経文化学的理論

最近の感情表現と表示規則についての比較文化研究

　普遍性についての研究が初めて出版された後，表示規則の調査や概念に加えて，興味深い現象がこの分野で起きた。これらの発見は十分に認められ，すべての心理学の分野における感情についての研究への扉を開くこととなったのである。この研究が出版されてすぐ後に，研究者たちは，表情を測定する方法の開発に力を注いだのである。すなわち，被験者の自己申告という方法は妥当性に欠けるので，より客観的な測定法を作り出そうとしたのである。そして，エクマンとフリーセン（1978）が作り出した「表情符合化システム（FACS）」という測定法のおかげで，他の心理学の分野でも感情に関する研究が盛んになったのである。それらの分野は，発達，臨床，社会，性格，生理学といった分野での心理学である。感情に関する研究は，これらの分野で非常に弾みがついたのである。これは，感情表現に関する比較文化研究が行なわれる何年も前の話である。皮肉なことだが，初期の感情表現に関する比較文化研究が重要だったにもかかわらず，1970年代の始めと1980年代終わりから1990年代始めにかけての研究には大きな隔たりがある。

　しかし，近年の多くの感情表現に関する比較文化研究は，表現と表示規則における文化的影響の知識を興味ある方向へと拡大した。たとえば，ステファン，ステファンとデバルガス（Stephan, Stephan, & de Vargas, 1996）はアメリカ人とコスタリカ人の表現を比較した。被験者たちに38の感情を評価してもらったが，この時に，どのくらい気軽にこれらの感情を家族や知らない人に表現できるかを質問したのである。また，ステファンとデバルガスは「独立的対相互的」を計る自己尺度を作り，そして感情をポジティブかネガティブ，独立的か相互的かを評価した（第3章「文化と自己」の章を参照されたい）。結果は，コスタリカ人と比べて，アメリカ人は独立的と相互依存的な感情の両方を表現することに関して，より打ち解けた態度を示したのである。それに対して，アメリカ人に比べて，コスタリカ人はネガティブな感情を表現することに関して，まったく打ち解けた態度を示さないことがわかった。

　こうした研究が立証したのは，米国で人種の感情表現の中にも文化的相違が存在するということであった。ある研究（マツモト：Matsumoto, 1993）では，アメリカ人の被験者を4つのおおまかな人種，すなわち白人，黒人，アジア人，ラテン系アメリカ人に大別したのである。被験者は，普遍的な表情による感情を見て，それらを被験者の住む社会で表現した時どれだけ適切かを評価した。結果は，白人は，アジア人より「軽蔑」を適切，「嫌悪」を黒人やラテンアメリカ人より適切である，と評価した。そして白人は，ラテン系アメリカ人より「恐怖」を適切，「悲しみ」を黒人やアジア人より適切だ，と評価したのである。その上，ラテン系アメリカ人と比較して，白人は公共の場や子どもの前で感情を表現することを適切である，と答えた。そして，仲間の前で感情を表現するのも他の人種より適切だ，と答え，低い地位の人の前で感情を表現するのも黒人やラテン系アメリカ人より適切だ，と答えたのである。しかしながら，興味深いのは，他の研究の部分で，黒人は自分たちが他の人種より「怒り」を頻繁に表現する，と回答したことである。似たよ

うな研究で，アウネとアウネ（Aune & Aune, 1995）が発見したことは，フィリピン系アメリカ人が，日系アメリカ人より恋愛関係から生じた肯定的感情と否定的感情の両方を激しく表現することである。

最近の興味深い研究が証明したことは，感情表現に関するステレオタイプにも文化の違いが存在することである。ある研究（ピッタム，ガロイス，イワワキ，クルーヌンバーグ，Pittam, Gallois, Iwawaki, & Kroonenberg, 1995）で，オーストラリアと日本の被験者が，どうやって12種類の行動から8つの感情を表現するのか，また，他方の人たち（すなわち，日本人から見たオーストラリア人，オーストラリア人から見た日本人）がどのように感情を表現するのか，を評価した。日本人とオーストラリア人のどちらのグループも，オーストラリア人の方が肯定的な感情をより多く表現する，と評価した。しかし，どちらのグループも相手のグループの方が否定的な感情をより表現する，と評価したのである。ペンネベイカー，ライム，ブランケンシップ（Pennebaker, Rime, & Blankenship, 1996）が行なった大規模な研究では，26か国で2900人以上にのぼる大学生を対象に自分たちより北方に住む人たち，また，自分たちより南方に住む人たちがどれくらい感情が豊かなのか，評価してもらった。おもしろいことに，研究者たちが発見したことは，北に住む人々が，温かい南の気候の人たちの方がより感情が豊かだ，と回答したことである。

ここまでレビュー（論評）してきた研究では，「文化により，感情の豊かさに相違がある」ということを示唆しているが，表示規則が適用された場合，どのように感情がコントロールされているか，ということでは不明瞭な点がある。最近，2つの研究がこの不明瞭な点を明らかにした。1つ目の研究（マッコナーサ，ライトナー，ディアナー：McConatha, Lightner, & Deaner, 1994）は，米国とイギリスの男女が感情のコントロールに関連する「リハーサル」「抑制」「攻撃コントロール」「良性コントロール（衝動）」の4つを判断した。アメリカ人男性はイギリス人男性より，「リハーサル」「抑制」を示し，アメリカ人女性も「抑制」をイギリス人女性より強く示した。しかし，イギリス人女性はアメリカ人女性より「抑圧」と「良性コントロール」を使った。

2つ目の研究は，マツモトらが，4か国（米国，日本，ロシア，韓国）でアンケート調査を行なったものである。それは，4つの異なる状況で，「14種類の感情から1つあなたが感じた時に行なう行動はどれでしょうか」というものである。そして7種類の答えを選択させるのである。

答えは以下の通りであった。
 1．感じたように感情を表現する
 2．感情を弱めて表現する
 3．感情を誇張して表現する
 4．他の表情を見せて，感情を隠す
 5．笑顔を見せて感情を抑制する
 6．感情を中和する

7．その他

これらの結果は，文化に相違があっても，各国の被験者たちは選択肢のどれかを選んだことである。これが意味することは，これらの7つの答えが適切であり，人が社会環境において感情に基づいた経験を修飾する際に用いるものである，ということである。

最後に，ここ何十年もの間行なわれてきた研究は，感情表現の相違を証明してきた。それは，「どうやって」また「どうして文化により感情表現が異なるか」の理論を作りあげるためであった。たとえば，マツモト (1991) は内集団と外集団の概念を用い，文化的な相違は自分を中心とした内集団と外集団の関係が社会関係の中で表現される感情と関連しているのだ，と述べる。一般的に，自分が属する内集団の中にある親密さや親交などといった関係が，どの文化においても，安全で快適な気持ちを与えてくれるので，自由に感情表現ができる。そして，さまざまな感情行動も我慢することもできる。感情を社会環境に適用するという行動は，内集団と外集団に誰がいるかを学び，そして，どういった行動がその集団の中で適切かを学ぶことである。マツモトが提示した枠組みの中では，集団主義的な文化は，否定的な感情よりも肯定的な感情を内集団に対して育む。それは，内集団の和が重要だからである。肯定的な感情で和を維持することができるのである。一方，否定的な感情は和を破壊する。しかし，個人主義的な文化は内集団に対して，肯定的な感情よりも否定的な感情を育む。それは，和や団結力は重要ではないからである。団結力を壊すような感情表示もこういった文化の中では適切なのである。個人主義的な文化は，外集団に対して否定的な感情よりも肯定的な感情を育む。それは，外集団と内集団とを区別するのは，さほど重要ではないからである。そのため，外の集団に対して，肯定的な感情を表現し，否定的な感情を抑えることを可能にする。しかし，集団主義的な文化は内集団と外集団を明確に区別するために，ネガティブな感情を外集団に対して表示する。同時に，それは内集団の結合を強くするのである。この個人的な感情の変化の概要は表5-1に示してある。

表5-1　個人主義的，集団主義的文化における内集団，外集団での個人的感情の表現

	文化タイプ	
	個人主義的	集団主義的
内集団での関係	否定的な感情を表現してもよい	否定的な感情を表現してはいけない
外集団での関係	否定的な感情を抑える 外集団には肯定的な感情を表わす	否定的な感情を出してもよい 内集団に対しての肯定的な感情は好ましい

2つの研究が多くの仮説を証明してきた。たとえば，マツモトとハーン (Matsumoto & Hearn, 1991) は，出版準備中のビエール，マツモト，カスリ (Biehl, Matsumoto, & Kasri, in press) でも報告しているように，文化表示規則を米国，ポーランドとハンガリーで調査した。この3か国の被験者たちは，6種類の普遍的な感情を見て，3つの異な

状況で，どれだけこの6種類の感情を表現することが適切であるかを評定した。その3つの状況とは，（1）1人でいる時，（2）仲の良い友人，家族といった内集団とみなされる人たちといっしょの時，（3）公共の場，関係が深くない人たちといった外集団とみなされる人たちといっしょの時，であった。ポーランド人とハンガリー人は，内集団に対して否定的な感情を示すのは不適切であり，肯定的な感情がより適切である，と述べた。そして，否定的な感情を外集団に対して示すのは適切だ，と述べたのである。これとは対照的に，アメリカ人は，内集団に対して否定的な感情を示し，外集団に対して肯定的な感情を表に出すのは適切だ，と述べたのである。アメリカ人と比べて，ポーランド人は，1人の時でも否定的な感情を見せるのは適切ではない，と述べた。マツモトとハーン（1991）は，こうした結果をマツモト（1991）の前提を支持する要因である，と解釈した。米国と日本を比べた研究結果もマツモトの前提を支持するものである（マツモト，1990）。

ゆえに，過去数十年の研究は，エクマンによって行なわれた初期の普遍的な顔の表情による感情表現と文化表示規則の研究に勝るものとなったのである。こうした研究結果が示しているのは，表示規則を文化の中で学習するということから，文化は感情表現に多大な影響を及ぼしているのであり，どのような規則があるかということをわれわれに教えてくれるのである。近年の研究は，文化のどのような要因が，そしてなぜ感情表現が文化によって異なるのか，などを問題として提起している。ほとんどの関係は社会関係であり，われわれは表示規則によって機能している文化の相違を予測しなければならない。違う文化からの感情表現を理解するためには，最初に表現されている感情の基盤となっているのはどの普遍的な感情であるのか，次にどんな文化表示規則が機能しているのかを知る必要があるが，われわれの知識にはまだまだギャップがある。それゆえ，これからの研究では違った文化の人たちがどうやって文化内の多様な表示規則を習得するのか。そして，それらの規則はどういったものなのかを調査する必要がある。それと同時に，個人主義と集団主義だけでなく，社会的力や地位の違いなども考慮に入れ，なぜ文化は異なる感情を生み出すのかという調査も必要である。

文化と感情の知覚について

感情認識の普遍性

感情の普遍性を立証する数多くの判断研究が意味しているのは，感情の「顔による表現」が普遍的に認識可能だ，ということである。顔の普遍的な感情表現の写真を見せられた時に，国籍・文化にかかわらず，被験者たちが受けた印象はかなり高い割合で一致している（エクマン，1972；エクマンとフリーセン，1971；エクマン，ソーレンソン，フリーセン，1969；イザード，1971）。こうした研究では，（読み書きができる）識字文化と（読み書き以前の）非識字文化の両方から選ばれた人々が表情を判断しただけでなく，こうした両文

化の人々が実際にその表情のモデルをしていたのである。またエクマンが1971年に報告した別の研究では，自発的な表情の識別にも普遍性が見い出されているのである。

　普遍性の研究が始まって以来，引き続き研究がなされてきたが，そうした研究の数多くにおいて，最初に発見されたことを反復実験によってくり返し再発見してきたのである。たとえば，ボーシャーとカールソン（Boucher & Carlson, 1980），マーカムとワング（Markham & Wang, 1996）などの研究があげられ，こうした研究のレビュー（論評）に関しては，エクマン（1982）やマツモト，ウォールボット，シェラー（Matsumoto, Wallbott, & Scherer, 1987）を参照していただきたい。たとえば，エクマンら（1987）は，10の異なる文化から選び出した被験者たちに判定員になってもらい，それぞれ6つの普遍的感情を表現した写真を見せた。選ばれた判定員たちは，あらかじめ用意されていたリストからそれぞれの感情を言い表わしたことばを選ぶばかりでなく，それらの感情がどの程度の強さで表現されているのかということもレベル分けしたのである。10の異なる文化から選ばれた判定員の全員が，示された感情に対して，同じことばを選んだという事実が，「認識する」という行為の中に普遍性が存在することを示唆しているのである。さらに，それぞれの文化の被験者たちは，判定している表情と対応する感情をいちばん強い感情表現のランクとして，位置づけたのである。

　このような，おびただしい数にのぼる研究から得た発見が明白に示唆しているのは，たとえどのような文化に所属していようが，人間は図5-1に示してある「普遍の表情」を認識することができる，ということである。感情表現と同様に，こうした原理は，文化と感情知覚の関連性を非常にうまく説明している。したがって，この発見をもって，こうした種類の研究は事実上終了したことになる。しかしながら，研究者たちが以前から理解していたのは，「文化表示規則（cultural display rule）」によって人間の感情表現法が決定するため，文化によって感情の表現の方法も異なるのだ，という事実であり，ここでは研究者たちは，文化によって感情知覚の異なった方法を身につけるはずである，ということを認識するようにいたったのである。過去10年，このトピックに関して，多数の研究がなされてきた。こうした研究に従事する研究者たちは，感情表現と同様に「普遍的かつ汎文化的な要素」と「文化独特の要素」の両方が感情認識にも存在する，という説を示唆している。

感情の知覚におけるさらなる異文化間類似性についての証拠

■「軽蔑」の普遍的表現法　　普遍性に関しての研究が始まって以来，7番目の普遍的な表現である「軽蔑」について，数多くの研究が報告されている。最初の論拠は，西スマトラを含む10の文化から収集したものであった（エクマンとフリーセン，1986；エクマンとヘイダー：Ekman & Heider, 1988）。こうした発見は，その後マツモトが4文化［そのうち3文化はエクマンとフリーセンの使用した10文化とは異なったものである］の中で再び使用した。この7番目の普遍的感情表現である「軽蔑」にはかなりの注目と同時に，批判も集まっている（イザードとヘインズ：Izard & Haynes, 1988；ラッセル，1994a, 1994b）。

たとえば，ラッセル（1994a, 1994b）は，被験者たちに表情の写真を見せる時の状況が普遍性を導き出すようデザインしてあることが研究結果に影響を与えているのだ，と示唆した。ラッセルの実験では，「軽蔑」表現の写真を単独，もしくは「嫌悪」か「悲しみ」の後に被験者に見せた場合に，被験者はより高い確率で「軽蔑」を「嫌悪」または「悲しみ」に分類したのである。しかし，エクマン，オサリバン，マツモト（Ekman, O'Sullivan, & Matsumoto, 1991a, 1991b）が，こうしたラッセルの批判に応えるため，自らのデータを再分析したところ，状況による影響は認められなかったのである。ビエールら（Biehl et al., 1997）は，また別の可能性である方法論的交絡による影響も認められないとしたのである。「軽蔑」の例については，図5-1を参照されたい。

■**相対的な感情の強さのランクづけ**　表情による感情表現の相対的な強さに関しては，文化的相違は認められない。言い換えれば，2つの表情を比較すると，通常，文化の相違にかかわらず，どちらかがより強く感情を表現しているかという点では，一致するのである。1つの感情を2つの異なった表情で表現したものを被験者に見せ，より感情を強く表現している方を選ばせる実験では，92パーセントの精度での一致を見たのである。マツモトとエクマン（Matsumoto & Ekman, 1989）は，白人と日本人の表情を含む異なったタイプの表情の比較を取り入れることで，こうした結果をさらに拡大解釈していったのである。すなわち，マツモトとエクマンはそれぞれの感情を，まず同一文化内での男女差，次に男性なら男性，女性なら女性というように同性の中での文化的差異を研究したのである。マツモトとエクマンがアメリカ人と日本人に2枚1組の写真を見せ，より強く感情を表現している写真を選ばせる実験をしたところ，アメリカ人と日本人は30組中24組の写真に対して同じように回答したのである。

　こうした発見が示唆しているのは，表現者の顔つき，形態学的人種，性別の違いにかかわらず，文化は似たような基盤に立って，ある特定の表情をしているモデルの感情を判断している，ということである。さらに，文化的に事前に規定されている規則が表情と顔の知覚を決定することになる。

■**知覚した表情の強さと主観的経験に基づく推測の関連性**　強い感情表現を見ると，その人が実際に激しい感情を抱いているものと推測し，感情表現が強くない人を見ると，その人は感情が乏しいと推測するのが常である。マツモト，カスリ，クーケン（Matsumoto, Kasri, & Kooken, 1999）は，日本人と白人モデルによる56種類の表現に対して，日本人とアメリカ人が下した判断結果を用いて，この論理を説明した。被験者は感情の表現者（モデル）が，どのような感情を表現しているのか，次に感情の外的な発露と内的で主観的な経験を判断したのである。マツモトらは，こうした2つの感情の強さの相関性を2度にわたって計算した。すなわち，1度目はそれぞれの表情の判断について別々に被験者間の相関性を計算し，次におのおのの被験者の中での表情判断についての相関性を計算したのである。被験者は，「外的な感情の発露の強さ」から「内的で主観的な経験の強さ」を推定したのである。こうしたことは，文化的な違いにかかわらずこの2つの

「強さ」にはつながりがある、ということを示している。「表情に出ているもの」と「出ていないもの」と、その底に流れる経験の関連性というこの2つの強さは、現在の感情理論において、とりわけ注目すべき重要なトピックである。「表情と経験の関連性は認められていない」、と主張する研究者たちも確かに存在する（ラッセル，1997；フェルナンデス-ドルスとルイス-ベルダ：Fernandez-Dols & Ruiz-Belda, 1997）が、それとは反対に、表情と経験は常に連結しているわけではないが、深く関連している、と論じている研究者も存在するのである［ローゼンバーグとエクマン：Rosenberg & Ekman, 1994；マツモト（1987）とウィントン（Winton, 1986）の「表情によるフィードバック仮説」の文献再考察を参照のこと］。しかしながら、マツモトら（1997）のデータは、明らかに表情と経験の関連性を立証しているのである。

■**感情認識における第二反応段階**　文化的類似性は、いくつかの感情表現の中で知覚した、2番目に顕著な感情においても認められる。エクマンら（1987）の研究で被験者たちは、どんな感情を顔の表現が伝えているのかばかりでなく、7つの感情の、それぞれの強さにも判断を下した。この研究では、被験者たちに顔の表情に合致した感情を選択させるのではなく、自分たちが知覚した多種多様な感情、または知覚できなかったことをそのまま記録させたのである。そうすることで、それまでの研究では反応の第一段階を提示しているが、どの感情が2番目に一般的かという点において、文化的な相違が存在するのかもしれないと考えたのである。しかしながら、分析の結果は文化的な一致を立証するものであった。すなわち、エクマンら（1987）の研究では、すべての文化において「嫌悪」を表わす第二段階の感情は「軽蔑」であり、「恐れ」の場合は「驚き」だったのである。「怒り」の場合は、見せた写真によって差異があったが、それでも「嫌悪」「驚き」「軽蔑」の3種類にすぎなかったのである。マツモトとエクマン（1989）、そしてビエールら（1997）が行なった反複実験で得られた結果が示唆しているのは、普遍的な表情から得たように、多種多様な意味での文化にかかわらない普遍的な一致である。こうした一致は、文化的差異にもかかわらず、感情というカテゴリーでの意味的な類似性、「感情に先立つもの」と「感情を引き出すもの」における類似性、顔の表情それ自体における類似性によるのだ、と考えられる。

感情知覚における異文化間に存在する相違性の証拠

■**感情認識**　普遍性についての初期のころの研究が示していたのは、被験者たちが偶然とは言えないような確率で、同じように感情を認識している、ということであった。それにもかかわらず、すべての文化でどんな感情が表情に出ているのか、という点において100パーセント合致するような完全な文化的一致を報告する研究は、今だかつて存在してはいないのである。たとえば、マツモト（1992a）は、日本人とアメリカ人の判断結果を比較したが、認識が一致した割合は64パーセントから99パーセントであった。これは初期の普遍性の研究結果と一致している。アメリカ人は「怒り」「嫌悪」「恐れ」「悲しみ」を

知覚するのに，日本人より優れてはいるが，「幸福」や「驚き」に対して精度における相違は認められなかった。もっとも高い例では70パーセント以上の一致というように，こうした一致は一貫して高く統計的にも有意であるので，結果的に普遍的表情の裏づけとして解釈されているのである。

普遍的な表情が伝える感情の中で，もっとも際立った感情に関しては，異なった文化出身の人間でも，かなりの合意がみられることがわかっている。それにもかかわらず，新しい研究の中には，1つの表情から異なった感情を知覚するという点において，文化的相違が明らかになると示唆しているものも，確かに存在するのである。たとえば，ユリザリー，マツモト，ウィルソン-コーン（Yrizarry, Matsumoto, & Wilson-Cohn, 1998）は，7つの普遍的表情に対するアメリカ人と日本人の反応を複数の判断尺度に基づいて，再分析した。「怒り」の表情を判断する際に，「怒り」は見せられた感情の中で，もっとも顕著な感情である，とアメリカ人と日本人も同様に判断した。しかし，アメリカ人は同じ表情を見せられたにもかかわらず，「嫌悪」と「軽蔑」を日本人より多く見い出したし，日本人はアメリカ人よりも「怒り」の表情の中に「悲しみ」を多く見い出したのである。これまでの研究が，判定者が普遍的感情を観察する際に，多様な感情を見い出すということを普遍的に示している一方で，ユリザリー，マツモト，ウィルソン-コーンによる研究は，同じ表情に対して文化的差異が多様な感情判断を生む，ということを立証した初めての研究だったのである。

■**感情認識と文化の大きさ**　感情認識の程度に存在する少なくとも2, 3の文化的差異を発見した研究者の中には，文化的差異が生じる原因を見きわめることに興味を抱いている人たちもいる。たとえば，ラッセル（1994）は文化の感情認識テストの方法が，欧米の判定者に有利なようにデザインしてあると主張しており，欧米と欧米以外の特徴を論じている。しかしながら，ビエールら（1997）は，6つの異なった文化の感情認識を比較することで，文化的差異を論じるという点において，欧米と欧米以外といった二分割法は，統計的に不十分であることを立証して見せたのである。代替説として，ビエールらは，人の心の底に存在する社会心理的な価値観や文化的側面が感情を判断するプロセスに影響を与えているのだ，と主張したのである。

感情認識のレベル分けにおける文化的差異を説明するのに，上記のような側面を利用した例として，マツモト（1989）は4件の研究の中で報告のあった，15の異なった文化から認識データを選び出した。そして，それぞれの文化をホフスティーデ（Hofstede, 1980, 1983）が確立した「力関係（PD = power distance）」「不確実性回避（UA = uncertainty avoidance）」「個人主義（IN = individualism）」「男らしさ（MA = masculinity）」の4側面にレベル分けしたのである。マツモトはそれから，このような側面を認識精度レベルと関連づけた。（これに関しては，第2章「文化の理解と定義」を参照のこと。）それから，個人主義が，「怒り」や「恐怖」といった感情表現の強さの判断の中間値と正の相関関係にある，ということをマツモトは発見した。このようにして，個人主義文化のアメリカ人は，

集団主義文化の日本人よりも「怒り」や「恐怖」といった否定感情の認識に優れている，と主張したのである。さらに，シマック（Schimmack, 1996）はメタ分析を用いて感情認識における文化作用の相違を発見した。社会文化的な側面が，感情知覚における相違の原因になっている，とシマックは考え，「幸せを認識しているかどうか」を予測するといった点において，「個人主義」という要因の方が「白人」対「白人以外」といった「民族」による要因よりも，優れていると結論づけたのである。こうした研究は，欧米と欧米以外の二分割法から研究者たちを解放したのであり，また「個人主義」対「集団主義」という側面を使った方が，感情知覚における文化的影響を調査する際に，より可能性があるということを示したのである。

■表現の強さはどこに帰属するのか　どれほど強く他者の感情を知覚するかということも，文化によって異なってくる。エクマンら（1987）の行なった10種の文化に対する研究は，こういった結果を報告した最初の研究である。総合的な認識データが普遍性を立証しているにもかかわらず，「幸せ」「驚き」「恐怖」といった感情に対する表情の強さにおいて，アジア人の評価が相対的に低かったことは重要なことである。このデータは，判定者たちが文化的に学んだ表現知覚方法の規則にしたがって判断を下している，ということを示唆している。感情表現のモデルがすべて白人であったことには，とりわけ重要な意味がある。要するに，白人モデルの表情の強さにもかかわらず，アジア人判定者は思いやりからなのか，もしくはそういった表情に無知であるせいなのか，その強い表情を低く評価した，と考えられるのである。この概念を調べるため，マツモトとエクマンは，日本人と白人モデルの両方を使って，さまざまな感情を伝える表情のセット「The Japanese and Caucasian Facial Expressions of Emotion Set」，略して「JACFEE」を開発し，アメリカ人と日本人の両方の判定者たちに見せたのである（マツモトとエクマン, 1989）。1つの感情を除いて，アメリカ人は，日本人と比較すると，モデルの人種に関係なく，すべての感情を強く評価する，という結果が出た。こういったアメリカ人と日本人の評価結果の差異は，モデルの違いに関係しているものではない。したがって，マツモトとエクマン（1989）は，表情を解釈するために文化が生み出した規則の影響である，と研究結果を解釈したのである。また，表情の強さの帰属性における相違は，米国内の異なった民族集団の間にも存在するのである（マツモト, 1993）。

　前述の研究で，マツモト（1989）は，ホフスティーデの文化的側面と感情の強さの評価との関係も研究した。そこで，2つの重要なことが浮かびあがったのである。まず，「力関係」と「怒り」「恐怖」「悲しみ」に対しての強さの評価との間には，負の相関関係が存在するということがわかった。この発見が示唆しているのは，社会的地位の相違が大きな意味をもつ文化では，そういった相違がさほど重要でない文化に比べて，「怒り」「恐怖」「悲しみ」といった感情を強く評価しないということである。おそらくこうした強い感情は，社会的地位に基づく関係を脅かすので，感情知覚において重要視されていないのであろう。次に明らかになったのは，個人主義は「怒り」と「恐怖」に対する強さの評価に関

連しているということであった。個人主義的な文化を背景にもつ人間はこの2つの表情を「より強い」と解釈することを，マツモトが行なったこの研究結果は示している。さらに，こうした2つの発見は，高い個人主義度，もしくは力関係による距離の結果として，われわれが予測する行動における傾向との関連を解明するばかりではない。文化的側面を理解することは，否定感情の知覚において，文化的相違を解明する鍵になるであろうということをも，示唆しているのである。

■表情を強調する感情的経験についての推論結果　　感情の外的な発露の認識において，文化はお互いに異なる。しかし，その感情の基になっている経験を推測することに関しては，文化的相違があるのかどうかは明らかではなかった。また仮に相違があるとしても，こうした相違が感情の外的な発露の相違に関係しているかどうかは，明らかでなかった。「感情の強さ」と「主観的な経験」に対して，アメリカ人と日本人から異なった評価が得られた場合，双方がどのように認識したのかを比べることによって，マツモト，カスリ，クーケン（1999）はこの概念を分析したのである。日本人と比較すると，アメリカ人は感情の外的な発露をより強く評価した。この事実は，先行研究で得られた結果と同様である。一方で，日本人はアメリカ人よりも内面的経験をより強く評価した。日本人にとっては，「感情の外的発露」と「内面的経験」という2つの評価の間には，統計的有意差がない，ということを文化内での分析は示唆している。しかしながら，近年の研究結果が示唆しているのは，上記のような相違が発生する理由は，実際のところ，主観的経験に対して，自分たちの感情の外的発露を誇張してしまうアメリカ人にあるのであって，日本人が必ずしも外的発露を抑制しているわけではない，ということである。このような近年の発見は，経験豊富な比較文化研究者たちの目をさまさせたばかりでなく，どのように，そして，どうして文化がこうした傾向を生み出すようになったのか，ということをわれわれに考えさせる絶好の機会を与えてくれたのである。

■微笑みに基づいて人格の帰属性を判断すると　　微笑みは，「あいさつ」「感謝」「容認」を意味する共通の合図である。さらに，感情を覆い隠すためにも利用され，その利用目的は文化によって異なる。たとえば，フリーセン（1972）の研究では，実験者も同席する一室で，日本人男性とアメリカ人男性に，嫌悪感を催すようなビデオ場面集を見せたところ，日本人男性は自分たちの否定的表現を隠すため，アメリカ人男性よりもかなり頻繁に，微笑みを浮かべたのである。こうした意味的な相違をさらに研究するため，「知性」「魅力」「社交性」に関して，「微笑みを浮かべた顔」対「微笑みなしの顔（無表情）」の評価をマツモトとクドウ（Matsumoto & Kudoh, 1993）は日本人とアメリカ人から得たのである。アメリカ人は，「微笑みを浮かべた顔」を「微笑みのない顔」より知性的である，と判断した。しかし，日本人は，アメリカ人のような判断はしなかった。アメリカ人と日本人は，ともに「微笑みを浮かべた顔」は「浮かべていない顔」より社交的だ，としたが，「微笑みを浮かべた顔」と「浮かべていない顔」の評価における相違は，アメリカ人にとってさらに大きいものだったのである。こうした相違が意味しているのは，本章で前述した文化

表示規則が，日本人とアメリカ人の微笑みに関する解釈に影響を与え，異文化間コミュニケーションにおける知覚上の主要な相違をうまく説明するのに役立つ，ということである。

感情の普遍性に対して感情知覚における文化的相違の意味するもの

過去30年以上にわたって，数多くの比較文化研究者たちが収集した証拠のおかげで，表情の普遍性の存在は，単なる説明可能な仮説から十分に確立された心理学的原理へと歩みを遂げたのである。しかしながら，近年では普遍性の研究そのものを議論する論文も存在している。こうした議論は早くから，「方法論」（ラッセル，1991，1994，1995）「解釈論」（ラッセル，1994）および「顔の表情を表現することばそのもの」（ヴィエツビツカ：Wierzbicka, 1995）に主眼を置いている。おそらく，普遍性に関しての最大の関心事は，判定研究における方法論であろう。何年もの間，世界中の多くの研究室では，さまざまな方法を使用してそれぞれ別々に研究を数多く成し遂げてきた。ラッセル（1994）はそのレビュー（研究論評）の中で，こうした方法について以下の3点を含むいくつかの考えを示している。（1）刺激の性質：事前に選択してある写真のモデルの表情がわざとらしい，という事実，（2）刺激の提示方法：研究の中には，刺激を事前に被験者に見せてあったり，被験者が「推測」しやすい状況を生み出してしまう，特定の順序で刺激を見せたりしていた，という事実，（3）被験者が回答する際のフォーマット：二者択一もしくは多肢選択といった選択肢型式を被験者に強いている，という事実。ラッセル（1994）は，使用した方法ごとに過去の研究を分類し，国別に欧米か欧米以外であるかの分類を行なった。こうして被験者の回答は，欧米文化に優位に働いているということを立証することで，判断データを再分析したのである。（ただし，こうした欧米，欧米以外といった分類が妥当かどうかは，本書ですでに論じた通りである。）

ヴィエツビツカ（1995）は，一般に6種類もしくは7種類の基礎感情を表わすことばがどの言語でもそれぞれのレッテルとして存在する，ということを示しながら，上記とは異なる点を指摘している。具体的には，ヴィエツビツカが示唆しているのは，根本的な概念において普遍性を論ずるべきだ，ということである。たとえば，人が「幸せ」の微笑みを認識する際に，その人の顔に「何かよいことが起きているため，よい気分なのだ」というメッセージを読み取るのである。実際，表情は普遍的であるかもしれない。しかしながら，われわれが研究で使用する方法は，二者択一もしくは多肢選択といった選択肢型式であり，列挙した感情用語から被験者に判定させるわけである。われわれが用いる方法が，このように用語を取りあげる文化そのものによって限定されているわけであるから，普遍的にはなりえない，というのがヴィエツビツカの見解である。

数多くの研究者が，こうした懸念に対処してきたのである。たとえば，エクマン（1994）とイザード（1994）がともに指摘しているのは，ラッセル（1994）の論理が「論拠の提示方法」において一見すると理路整然としているにもかかわらず，実際には自分の立場を立証するのに役立つ研究のみを選択しているにすぎない，ということである。とりわけ，そ

れまで「普遍性についての発見にひずみをもたらしている」とラッセル本人が指摘してきたさまざまな欠点・欠陥を取り除いた研究そのものを，ラッセル（1994）の論文では取りあげてはいないのである。普遍性の根幹の前提を批判するために，本人が表情の普遍性に関する複数の証拠のうち，いくつかを用いているという点においても，ラッセルの論文には欠陥があるのである。ラッセルの論文の欠陥は，こればかりではない。人間以外の霊長類，子ども，先天的に目が見えない人を取り扱った研究の中には，ある特定の表情が本質的かつ普遍的であることを指摘する研究が存在するが，ラッセルはそうした研究にも言及していないのである。ここで，霊長類の最近の研究例をあげてみることにする。グリーン（Green, 1992）によると，孤立した環境で育った赤毛ザルは，他のサルといっしょになった時に，多かれ少なかれ正常と思われる表情をするという。ハウザー（Hauser, 1993）は，赤毛ザルは人間同様，感情表現を大脳右側面で行なうというように，側性化するという証拠を発見した。また，目が見えない子どもを被験者としたチャールズワースとクロイツアー（Charlesworth & Kreutzer, 1973）は，目が見えない子どもによる自発的な表現は，ずっと目に見える表現を見本としてきた視覚が正常な子どもの表情と，何ら相違がないのだという結論を下したのである。

　ヴィエツビツカの論文も他の文献の中で批判されている。たとえば，ワイネガー（Winegar, 1995）が批判的なのは，ヴィエツビツカが示唆するところの概念的「本源性」である。というのも，そういった概念すら文化の影響下にあるからである。ワイネガーが示唆しているのは，心理的現象の研究において人は文化的特異性を避けることはけっしてできない，ということである。たとえ評価に関しての普遍性には合意できるとしても，理論構築においては文化の影響を避けることはできないのである。ヴァン-ジィート（Van-Geert, 1995）は，ヴィエツビツカの概念的「本源性」に似た普遍的感情のコード化の必要性に賛同している。ヴァン-ジィートは，おのおのの普遍性がもつ「特定の物理的定義」（p.265），すなわち，より正確な測定基準が必要である，と主張するのである。さらに，ヴァン-ジィートは，普遍性に名称を与えそれに従い整理することが可能である3種類の側面を示唆している。その中の1つの側面では，ヴァン-ジィートは自ら「経験的」普遍性と「専門用語を用いた」普遍性における相違を的確に説明している。「感情とは，経験的普遍性である。すなわち，すべての人間は，原則として，普遍的感情とよんでいる似通った主観的経験のセットを抱くことができる。しかし，そのような共通した感情に言及する唯一の方法は，専門的な用語を使うことである」（p.206）と，ヴァン-ジィートは信じて疑わないのである。

　私マツモトは，個人的には，ラッセルとヴィエツビツカ双方の根本的前提に賛成である。すなわち，意識的または無意識的に文化的先入観が，データ収集方法，分析方法，解釈方法に影響を与えている，ということに研究者たちはもっと注意を払う必要がある。しかしながら，これまでに述べてきたように，この2人の研究者が提示してきた議論が，われわれを十分に納得させるものだとは，とうてい言えないのである。ここで，このトピックに

適切と思われる，論点2点をさらに取りあげたいと思う。

　第一に，今日にいたるまで行なわれてきた判断研究における方法論の相違によって生じる影響は，議論のみでは不十分であり，研究によって示すことが可能な実証的論点なのだということである。ラッセル自身も論じているように，別個の研究においてそれぞれの問題をとりあげるような，断面的な研究法は，解決策には成りえないだろう。というのも，複数の方法論的要因（パラメーター）における相互作用が，結果に影響を与えているかもしれないからである。したがって，この論争へのたった1つの可能な実証的解決策は，「完全に影響を取り除いた，もしくは制御したもとでの総合的研究（"Perfectly Controlled and Comprehensive Study"略してPCCS）の実行であろう。PCCSとは，多因数デザインでの，次のような要素を組織的に独立変数に変換するものである。（1）（読み書きができる）識字文化と（読み書き以前の）非識字文化，そして識字文化内，大学生と大学生以外といった被験者のタイプ，（2）偶発的と非偶発的，感情的な顔と無感情的な顔といった刺激のタイプ，（3）刺激の下見の有無，（4）被験者内デザインと被験者間デザイン，ならびに，バラバラな順序対決まった順序，（5）二者択一もしくは多肢選択といった選択肢型式，自由回答式，質問型式，決まった答えがあるもの，スカラー評価，（6）状況操作の有無：状況操作がある場合は，その正確なタイプ。1つの要因の異なるレベルがどのように他の要因の異なるレベルに影響を与えているのかが，なかなかわからないように，こうした重大な要素をほんの少し，または一部しかもちあわせていないような単独またはグループ研究では，その用いた方法が判断にどのような影響を与えているか，といった質問には，答えることはできないであろう。PCCSでは，これが可能なのである。たしかに，PCCSは現実というよりは，空想の産物といったほうがいいのかもしれないし，文献上ではおそらく，けっして目にすることはないであろう。しかしPCCSは，ラッセルが取りあげた問題に対して，実証的回答のパラメーターとは，どういったものなのかということを理解するのに，重要である。こうしたPCCSに基づく根拠がなければ，仮に，実際に存在するという有力な根拠があるとしても，方法論に関する主張には真価を見い出すことはできないのである。

　第二に，普遍性と文化的関連性は相入れない，といったたぐいのものではない。生得的か後天的といった議論にみられるように，もしわれわれが，ある現象を一方の視点のみから眺めたとしたら，全体像を眺めることはできないのである。感情知覚には，知覚のどの局面について話しているのかによって，普遍的にも文化固有のものにも成りえる。たとえ表情の判定が普遍的でも，感情知覚においては文化的相違を生み出す。他の論文で，私，マツモトは感情知覚の可変性の原因として少なくとも5項目を指摘している（ユリザリーら，：Yrizarry et al., 1998）。こうした原因は，以下の5要素を含んでいる。（1）判断のプロセスで使われる感情とかかわりのある言語部門と精神概念における意味上の重複，（2）表情における顔の構成パーツの重複，（3）感情とかかわりのある出来事と経験においての認知的な重複，（4）社会認識での性格面のバイアス（かたより）そして（5）文

化，といったものである。今後の研究では，判断プロセスの性質における，こうしたすべての原因を別々かつ，相互作用の影響といった観点から解明する必要がある。

　総括すると，知覚は普遍的な要素と文化特有の要素の両方を併せもっている，ということを入手可能な証拠は示唆している。他の論文（マツモト，1996a）で示唆したのは，エクマンとフリーセンの表情の神経文化的理論に似たシステムであり，それは感情知覚または判断において，文化的相似点と相違点がどのように獲得されるかを描写するためのものであった（図5-3参照のこと）。こうしたシステムでは，感情判断が以下の2つの要素に影響されることを意味している。（1）エクマンとフリーセンの顔の影響のプログラムに似た，生得的かつ普遍的である顔の影響認識プログラム，（2）知覚を強めたり，弱めたり，隠したり，抑制したりする，文化特有の暗号読解ルール（バック：Buck，1984を参照のこと）。したがって，われわれが他者の感情を認識する際には，普遍的表情の原型（プロトタイプ）の鋳型照合のようなプロセスを経て表情を知覚する，と考えられる。しかしながら，判断を下す前に，学習により習得した他者の表情を知覚するためのルールによって，そこに刺激も加わる。さらに，エクマンとフリーセンが提唱するオリジナルの表情の神経

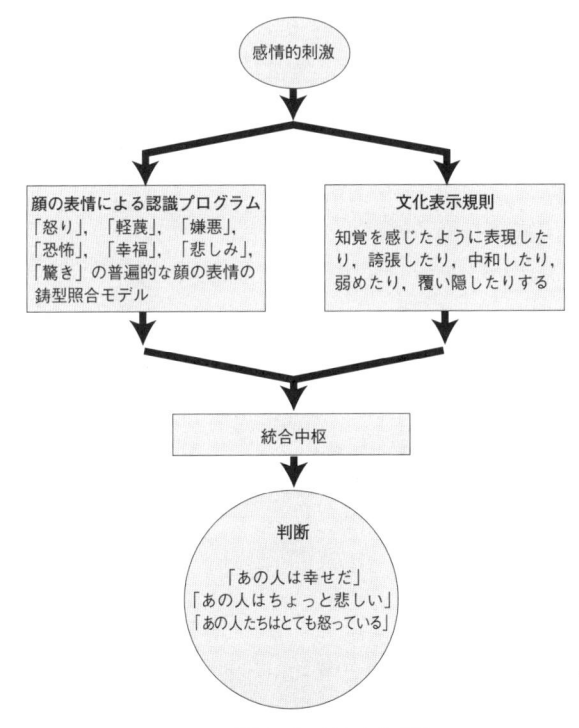

図5-3　感情知覚の神経文化理論

文化的理論のように、こうしたシステムは異文化間の感情伝達にとって基本的なものである、ともいえよう。今後の研究では、状況と暗号読解ルールの要因（パラメーター）についての全体的な一層の考察と、実験室で故意に作りあげた表情だけでなく、異文化間の実生活における自然な表情に対する判断に、この2つの要素がどのような影響を与えているのかを考察することが必要であろう。さらに、異文化間の部分的、混合的、もしくは、曖昧な表情の判断に関しても、調査する必要がある。

● 文化と感情経験

　異なった文化出身の人間が感情を感じる際,同じ方法でその感情を経験するのだろうか。それとも、異なった方法で経験するのだろうか。さらに、同じタイプの感情を経験するのだろうか。同じ感情をより頻繁に経験したり、より強く経験したりすることがあるのだろうか。同じタイプの「ことば以外の反応」や、「生理学上または身体上の徴候や感覚」は、もちあわせているのだろうか。

　こういった論点は、われわれの日常生活の点から見ると、理論上と実質上の双方で重要である。理論的には、感情表現と知覚の普遍性の基礎としての、そうした研究が示唆しているのは、人はすべて同じ経験的な感情のベース、少なくとも、あらゆる文化に共通した顔のシグナルを共有している、ということである。しかしながら、これは、経験に基づく論点である。少なくとも仮説上では可能であるが、現実的にわれわれの感情経験は、あらゆる文化に共通した感情のシグナルとは必ずしも関係してないのである。実用サイドから見ると、われわれが同じ経験的感情のベースを共有している、ということを知ることは、他者の経験に感情移入するという点において重要なことである。そして後に「文化間コミュニケーション」の章で述べるように、感情移入は文化間の敏感性の発達と、人と人、文化と文化の間の経験を成功させるために重要なものである。

　過去数年間、いくつかの主要な研究プログラムでは、どのような感情経験が、すべての人間と文化に共通するのか、普遍性をもつものなのか、という調査を行なってきた。ヨーロッパのクラウス・シェラー（Klaus Scherer）とハラルド・ウォールボット（Harald Wallbatt）が行なったものと、多くの他の個々の研究者によるものがある。こうした研究が示しているのは、われわれの感情経験における多くの様相は実際のところ、普遍的ではあるが、われわれの感情生活の中には、文化固有のものもある、ということである。

感情経験の普遍性

　シェラーらは、感情に基づいた経験の質と性質を評価するように作ったアンケートを利用して、数多くの研究を行なってきた。最初の段階の研究では、基本的に同じアンケート形式を使用した。この研究（シェラー、サマーフィールド、ウォールボット：Scherer,

Summerfield, & Wallbott, 1983）では，ヨーロッパ5か国から選んだ600人を対象に行なった。2回目の研究（シェラー，ウォールボット，サマーフィールド，1986）では，前回のヨーロッパ5か国に，さらにヨーロッパ3か国を追加した計8か国からデータを収集した。3回目の研究（シェラー，マツモト，ウォールボット，クドウ：Scherer, Matsumoto, Wallbott, Kudoh, 1988）では，ヨーロッパで得た結果のパターンをヨーロッパ以外の文化と比べたときに同じかどうかをテストするため，ヨーロッパ人参加者の加重サンプルを，米国と日本からのサンプルと比較したのである。

　方法においては，基本的にすべての文化において同じであった。回答者たちは，「喜び/幸せ」「悲しみ/非難」「恐怖/不安」「怒り/激怒」といった4種類の根本的な感情についての質問に，順に答えたのである。まず，最初に「何が起きた」のか，「誰が関係していた」のか，「どこでいつ起きた」のか，「どのくらい続いた」のか，といった感情を感じた際の状況の描写をした。その後で，自分たちの「ことば以外の反応」「生理上の感覚」「ことばの上での反応」に関した情報を提供した。スカラー評価の例外3点を除いては，すべての回答は，自由回答式質問で，データ分析の目的のため，コード化のトレーニングを積んだ者によってコード入力されたのである。

　最初の2件の研究結果では，ヨーロッパ人回答者たちの感情経験における，驚くべき類似点を示している。回答は文化によって異なりはしたが，文化の影響は，とりわけ感情間の相違と比較すると，比較的小さいものであった。すなわち，調査された4種の感情における相違は，文化における相違よりもかなり大きかったのである。そこでシェラーをはじめとする研究者たちは，少なくとも調査した感情では，人間の普遍的経験ベースを共有しているようだ，という結論を下したのである。

　さらに，ヨーロッパのデータと米国のデータを比べた際に，シェラー他が発見したのは，文化の影響は以前の研究に比べるとわずかに際立ったが，感情間ではごくわずかな相違しか見い出されないことであった。このため，3件の研究すべてにわたって，文化はこうした感情に影響を与えることができるし，実際，与えてもいるが，その影響は感情間の根本的な相違と比較するとごくわずかである，という結論を下したのである。ここで明らかになったのは，文化的相違よりも，文化的相似性であったのである。

　文化的相違にかかわらず普遍的である，と考えられる感情間の相違は表5-2に要約してある。たとえば，「喜び」と「怒り」は，一般に「悲しみ」と「恐怖」よりも頻繁に生じる。「喜び」と「悲しみ」は，「怒り」と「恐怖」よりも強く，そして長期間にわたって体験することになる。「怒り」と「恐怖」は，「悲しみ」や「喜び」よりも筋肉の徴候とか発汗という肉体的徴候との結びつきが強く，これに対して，「悲しみ」は，「胃の徴候」「のどのつっかかり」「泣く」といった循環器系統との結びつきが強いのである。「喜び」と「怒り」は，また，「恐怖」よりも高い体温で体験される。「喜び」は人と接触する態度と結びついており，「喜び」と「怒り」は言語と非言語的反応とのつながりが強いのである。

表5-2 シェラー他による最初の研究で報告された感情間における差異についての要約

領域	変数	見つかったこと
主観的な気持ち	時間的距離（ずっと以前から最近へ）	悲しみ＝恐怖＜喜び＝怒り
	激しさ（弱から強へ）	怒り＝恐怖＜悲しみ＝喜び
	持続度（短期から長期へ）	恐怖＜怒り＝喜び＜悲しみ
	制御（弱から強へ）	喜び＜恐怖＝悲しみ＝怒り
生理的兆候	肉体的兆候（弱から強へ）	悲しみ＜喜び＜怒り＜恐怖
	循環器的兆候（弱から強へ）	喜び＜恐怖＝怒り＜悲しみ
	体温（低温から高温へ）	恐怖＜悲しみ＜喜び＜怒り
行動的反応	接近/引きこもり（遠から近へ）	恐怖＝悲しみ＝怒り＜喜び
	非言語行動（少ないから多いへ）	恐怖＜悲しみ＜喜び＝怒り
	言語行（少ないから多いへ）	恐怖＝悲しみ＜喜び＝怒り

情報はシェラー，サマーフィールド，ウオルボット（1983）に基づく。

シェラー他の第二の研究は，基本的に同じタイプのアンケート方法を用い，5大陸，37か国から選んだ2921人を回答者として，行なわれた。〔第一回目の調査はウォールボットとシェラー（Wallbott & Scherer, 1986）を，完全な調査についてはシェラーとウォールボット（Scherer & Wallbott, 1994）を参照されたい。〕オリジナルのアンケートを「恥」「罪悪」「嫌悪」の3種の感情を含む，計7種の感情というように修正を加えた。さらに，前回の研究で用いた質問の大多数は自由回答式質問形式だったが，択一回答式質問形式に改められた。データの分析の結果，以下のような結論となった。

> 主観的感情，生理的徴候，運動性表情のパターンといった，すべての答えの範囲内で，7種の感情は，その相対的な影響のサイズにおいて，お互い明白に異なっている。国の影響サイズに表われているように，地理的，社会文化的要素は感情経験にも影響を与えているが，その影響力は感情間の相違に与える影響と比べると，ごくわずかである。統計的に有意な相互作用の影響が意味しているのは，地理的，社会文化的要素は特定の感情に異なった影響を与えることもあるが，その影響は比較的小さいものである，ということである。こうした結果が示しているのは，7種の感情の反応パターンの間には，明確な一定した相違があり，研究に使われた国の違いにはかかわらない，という結論を示すものである。こうした感情反応の自己申告における，普遍的な相違は，生物学的心理学上の感情パターンの証拠であるというように，論じられよう。（シェラーとウォールボット，1994）

もう一度くり返すが，こうした発見が示唆しているのは，感情を経験するということにおいては，文化的な違いにもかかわらず，人間が同じ基本的な感情経験を共有している，という意味合いをもち，普遍的だ，ということである。文化は，こうした感情の経験に影響を与えはするが，その影響力は，感情の間に生じる，生得的な相違ほどには，大きくないようである。くり返すと，感情経験はその相違よりももっと似通っている部分が多いのである。第二の研究で報告されている感情間の普遍的相違は，より広範囲の研究として表5-3に要約してある。米国，日本，香港，中国の4か国から選んだ回答者を対象にしたお

のおの別々の研究チーム（マウロ，サトウ，タッカー：Mauro, Sato, & Tucker, 1992）によって行なわれた別の研究でも，感情経験の普遍性に関しては似たような結果が得られたのである。

表5-3　シェラーとウオルボットによる第2の研究で報告された感情間における差異についての要約

領域	変数	見つかったこと
主観的な気持ち	持続度（短期から長期へ）	恐怖＝嫌悪＝恥≦怒り＜罪悪感＜喜び＜悲しみ
	激しさ（弱から強へ）	恥＝罪悪感＝嫌悪＜怒り＝恐怖≦喜び＝悲しみ
	制御（弱から強へ）	喜び＜怒り＜嫌悪＜悲しみ＝恐怖＜罪悪感＜恥
生理的兆候	肉体的兆候（弱から強へ）	嫌悪＝喜び＝罪悪感＝悲しみ≦恥＜怒り＜恐怖
	循環器的兆候（弱から強へ）	喜び＜恥＝怒り―嫌悪≦罪悪感≦恐怖＜悲しみ
	体温（低温から高温へ）	恐怖＝悲しみ＜嫌悪＜罪悪感＜怒り＜恥＜喜び
行動的反応	接近/引きこもり（遠から近へ）	恥＝罪悪感＝嫌悪＝悲しみ＜恐怖＜怒り＜喜び
	非言語行動（少ないから多いへ）	罪悪感＜嫌悪＝恥＝怒り＜悲しみ≦怒り＜喜び
	声の調子や身振りなどのパラ言語行動（少ないから多いへ）	嫌悪＝罪悪感≦恥＝恐怖＜悲しみ＜喜び＜怒り
	言語行動（少ないから多いへ）	恐怖＝悲しみ＝恥＝罪悪感＜嫌悪＜怒り＝喜び

情報はシェラー，ウオルボット（1994）に基づく。

感情経験上での文化的相違

　上述した研究で発見された文化的相違は，感情間に存在する相違と比較すると，ごくわずかではあるが，それでも存在していることに変わりはない。たとえば，シェラーらが行なった，ヨーロッパ人，アメリカ人，日本人の間の比較では，日本人は，「喜び」「悲しみ」「恐怖」「怒り」というすべての感情経験において，アメリカ人とヨーロッパ人のどちらよりも，より頻繁に報告したのである。アメリカ人の場合には，ヨーロッパ人よりも「喜び」と「怒り」に対し，より頻繁に報告した。さらに，アメリカ人は，ヨーロッパ人と日本人よりも，自分の感情を長く，そして強く感じていた。日本人の回答は，アメリカ人やヨーロッパ人のものと比較すると，全体的に手と腕によるジェスチャーとか身体全体の動きが少なく，ことばと顔の反応が小さかった。一方，アメリカ人は，顔とことばの反応の両方において，いちばん高い表現度を報告した。アメリカ人とヨーロッパ人は，日本人と比較すると，より多くの生理的感覚も報告したのである。こうした感覚は，赤くなったり，熱くなったりする体温の変化，動悸や脈拍の変化を起こす心臓に通じる血管における変化，胃に支障をきたすような変化，たとえば，胃がひっくり返ったような状態を含んでいる。
　どのように，また，どうして感情経験における文化的相違が存在するのだろうか。シェ

ラーが行なったような大規模な研究をする際に，特定の国に関係する特定の相違について特定の仮説を立てることは，事実上不可能なことである。実際，シェラーらは，感情経験における，国と国との間の文化的相違を2通りの方法で説明しようと試みた。そのうちの1つ（ウォールボットとシェラー，1995）では，研究者たちは，「恥」と「罪悪感」の経験の関係と，「個人主義（IN）」「力関係（PD）」「不確実性回避（UA）」「男らしさ（MA）」のホフスティーデの文化の4側面との関係を調べたのである。第二回目の研究のためにシェラーらが選出したすべての国は，ホフスティーデの文化的価値観における多国間研究でも含まれていた国であった。それから，シェラーたちは，4文化的側面それぞれについて，国を「高い」「中くらい」「低い」に分類し，感情経験におけるこうした分類の中に存在する相違を探ったのである。その結果は，きわめて興味深いものであった。たとえば，集団主義的な文化では，個人主義的な文化に比べて，「恥」を比較的短時間で不道徳とは考えなくなり，そしてより頻繁に，笑いと微笑みを伴って経験する。集団主義的文化における「恥」には高い体温と低い循環器的興奮という特徴もある。大きい「力関係（PD）」と低い「不確実性回避（UA）」を特徴とする文化でも同じ発見が得られた。集団主義的文化を「恥の文化」と特徴づけたピエルスとシンガー（Piers & Singer, 1971）といったそれ以前の研究をもとに予測できる結果とは，これらの結果は正反対であるため，シェラーの研究は興味深いものとなっている。

　感情経験上での，文化的相違の存在しうるベースを発見する別の試みとして，ウォールボットとシェラー（1988）は，自らの研究で使用したそれぞれの国の国民総生産（GNP）を，自らのデータと照合してみた。その結果，「感情経験」「持続性」「激しさ」は，GNPと統計的に有意な負の相関関係があることがわかったのである。こうした相関関係は，国が貧しければ貧しいほど，感情は長時間持続し，より激しく，そして過去から引きずっていることを示唆している。貧しい国の被験者たちは，「より重要かつ，より激しい」感情にかかわる出来事としてものごとを報告しがちである，ということを発見した（ウォールボットとシェラー，1988）。

　キタヤマとマーカス（Kitayama & Markus, 1991, 1994, 1995）の影響を受けた研究者の多くは，感情経験における文化の影響を描写するのに，異なるアプローチを採用したのである。すなわち，機能主義的アプローチを採用することによって，こうした研究者たちは，感情を生理的，行動的，主観的要素から成る「社会的に共有するスクリプト」としてとらえている。そして，こうしたスクリプトは，個々の人間が文化の中で「自文化」化させられるにつれ発達し，文化の中で相互作用し，文化と切っても切れない関係になる，とキタヤマとマーカスの影響を受けた研究者たちは主張するのである。そのため，感情は個々の人間が発達し生きる文化環境を反映し，モラルや倫理と同様に，文化に必要な一部となっているのである。第2章の「文化の理解と定義」でも述べたように，マーカスとキタヤマ（Markus & Kitayama, 1991）は，この見解を支持するため，「社会的かかわりをもつ経験」対「社会的かかわりをもたない感情」における経験上での文化的相違の研究と，「気分が

優れる」と「幸せに感じる」ことにおける文化パターンの違いの研究を含むさまざまな資料から，証拠を引用したのである。

こうした見解では，文化が感情を形成するのである。異なる文化には，異なる心理的必要性とゴールを生み出す異なった現実と理想が存在するので，習性的感情の傾向にも違いが生じる。「文化による感情の形成」のモデルは，図5-4に要約してある。

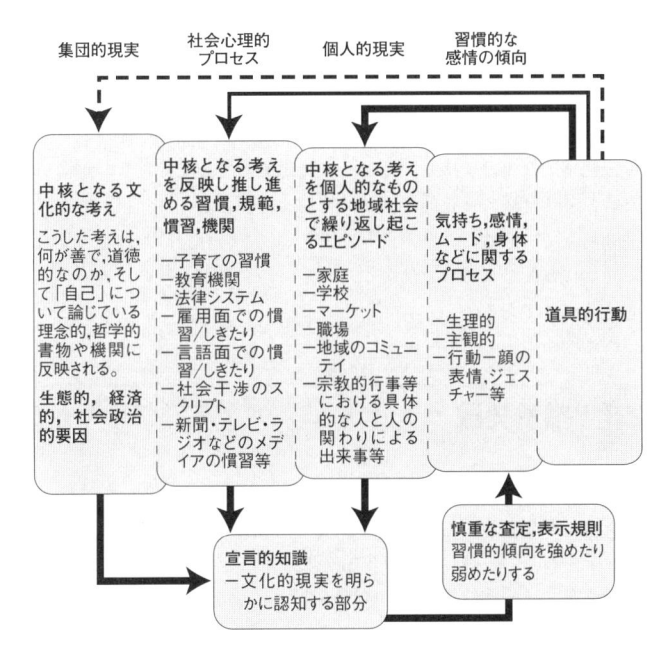

```
集団的現実    社会心理的    個人的現実    習慣的な
              プロセス                    感情の傾向
```

中核となる文化的な考え	中核となる考えを反映し推し進める習慣，規範，慣習，機関	中核となる考えを個人的なものとする地域社会で繰り返し起こるエピソード	気持ち，感情，ムード，身体などに関するプロセス	道具的行動
こうした考えは，何が善で，道徳的なのか，そして「自己」について論じている理念的，哲学的書物や機関に反映される。生態的，経済的，社会政治的要因	―子育ての習慣 ―教育機関 ―法律システム ―雇用面での慣習／しきたり ―言語面での慣習／しきたり ―社会干渉のスクリプト ―新聞・テレビ・ラジオなどのメディアの慣習等	―家庭 ―学校 ―マーケット ―職場 ―地域のコミュニティ ―宗教的行事等における具体的な人と人の関わりによる出来事等	―生理的 ―主観的	―行動―顔の表情，ジェスチャー等

宣言的知識
―文化的現実を明らかに認知する部分

慎重な査定，表示規則
習慣的傾向を強めたり弱めたりする

情報源：マーカスとキタヤマ　1994　著作権：1994年アメリカ心理学協会。許可を得て再録。

図5-4　感情の文化的形成

機能主義的アプローチを採用している研究者の多くは，ただ単に文化を描写するばかりでなく，感情が「普遍的で，生物学的に生得的である」という立場に挑んでいるのである。本質的に，こうした研究者たちの論点は，文化と感情のつながりは切っても切れないほど親密なものなので，感情は生物学的にすべての人間に対し，あらかじめ「決まっているもの」ではありえない。感情の普遍性とは誤った名称であり，たとえ普遍性が報告されたとしても，それはそれを報告する研究者の，経験的かつ理論的なバイアス（偏見）から導かれた発見である，と提唱するのである。

これは私，マツモトの個人的意見だが，文化的に構築された社会的共有スクリプトを根本に置いた感情への機能主義的アプローチが，感情の普遍性と必ずしも相反するものだと

は思えない。1つには，こうした研究者たちは，異なった感情を研究しているということにある。普遍性を支持する立場は，独特の表情に対応する限定した数の独立した感情のセットに制限している。機能主義者たちによって推し進められた研究では，こうした普遍性の限界を飛びこえ，広範囲の感情経験を含んでいる。そしてまた，感情の異なった様相を研究しているのである。感情の普遍性は，表情における汎文化的な共通のシグナルの存在を基にしている。反対に，「文化的に独特な感情が構築されている」と主張する多くの研究では，感情の主観的経験と，このような経験を記述し表わすのに用いる言語の感情語彙を基にしている。感情の要素の1つは普遍的だが，他の要素は文化的に異なる，という議論は思いもつかないのである。最後に，普遍的かつ生得的な，生物学的な基盤の存在は，文化が経験を形づくるという可能性を排除しているわけではない。前述のように，感情の普遍的根本は，標準的な土台であり，その上に文化的影響を受けたものが構築されるのである。そのため，感情経験の文化的構築は，普遍的経験とともに，根本的な感情によって成り立つものを超えて，起こることのように思える。この分野における今後の研究は，お互い対立する見解に支配されるのではなく，お互いの立場がお互いに補い合う，すなわち補完的だと考えるべきである。

文化と感情契機

「感情契機（emotion antecedents）」とは，感情を引き起こすきっかけや，感情を誘発する事柄や状況のことである。たとえば，われわれは愛する人を失うことで悲しみを覚える。逆に，興味をもっている講義でよい成績を取ったことをきっかけに幸福感や喜びを感じる。科学的な文献では，感情契機は「感情誘発（emotion elicitors）」という用語で知られている。

研究者たちが長年にわたって議論してきたのは，感情契機が文化間において類似しているのか，それとも相違しているのか，ということであった。一方で，多くの専門家が指摘してきたのは，普遍的感情の感情契機が異なる文化間で類似していることであった。普遍的感情とは，先に述べた文化間における感情の表現，感知，経験などのすべての側面においても見い出されているすべての人類が共有し，各文化間で酷似している一連の感情である。また一方で，感情契機の各文化間での相違点に関する報告も数多い。すなわち，同じ出来事でも，文化によってはまったく異なる感情を引き起こすことがあるということである。このことは，すべての文化において人々が葬式で悲しみにひたるわけではなく，講義でよい成績を取ることが必ずしも喜びにつながるものではないということを意味する。他にも，さまざまな文化間における感情契機の実例，見解，側面を叙述した研究が多数発表されている。

感情契機の文化的類似

　数多くの研究報告が，感情契機の普遍性を指摘してきた。たとえば，ボーシャーとブラント（Boucher & Brandt, 1981）は，どのような場合に人が，「怒り」「嫌悪」「恐怖」「幸福」「驚き」を他人に対して感じるかを，米国とマレーシアの被験者を対象にアンケートを行なった。ボーシャーとブラントの感情の研究は普遍性に関する先行研究の影響を受けており，それぞれの感情に対して96の契機（きっかけとなる因子）を集計した。その上で，この96の契機が別のグループのアメリカ人に対して，どの感情を誘発するのか，という実験を行なった。その結果として，この別のグループのアメリカ人は，契機の由来がアメリカ人か，またはマレーシア人かということにはまったく影響されずに，それぞれの契機を適確にその対応する感情別に分類することができた。すなわち，契機の分類には文化的な影響はなかったのである。続いて，アメリカ人，韓国人，サモア人の被験者にも同じ実験を反復して行なったところ，その結果も同様に，被験者は文化の起源と関係なく適確に契機を分類することができたのである（ブラントとボーシャー, 1985）。このことは，それぞれの被験者が，文化間に普遍の基本的認識を有し，感情契機は異なる文化間で酷似しているということを示唆している。

　異なる文化間における大規模な感情契機の比較研究はシェラーらによって進められた。はじめに，被験者は実際に経験したことのある「怒り」「喜び」「恐怖」「悲しみ」「嫌悪」「恥」「罪悪の事柄」「状況」を描写した。この実験では，「怒り」「喜び」「恐怖」「悲しみ」の4種類を第一組とし，また7種類すべての感情を第二組と分類した。なお，7種類の感情は，普遍性に関する先行研究の結果から選びだした。また，本書では述べていないが，「恥」と「罪悪」は普遍的であるとの研究報告もあるという理由から，この2つの感情を第二組に編入した。そして，被験者が描写した状況を「一般的な項目」「良いニュース」「悪いニュース」「一時的な離別」「永遠の離別」「達成状況」「成功」「失敗」などの項目に分類した。文化特有の契機は，分類の際にデータから除外された。その結果，すべての項目の事柄がそれぞれの文化で一般的に起こり，おのおの7種類の感情が生じることがわかったのである。

　さらに，シェラーらはきっかけとなる事柄とそれに誘発される感情の相関頻度の比較を行ない，その結果にも多くの異なる文化間における類似点があることを発見した。たとえば，いちばん高い頻度を示した幸福の誘起因子は「友人関係」「友人との一時的な会合」「目的達成」であった。また，怒りの誘起因子は「人間関係」と「不正」であり，悲しみの誘起因子は「人間関係」と「死」であった。このように，異なる文化間での感情契機が似通っていることがわかるのである。

　また，数例ではあるが他にも感情契機の異なる文化間での類似性を支持する研究報告もある。ガラティとシアキー（Galati & Sciaky, 1995）によると，「怒り」「嫌悪」「恐怖」「幸福」「悲しみ」「驚き」の契機は，北イタリアと南イタリアでは似通っていることを発見した。ブーンクとフプカ（Buunk & Hupka, 1987）は，みえを張る行動は7つの文化に

おいて嫉妬の原因となる，と報告している。また，レヴィ（Levy, 1973）は，タヒチ人は多くの状況において他の地域の人々と同じ感情をもつ，と論じている。

感情契機の文化的相違

感情契機は，その相違点についても多くの報告がある。その1つとして，シェラーらは，文化間においておのおのの感情契機となる事柄の比較頻度にも，多くの相違点があることを指摘している。シェラーらの行なった実験において，欧米人の被験者は，日本人の被験者と比較すると，「文化行事」「新しい家族の誕生」「基本的な肉体的喜び」「目的達成」に関連した事柄は喜びの契機としてより重要である，と答えた。また，日本人と比較すると，欧米人にとって，「家族や親友の死」「愛している人との離別」「世界のニュース」が，より頻繁に悲しみを引き起こすきっかけとなった。一方，欧米人と比較すると，日本人にとって「人間関係のもつれ」がより高頻度で悲しみの原因となった。また，日本人には「新しい生活環境」「交通問題」「人間関係」がより高頻度で恐怖を誘発し，「見知らぬ人」に関連した状況は怒りを誘発する頻度が高い，という結果が見られた。アメリカ人にとっては，「見知らぬ人」と「目的達成に関する状況」がより恐怖を誘発し，「人間関係」に関連した状況が怒りを引き起こした。これらの発見は，異なる文化間において同じタイプの状況もしくは事柄が必ずしも同じ感情を誘発するのに必要というわけではない，ということを示している。

他にも感情契機の文化間の数多くの相違点を指摘している研究結果が，いくつか報告されている［メスキータとフリージャ：Mesquita & Frija, 1992のレビュー（研究論評）他を参照されたい］。

感情契機の類似と相違の共存

比較文化研究によって明らかとなった感情契機のそれぞれの類似点と相違点を，どのように解釈すればいいのだろうか。他の論文で，私，マツモトは，文化間感情契機を解釈する有効な方法として，事柄と状況の潜在的要素と顕在的要素を区別することを提案した（マツモト，1996a）。顕在的要素とは，実際の事柄，もしくは状況である。たとえば，友人と過ごす時間や，葬儀への参列，または，自分が並んでいる行列に誰かが割り込んでくることである。一方，潜在的要素とは，顕在的要素である状況や事柄の下に潜んでいるもの，という心理学的意味をもつ。つまり友人と過ごすことの潜在的要素として他の人といっしょにいて温かみを感じたり，親交を深めたりする心理的な目的の達成が潜んでいる。同じように，葬儀の参列の潜在的要素は愛する人を失ったことであり，自分が並んでいる行列の前に誰かが割り込んでくることには，不正行為の感知や何か目的を妨害されたという気持ちが潜んでいる。

私，マツモトは，比較文化研究のレビュー（論評）において感情契機の潜在的要素の普遍性を提示した。すなわち，ほとんどの文化圏の人々にとってある種の「心理学的テーマ」

は同じ感情契機の内容を生じる。「悲しみ」の潜在的要素は、「愛する対象を失うことというのは避けられない」ということである。「幸福」の潜在的要素は、重要な個人的な目的へ確実に到達する、ということである。「怒り」の潜在的要素とは、防ぐことのできない不正や自己の目的への妨害である。このように、いくつかの核となる潜在的要素が、文化間に見い出される普遍的感情を1つひとつ構築しているように思われる。すなわち、こうした核となるものが存在するため、文化的な相違にもかかわらず、普遍的感情が一定のレベルの普遍的基準を共有することになるのである。

それとは反対に、たとえまったく同じ状況や事柄、または出来事でも、文化によってまったく異なった潜在的要素をもつ場合もある。これは異なる文化間における潜在的要素と顕在的要素の関係というのが、1つの問題に対して1つの解答といった、単純な関係ではないということの代表的な例である。死が「悲しみ」を生み出す文化において、死別という顕在的要素の下には、愛する対象の喪失という潜在的要素が存在し、その潜在的要素が「悲しみ」を生じる。一方、他の文化では、死はより高い精神的終点への到達という異なる潜在的要素と関連し、「幸福」という異なった感情を生じるのである。このように同じ顕在的事柄でも異なる潜在的、または、心理学的テーマに関連しているものは、当然ながら異なる感情を生じるのである。

一方で、異なる文化間での同じ潜在テーマはおそらく異なる顕在的要素に関連している、ともいえるであろう。たとえば、人の個人的な幸福感への脅迫観念というのは、心理学的テーマとして「恐れ」の感情が潜在しているということかもしれない。このテーマは、文化によって大都市で深夜に1人で外出することと関連していたり、交通問題に関連していたりする。このような、異なった文化におけるまったく別の状況(顕在的要素)でも、類似した潜在的要素をもつ場合には「恐れ」を誘発する。

異なる文化背景を有する人々は、顕在的要素としての文化特有の事柄や状況、または出来事(顕在的要素)を「一連」の「感情を作り出す心理学的テーマ」(潜在的要素)として関連づけることを学ぶ。そして文化間における潜在的要素の本質に高い普遍性がある一方で、顕在的要素はより多様化しているという理由から、その類似性と相違という2点が注目され、比較文化研究が行なわれてきた。この潜在的要素の概念は、他の感情のプロセスである評価の段階にも深く結びついている。

● 文化と感情評価

感情評価の文化的類似

おおまかに定義すれば、感情評価(emotion appraisals)とは、人が事柄や状況、出来事を評価し、感情を得るプロセスである。感情評価の研究は、長く複雑な歴史をもつ反面、いまだに解明されていない問題も数多く残っている。とりわけ、異なる文化にいる人々が

どのように感情の引き金となる事柄を考え評価するのか，感情と感情を誘発する状況は異なる文化間で普遍性を示すのか，異なる文化にいる人々は感情契機を異なったように考えるのか，などといった評価プロセスの本質と文化の関係についての基本的な問題はいまだに解明されていないのである。

　過去数十年の間に，多くの研究によって各文化における数々の普遍的な評価プロセスの存在が明らかとなった。このことは，感情誘発においての評価プロセスの普遍性も示唆している，といえるであろう。たとえば，マウロ，サトー，タッカー (Mauro, Sato, & Tucher, 1992) は米国，香港，日本，台湾の被験者に多岐にわたった普遍的感情を含んだ16の異なる感情によって誘発される状況を描写させた。そして被験者は，各感情について「楽しみ」「注意」「確実性」「対処」「制御」「責任」「必要とする努力の予測」「目的・必要性の実現化」「合法」「基準・自己適合性」など広範囲にわたる評価次元に関連した選択肢の中から1つの答えを選んだ。その結果からマウロらは，「楽しみ」「確実性」「対処」「目標・必要性の実現化」の認知評価の根本的次元ではほとんど文化的な差異がないこと，そして合法と基準・自己適合性という2次元では，ごく少数の文化的な差異しか存在しないことを発見した。マウロらは，これらの発見を感情評価プロセスの普遍性の証拠であると解釈したのである。

　こうした研究に含まれる評価次元は理論的に考慮して選択されたが，マウロらは，統計学的な手法を用いて，感情の相違点の説明に必要な最小限の側面を発見しようとした。マウロらは，主成分分析という統計学的技法を用い，内部関係（もともとの一連の分析変数）に基づいた変数を，より小さな因子のグループに分割した。この分析において，「楽しみ」「確実性」「努力」「注意」「他人の感知の制御」「適切性」「環境の制御」の7次元のみが感情誘発の説明に必要であることが明らかになった。また，文化的相違点についてこの7次元の実験を行なった際にも同じ結果を示した。それは，より根本的な次元では文化的な差異は見当たらず，より複雑な次元でもごくわずかの相違点しか見い出されなかったのである。この研究結果は，感情の評価次元は普遍的であることを再び証明してみせたのである。

　一方，ローズマンら (Roseman et al., 1995) は，アメリカ人とインド人の被験者の「悲しみ」「怒り」「恐れ」の評価プロセスの研究に異なるアプローチを用いた。ローズマンらは，被験者に各感情に関連した顔の表情を見せ，その表情を分類させてから，どういう事件が起こって，その感情を感じたのかを描写させた。そして事柄の評価に対する26の回答を得た。その結果，アメリカ人とインド人はともに「力の差」は「怒り」をもたらす事柄に相当すると特徴づけた。一方で，「無力」は「怒り」や「恐れ」を誘発する事柄に相当すると評価した。また，アメリカとインドの双方の文化において，「他人によって起こされた事柄」は，「悲しみ」や「恐怖」ではなく，「怒り」を誘発する傾向を示した。これらの発見も感情評価のプロセスの異なる文化間における類似性を裏づける確かな証拠なのである。

　感情評価プロセスの比較文化研究においても，シェラーが最大の貢献者である，といっ

ても過言ではないだろう。シェラーは，37か国3000人を対象にした研究を行なった。シェラーの研究において，被験者は7種類の感情（「怒り」「嫌悪」「恐れ」「幸福」「悲しみ」「恥」「罪悪感」）の中から1つを選んで経験したことがある事柄，状況，出来事を描写した。そして，被験者はその事柄を評価するために用意された系列質問に答えた（「期待」「喜び」「目的への貢献」「恐れ」「対処能力」「規範」「自己理想」）。このデータの分析から（シェラー，1997a, 1997b），国別の感情評価の相違点は，感情による相違点よりさらに小さいことがわかった。すなわち，7種類の感情に関連した評価プロセスは文化の相違と比較して，より類似していたのである。下に感情の評価プロセスを示す。

　　　幸福…………目標の高い実現力と高い対処能力
　　　恐れ…………他人や環境によって突然生じる新しい事柄
　　　　　　　　　困難や危急をもたらす障害無力と感じる場所
　　　怒り…………自己の目標に対する妨害
　　　　　　　　　対処可能である不道徳性
　　　悲しみ………目標の低い実現力と低い対処能力
　　　嫌悪…………悪質な不道徳性不公平
　　　恥と罪悪……行動責任の高度な自己回帰
　　　　　　　　　個人の高い内部標準とその高い断続性

　こうした結果は，感情評価プロセスにおける高い文化間類似性を示している，といえよう。そして，感情とは，文化的相違にかかわらず，心理的な普遍的現象であることをも示唆している。すなわち，他の研究と同じように，感情は普遍的である，という立場を支持しているのである。

感情評価の文化的相違

　感情評価プロセスの文化間普遍性を支持する実例が数多く報告されている一方で，文化的差異を指摘する報告も多数存在する。しかしながら，一般に感情評価プロセスの研究においては，文化的差異は比較的少ないといわれている。そのため，一般的に研究者は感情評価のプロセスのあるレベルの普遍性に注目しがちであるが，得られた文化的差異も，もちろん考慮する必要がある。

　たとえば，初期の研究として，シェラーらは日本人とアメリカ人の比較研究を大規模に行なった結果，人々の感情を誘発する事柄は文化間で大きな差異が存在することを発見した（マツモト，クドウ，シェラー，ウォールボット：Matsumoto, Kudoh, Scherer, & Wallbott, 1988）。感情を引き起こす出来事の自尊心への影響は文化によって異なる結果を示したのである。アメリカ人のもつ感情は，日本人の感情と比べ，自尊心や自信に，よりポジティブな効果を与えていることを示した。感情の原因を何に帰着するかについても，文化によって異なる結果を示したのである。たとえば，日本人は悲しみを作り出す事柄を自分自身のせいにするのに対して，アメリカ人は悲しみの原因を他人のせいにする傾向を

もつ。また日本人は，喜びや恐怖や恥を機会や運命に起因すると考える傾向があるのに対し，アメリカ人はこれらの感情の原因も他人のせいにする傾向がある。そして，日本人はアメリカ人よりも感情が誘発されたあとに，その感情をフォローする動作も行動も必要としない，と信じがちである。一方で，恐怖などの感情において，日本人と比べて，アメリカ人は状況を向上するために何かできると信じる傾向がある。怒りや嫌悪については，日本人と比べて，アメリカ人は自分は無力であり，事柄やその結果に支配されている，と信じやすい。そして，恥や罪悪感について，アメリカ人と比較して，日本人は何もなかったようにふるまい，他のことを考えようと試みるようである。

　また，ローズマンら（1995）の研究によると，インド人は「悲しみ」や「恐れ」「怒り」を誘発する事柄を，動機としてより首尾一貫していると評価する傾向を示した。また，インド人は「悲しみ」や「恐れ」「怒り」を誘発する事柄における対処能力をアメリカ人よりも低く評価し，そして「悲しみ」や「怒り」の起こる確率もより低く評価した。マウロら（Mauro et al., 1992）は4文化において，「制御」「責任感」「必要とする努力の予測」の次元における相違点は個人主義と集団主義に関係していることを報告し，その理由として，この次元の相違点は「事柄の感知を制御する能力」の違いに関連していることをあげた。実際に，個人主義を基本とするアメリカ人の制御能力は，他の文化の被験者に比べて，一般的に高い数値を示した。

　シェラーは感情評価の文化的差異に関する2件の研究を行なった（シェラー，1997a，1997b）。まず，シェラー（1997a）は37か国を北・中央ヨーロッパをはじめとする，地中海区域，新世界，ラテン・アメリカ，アジア，アフリカの6地理政治的区域に分類し比較した。評価プロセスは全6区域で非常に高い類似性を示したが，ラテン・アメリカとアフリカは，他の区域と比べて，少し異なっていた。次に，これらの文化的相違の本質をさらに解明すべく，シェラー（1997b）は全6区域，37の国々を，ホフスティーデの個人主義と男性主義の次元を用いた文化価値や，地理政治的区域に沿った気候，社会経済学，人口統計学因子なども考慮に入れ，細分化した次元でさらに分類した。その結果，「幸福」を除くすべての感情において，アフリカ諸国の被験者は，他の地域の被験者に比べ，「不公平」「外的原因づけ」「不道徳」を感情を誘発する事柄としてより高く評価した。また，ラテン・アメリカの国々からの被験者は他の地域の被験者と比べて，「不道徳」の感知に低いスコアを示した。気候，文化価値，社会経済学，人口統計学因子を含む分析は相違の原因とはならなかった。しかしシェラーは，都会化の一般因子がアフリカとラテン・アメリカ両区域に見られた一連の発見に関連している可能性もあると考えている。

　多くの評価プロセスが全人類にとって普遍的であると同時に，「公平」や「道徳」などのとりわけ文化的，社会的規範に関係した判断を要する評価次元にいくつかの文化的差異が全体的にみられることを，この研究結果は示唆している。このように，文化的差異はより複雑な評価次元に生ずる一方で，ローズマンら（1995）が示したような「根本的」次元には生じないのである。すなわち，すべての人間には「一連の普遍的感情」の経験の誘発

を生じる何かが，生得的，本質的に現われ，その上で文化は複雑な認知プロセスにおける感情のさらなる細分化を促進するのである。この発見と解釈は，全体としては，本章で述べている感情の普遍的，そして文化関連的側面の発見に一致している。感情評価の比較文化研究が，一般的に「普遍性のある一連の感情」のみを重視している一方で，今後の研究は，この発見を足がかりとして広範囲の感情へと多様化することが可能であろう。そして，より文化に関連した評価プロセスの多くの文化的差異を発見することが期待されている。

文化とその概念と感情のことば

　本章の最後の節では，世界中で文化が感情という概念そのものにどのように影響しているのか，そして感情の概念を表現することばにどのようなものがあるのかについて考察してみる。本章では，あたかも感情はすべての人々にとって同一であるかのように論じている。感情を研究している研究者もよくこの錯覚に陥りやすい。実際，感情表現，認識，経験，契機，評価の普遍性に関する研究は，その因子の「一連の感情」の概念，理解，そして言語の類似性に焦点を当てながら論じている。しかしわれわれが言うところの「感情」は他の文化ではどのような意味にとらえられているのだろうか。他の語句や異なる現象として考えられているのだろうか。ここでは，アメリカ人の日常における感情から例をあげ，分析することから理解を深めてみることにする。

アメリカ人の日常生活における感情

　アメリカ人は一般的に感覚（フィーリング）をたいせつにする。文化の多様化の認識が日常生活にまで普及しているため，各個人がものごとや事柄や状況，そして周囲の人々に対して，ユニークで独立した感覚をもっているということを，われわれ誰もが認識している。また，アメリカ人は意識して自分の感覚に気づき，そしていつもそれに注意を払おうとする。感覚といつも触れ合い，自分をとりまく世界を感覚的に理解する人は，アメリカ社会では成熟した大人とみなされる。

　また，アメリカ人は一生を通して，個々の感覚と感情をきわめてたいせつにする。大人は，自分たちの感覚をたいせつにし，かつ積極的に自分たちの子どもの感覚や，周囲の若者の感覚を認識しようとする。親として，子どもたちにスイミング・スクールやピアノのレッスン，または学校の先生たちの感想を聞いたり，夕食のブロッコリーのことを尋ねたりするのは珍しいことではない。そして，アメリカ人の親がもつ共通の心情として，「もしジョニーが，望まないのなら，押しつけるべきではない」という慣用句がある。一般的に，親は，子どもたちのことは子どもたち自身の感覚によって判断すべきだ，と思っているのである。そして実際に子どもたちの感情には，成人した世代の感情に対するのとほぼ同様の価値が与えられている。

心理療法といった心の治療においては，人間の感情に関することが中心となる。心の病をもつ人々に，自らの感覚や感情をもっと認識させ，受け入れさせることが個人心理治療システムの目的とされている。つまり，患者が心の中にしまい込んでしまった感覚や感情を自由に表現できるようにすることに多くの心理治療法は焦点を当てているのである。一方で，グループ治療では，グループ内の他のメンバーとの会話を行なう感覚や，他人の感覚の表現を聞き入れ，受け入れることに重点を置いている。こうしたことは，企業などにおけるワーク・グループにも同様に適用されている。企業や組織の中で，社員や仕事仲間どうしのより良質のコミュニケーション・ラインの確立と，個人間の感情と感覚の認知には，多くの時間と努力が費やされている。

社会的観点から見て，アメリカ社会では，どのように人々の感覚に価値を与え，組織化しているのだろうか。そして，感情はどのようにアメリカ文化によって助成された価値と直接的に関与しているのだろうか。この答えを見い出すためには，米国の主流文化に焦点を移す必要がある。米国において主流をなす文化とは，「朴とつとした個人主義」のことである。この「朴とつとした個人主義」とは，各個人の独自の側面を認知し，価値あるものとして評価することを意味する。感覚と感情の多様性は，この個人主義に由来するのである。すなわち，アメリカ文化では，感情それ自体を高度に個人的かつ独特なものとして認識し，実際に個人を判断する基準として，もっとも重要視するのである。そして子どもたちを，個々の独立した個人とみなし，子どもたちの感覚を価値あるものとして評価するのである。児童心理治療活動において，子どもたちの抱える問題点を直す際に，子どもたちが感情を自分自身で見い出し表現するように手助けすることが心理学者のおもな仕事となる。

アメリカ人心理学者の観点からの感情

米国の科学においても感情の研究は，こうした趣向，あるいは偏向をもつ。初期のアメリカ人心理学者に，感情に関する重要な理論を提唱したウィリアム・ジェームズ (William James) がいる。「心理学の原理」(Principles of Psychology, 1890) の第二巻で，ジェームズは「感情は，われわれの行動の反応を刺激とした結果として生ずる」と記している。たとえば，熊を見れば，われわれは逃げる。そして，逃げたことと，ゼイゼイと息をすること，そしてわれわれの身体に生ずる他の本質的な変化が感情であり，これを恐怖と分類する，とジェームズは説明している。また，同時期に活躍した他の学者，カール・ランゲ (C. Lange, 1887) も感情に関してジェームズと酷似したことばで感情を表現している。この理論を感情のジェームズ・ランゲ説という。

ジェームズ以来，感情に関するさまざまな理論が発表された。たとえば，キャノン (Cannon, 1927) は，ジェームズ・ランゲ説が提唱した自己覚醒は時間がかかりすぎるので，感情経験の変化の原因にはならない，と論じた。そうではなく，キャノンとバード (Bard) が論じたのは，感情の経験は感情の意識経験を作り出す大脳皮質中の脳中枢によ

って得られるのだ，ということであった（バードとマウントキャッスル：Bard & Mountcastle, 1948）。キャノンとバードの説（キャノン・バード説）によると，われわれは，熊を見たときに脳中枢の刺激が反応の引き金となって恐れを感じる。この観点ではわれわれの逃避と息遣いは，恐怖の結果として生じるのであって，恐怖の前兆ではない，ということを示している。

　また，シャクターとシンガー（Schachter, & Singer, 1962）は感情的な経験は，個人の生育環境での解釈のみに依存しているという画期的な感情理論を発表した（シャクター・シンガー説）。シャクター・シンガー説によると，それぞれの感情は生理的に区別されているのではない。そうではなく，「個人がどのように経験している事柄を解釈するのか」が，感情経験を作り出すことにとって重要なのである。そして，感情はそうした状況における覚醒や行動にレッテルをはる役割を担っている。

　このように上述の感情に関する理論は，明らかに異なってはいるが，「アメリカ文化が，こうした科学者たちのアプローチを導いた」という点においては類似している，といっても過言ではないだろう。こうした心理学者たちは，共通して内面的感覚を経験するという感情の主観的経験の重要な役割を示唆している。ジェームズ・ランゲ説，キャノン・バード説，シャクター・シンガー説は，すべて主観的内面的状態（すなわち感情）の本質を説明しようと試みているのである。すべての理論は主観的感覚を感情と見て，どのようにそれが起こるかということを異なる視点から説明しており，ここでは，感情は内省的，個人的，そして私的な事柄であり，各自にとっておのおのの意味をもっている。このように感情の内省的，主観的感覚に焦点を当てているということは，世代や立場にかかわらず，アメリカ人が日常生活において感情をもっとも重要視しているということを意味している。いつも自分の感覚とともに，その表現方法を模索し，そして表現する方法を見つける。そして，他の人が異なる感覚をもつ，ということを認識し受け入れることは，アメリカ文化がアメリカ人の感情を形づけた方法のすべてであり，これは確かにアメリカ人科学者が感情を理解するために探しつづけた方法である，といえるだろう。

　もう1つの主要な感情の理論と研究は，前述したように普遍性研究の中心である感情表現である。この普遍性の進化論もまた主観的，内省的，内面的感覚に中心的な役割を演じている。この理論が感情表現に焦点を当てていることは，何かが「感情」として表現されているということを基本的概念として肯定しているのである。この理論は，感情表現は内面的経験の外部への表示であるとの理由から，内的・主観的経験は重要（おそらく，もっとも重要）な感情の一部である，ととらえているのである。

　このように感情を理解するという方法は感覚的には正しいと思えるが，はたして，これはアメリカ文化にのみみられることであろうか。他の文化でも感情を同じようにとらえるのではないのだろうか。比較文化研究において，何が感情であるかという点で，基本的に異なる文化間で一致している半面で，いくつかの興味深い相違点も実際に存在している。

感情の概念における異なる文化間における類似性と相違性

　人類学や心理学の分野で，多くの研究者がこの重要な問題に取り組んできた。しかしながら，実際には日常生活に対しての多様な社会科学的側面からの感情の重要性や，その認識についての研究報告は数少ない。民族学は人類学から生じ，1つだけの文化に絞って深くメスを入れた学問である。民族学の視点によるアプローチは，異なる文化において「われわれが感情とよぶもの」の概念をどのように定義し，理解しているかの解明に適切であると思われる。また，1991年にラッセルは，多くの感情概念に関する比較文化研究の文献や人類学の文献をレビュー（論評）したが，そこで述べたのは，感情の定義と理解には文化によって多種多様な解釈の仕方があり，ときにはその解釈がまったく異なる，ということであった。ラッセルのレビュー（研究論評）は，この分野の議論の確固とした基礎を築いたのである。

■**感情の概念と定義**　ラッセル（1991）は，「感情」に相当する語句をもたない文化が存在することを指摘した。また，レヴィ（1973, 1983）は，タヒチ人は「感情」という語句をもたない，と報告している。ラッツ（Lutz, 1980, 1983）も，ミクロネシアのイファラック族も同じく「感情」という語句をもたないと報告している。［ラッセル（1991）にも同様の報告がある。］このように，いくつかの文化が「感情」という語句に相当することばをもたないという事実に注目した際，これらの文化における感情の概念は，われわれのものとは異なっているということがわかるのである。おそらく，これらの文化の「感情」は，われわれの文化にとっての「感情」ほど重要ではないのかもしれない。あるいは，われわれが知っている「感情」とは異質な，何か翻訳できない形で，内面的，そして本質的な感覚という他の何かに値するものとして分類されているのかもしれない。こうした人々の感情の概念は，われわれのものとまったく異なっている，と明言してもよいであろう。

　一方で，世界中の多くの文化は，日本語の「感情」，またはアメリカ人が用いる「感情（emotion）」に相当する語句や概念を所有している。ブラントとボーシャー（Brandt & Boucher, 1986）は8つの異なる文化（インドネシア語，日本語，ハングル語，マレー語，スペイン語，シンハラ語を使用する文化）で「憂うつ」の概念を調べた。これらの言語は，「感情」という意味の語句をもっており，文化間での感情の概念の存在を示唆している。しかし，もしある文化が「感情」ということばをもっているとしても，文化によっては異なる意味（第二義的意味）を含んでいる場合もある。たとえば，マツヤマ，ハマ，カワムラ，ミネ（Matsuyama, Hama, Kawamura, & Mine, 1978）は，日本語の中から感情を表現する語句を分析した。日本語の感情を表現する語句の中には，典型的な感情である「怒り」や「悲しみ」などを意味する語句を含んでいる。その一方で，アメリカ人ならば「感情（emotion）」とは考えないような「思いやりのある」とか「幸運な」といったことばもいくつか含んでいる。また，サモア人は「感情（emotion）」に相当することばはもたないが，感覚と衝動の両方を意味することば「ラゴナ」をもつ（ガーバー：Gerber, 1975；ラッセル, 1991）。

要するに，世界のすべての文化が英語の「感情（emotion）」に分類できる語句や概念をもっているわけではないのである。そして，たとえある文化が感情に相当する語句や概念をもっているとしても，日本語の「感情」，または英語の「感情（emotion）」と同じ意味であるとは限らないのである。こうした研究は，表現，感知，感覚，状況などといった事柄の別の種類に属する諸因子が感情に相当していることの可能性を示唆しているのではないのだろうか。つまり，一文化内での範疇における感情は他の文化において，必ずしも同属の因子に起因した同じ種類の現象で表現されるわけではないということではないのだろうか。

■**感情の類別もしくは分類**　　文化によって感情の分類方法も異なる。英単語のいくつか，anger（怒り），joy（喜び），sadness（悲しみ），liking（好み），やloving（愛情を抱いた）は異なる言語や文化でそれに相当することばをもつ。その一方で，他の多くの英単語は他の文化では相当する意味をもつことばは見当たらない。また，他の言語で使用されている感情を表現する単語で，英語には見当たらないものも数多くある。

ドイツ語の「schadenfreude」は他人の不幸から得られる（他人の不幸を笑う）喜びを意味しているが，これにぴったりあてはまる英単語は見当たらない。日本語の「愛しい」「いじらしい」や「甘え」にピッタリとあてはまる英単語も存在しない。一方で，レッフ（Leff, 1973）は，数種のアフリカの言語におけるある単語が，英語の「怒り」と「悲しみ」という2種類の感情の意味を含むと指摘している。また，同じようにラッツ（1980）はイファラック語の「ソン」は，ある時には「怒り」，またある時には「悲しみ」を表わすことばに使われることを示唆した。そして，ある英単語は他の言語には相当するものはない。英語の「horror」「terror」「dread」「apprehension」「timidity」といったことばすべてが，オーストラリアのアボリジニ語（ギジンガリ語）では「グラガジ」と表現される（ハイアット：Hiatt, 1978）。このアボリジニ語の単語は，英語では「恥（shame）」や「恐れ（fear）」の両概念に相当する。また，アラビア語には英語の「フラストレーション（frustration）」に相当する単語は存在しない（ラッセル, 1991）。

ある文化が，他の文化において「特定の意味をもつ単語」に相当する語句をもたないということは，われわれの感じる感情に対応する感情をその文化がもっていないということを意味する，ということではない。アラビア語に英語の「フラストレーション（frustration）」に相当する単語が存在しないということが，アラビア文化の人々がフラストレーションを感じない，ということを意味しないのである。同じように，英語にはドイツ語のschadenfreudeに相当する単語がないからといって，アメリカ人が他人の不幸に喜びを感じない，というわけではないのである。確実に言えることは，主観的，感情的感覚の世界において，人間が感じる感情には重複する可能性が高い，ということである。それは，文化間や言語間において，各文化または言語が翻訳可能な感情状態をもつかどうかには関係しないのである。

言語間そして文化間での正確な意味での翻訳が異なる意味を含んでいたり，異なる感情

状態の分類に差異が生じたりすることも、もちろんある。このギャップは、各文化で独自の感情の世界を分割している様式が異なっている、ということを示唆している。schadenfreudeということばがドイツ文化に存在し使用されているということは、ドイツ語やドイツ文化においてschadenfreudeの感覚状態または状況の独自性が重要性をもつ、ということであろう。一方で、アメリカ文化や英語にはschadenfreudeに相当する単語は見当たらず、その独自性はさほど重要な意味をもたないのである。これは、他の言語にピッタリと意味の合う翻訳が見当たらない英単語にも同じことがいえるだろう。異なる文化圏の人々が感情の世界を特徴づけ、レッテルづけするのに用いることばのタイプが与えてくれるのは、異なる文化がその文化に属する人々の感情の経験をどのように構成し形づけているか、ということを理解するための別の手がかりなのである。感情という概念は文化的に固有であるばかりでなく、おのおのの文化が感情の世界を構築しレッテルをはろうとする試みなのである。

■**感情の位置** アメリカ人にとって、もっとも重要な感情の側面は内面的、主観的な経験であろう。別の表現を用いれば、アメリカ人にとっては、感覚がすべての感情側面のきっかけとなる、ということができる。アメリカ心理学において、個人が内部的感覚や自己分析（introspection:自分の内側を見ること）を重要視するのは、アメリカ文化の影響を受けているためであろう。一方で、ある文化では感情は発生するもの、またはどこかに存在するものであり、実際に感情を見ることが可能なのである。

サモア人（ガーバー，1975）や、ピンチュピ・アボリジニ人（マイヤース：Myers, 1979）、ソロモン諸島の人々（ホワイト：White, 1980）など、オセアニア地域で用いられているいくつかの言語における感情のことばは、人々もしくは人々の間や事柄に関係している。同様に、リースマン（Riesman, 1977）は、アフリカのフラニ族の恥や羞恥の概念である「セムティーンデ」は、感覚よりも状況として用いられている、と示唆した。この場合、もし状況が「セムティーンデ」にあてはまると、人々は個人的にどう感じるかには関係なく、恥を感じるのである（ラッセル，1991）。

アメリカ人は、感情と内部感覚をハート（心臓）に位置づける。これと同じように、感情は身体の中にあると位置づけている文化は数多くあるが、その位置はそれぞれの文化によって異なっていたりする。たとえば、日本人は感情の多くは腹の中にあるとしている。また、マレーのチェウォン族は感情と思想は肝臓にあるとしている（ハウェル：Howell, 1981）。また、レヴィ（1984）の報告によれば、タヒチ人は感情は腸から生じるものと位置づけている。ラッツ（1982）は、イファラック語の英語の感情に相当する語句にもっとも近いものは「ニフェラッシュ」で「われわれの内面」を意味する、と報告している。

文化によって感情を異なる場所に位置づけている、という事実は、異なる文化に住んでいる人々の感情には異なる解釈や意味が存在する、ということを顕示している。感情の重要性が個人にとって独特のものであり、誰とも共有できないものであるという意味で、その位置をハート（心臓）に位置づけることは、アメリカ文化にとって便利であり重要なこ

とである。アメリカ人が感情をハート（心臓）に位置づけることは，感情を生存にとって必要な生物学的にもっとも重要な器官に存在するものである，と特徴づけているからであろう。他の文化が，「他人との社会的関係」など，感情を身体の外に特徴づけ位置づけているという事実は，そうした文化では人間関係が重要である，ということを意味しており，アメリカ文化の個人主義とは対照的である。

■**人々や行動にとっての感情の意味**　われわれが論じてきた「感情の概念と意味の文化的差異」が指摘しているのは，異なる文化では感情経験に異なった意味を帰する，ということである。米国では，感情は個人的意味合いを多大に含んでいる。それは，アメリカ人は典型的に，内面的かつ主観的な感覚を主幹として感情の特性を定義づけるからである。そして，主観によって導き出されたあとの感情のおもな役割は，個人に自らを知らせることである。すなわち，私的，個人的，そして内部的経験である感情によって，われわれは自己定義（われわれが自らを定義し特徴づける手段）を知ることができるのである。

　感情の役割や意味は文化によって異なる。たとえば，多くの文化では感情を人間と環境の間の関係を表わすことばとみなし，環境の中もしくは他人との社会関係の目的とみなす。タヒチ人（レヴィ，1984）とミクロネシアのイファラック族（ラッツ，1982）の双方にとっての感情は，他の人や物理的環境に関連している。日本語において，日本文化の中心的な感情である日本語の「甘え」の概念は2人の人間の内部依存関係である。このように，感情の概念や定義，理解，意味などは文化間で大きく異なるのである。よって，たとえわれわれが人間の基本的な感情の話題で，自分の感覚を他の人に話す時に，聞き手が単純にわれわれ自身のことを期待通りに理解する，とは想定できないのである。また，われわれ自身の限られた推測による感情の知識を基本として，他者が何を感じるか，何を意味するかがわかるなどと，推測することはできないのである。

　アメリカ心理学において，社会構造や社会的意味においての感情についての論文は，数少ない（アヴェリル：Averill, 1980；ケンパー：Kemper, 1978）。この分野の論文は軽視され，主流の学究的な心理学というよりも，主観的感覚状態の自己分析を中心とした観念として受けとめられてきた。しかし，徐々にではあるが，アメリカ人が，文化的多様性に触れ，経験してゆくにつれ，米国の社会科学は社会的文化的観点からの感情に関する思想，思惟，研究に取り組むようになることが予測される。

■**まとめ**　感情の概念や言語は，文化的，言語的に世界中で多くの類似点がある一方で，多くの相違点も同様に存在する。機能心理学的アプローチを取る研究者たちは，この説明において，「ここで指摘したような差異が示しているのは，感情の基本的，本質的な文化間での比較が不可能ということである」と示唆しているが，この意見には個人的には賛同できない。なぜならば，本章のこの節で紹介した研究が示唆しているのは，「その感情の側面が何であれ，科学者たちが調査・研究している文化における感情の概念の評価を集積する必要性」なのである。すなわち，感情の普遍性と文化関連性側面の両方がすべての文化に存在する，と考えられるのではないだろうか。ゆえに，各文化における感情表現の研

究に興味をもつ科学者たちは，どのような文化的類似性と差異が感情概念の類似性や差異に関連しているかを理解するために，自らが研究する文化の感情に関した概念，そして，文化の行動表現を評価することが必要であろう。これと同じことがすべての感情の側面，もしくは諸因子の研究に対してもいえるのである。

総括

　もっとも私的，個人的，そしてほぼまちがいなくもっとも重要な生活の側面の役割をもつ感情は，日常の無機質な出来事を，意味のもったものに変換する。感情は，われわれの好き嫌い，または，ものの善悪を自らに知らせ，また自分が誰であるかということ，そしてどのように周囲の人たちとやってゆくか，ということを教えてくれる。また，感情はわれわれを取り巻く出来事や世界に色彩や意味を添え，日常生活を豊かにする。一方で，感情はわれわれとわれわれの周囲の世界（身のまわりの事柄や人々）を結びつける目に見えない接着剤のような役割を担っている，ともいえよう。感情は，日常生活の中でこのような中心的役割を果たすとともに，目に見えない経験の形成材ともなり，われわれの感情世界を形作っているのである。人間は，顔の表情で感情を表現したり，感知したりする能力や感情を感じる能力などといった生得的な能力をもっている。その上で，文化は人間が何時，何処でどのように表現，感知，感じることができるかというTPO（時・場所・目的）に適応した感情の感知・表現の形成を助成する役割を果たす。また，文化は，感情をまったくの個人的，私的そして独自の経験として理解すべきなのか，または個人間，公衆，他人との共同の経験として解釈すべきかという感情の意味の形成にも影響を与える。

　顔の表情を使った一連の感情表現の普遍性は，おそらく進化順応的かつ生物学的に生得的な要因によるものである。そして，顔の表情による表現の普遍的表情と，その顔の表情を見たときの普遍的認識が世界中のどこにでも存在する。また，感情を誘発する契機の本質的な普遍性と，この契機が評価され感情として作り出されるという方法を本章では学んだ。

　しかし，文化表示規則（cultural display rules）を通じての感情表現と文化デコーディング規則（cultural decoding rules）を通じての感情感知は文化によって異なる。また文化間では，人々はその感情や，そしてとりわけ感情を誘発するきっかけとなる事柄を経験する様式も異なる。いくつかの感情評価の側面と，感情概念や言語もまた文化間において異なっているのである。

　「普遍的感情」と「文化に特有な感情の側面」の共存は，長い間，議論の種となっているが，普遍感情と文化特有的な感情の側面の共存は相互的に排他的でなければならない，という必然性はないと思われる。つまり，普遍性と文化的相対性は，実際には共存しているのである。すなわち，普遍性はわれわれが学んだ規則，社会的慣習，世間での通例などの多くのそしてより複雑な文化特有の感情や感情の意味と相互作用するための土台として

働く一連の基本的な感情のみに限られているのだろう。この普遍性が存在するという純然たる事実と，文化的相違の存在は矛盾したものではないのである。感情の普遍性と文化特有性は，コインの裏と表のような関係にあるが，将来的にはその両面は融合され，文化内または文化間の感情の理論や研究に取り込む必要がある。

そして実際に，潜在的，普遍的，心理学的プロセスの感情の文化構造モデルへの導入は，比較文化心理学研究における次のステップでもある。また，この分野の心理学者は，どのように生物学が文化と相互作用し世界中でみられる個的そして集団的心理学を生じるのに関与しているかという，より大きな課題にも取り組まなければならないだろう。

われわれの普遍的プロセスの認識は，人種，文化，民族，性別といった人類というカテゴリーの中での境界線を超越した心理学的統合を可能にする。また，異なる文化間の人間の感覚と感情の研究を続けることにおいて，どのようにこの境界線が感情を形作るかを認識することも重要だと思われる。すべての人間が感情をもち，その感情は人によって異なる。人は感情をさまざまな方法で経験し，表現し，感知する。異なる文化間の感情について学ぶ際のわれわれの最初の課題は，この差異を認識し敬意を払うことである。そして同様に類似性を認識することも重要なプロセスである。

第6章
文化と言語

　コミュニケーションは，われわれの生活のもっとも重要な側面の1つである。われわれはコミュニケーションにより絆を深め，仕事を成し遂げ，人間関係を築き，目標を達成している。そしてひとつの世代から次の世代への文化の発展，維持そして伝達や，複数の世代にわたる文化目標と文化価値を堅固にするという意味においても，コミュニケーションは重要な役割を果たしている。このようにコミュニケーションは，われわれが文化と文化の行動に対する影響を理解する上で，特別な役割を果たしているのである。

　コミュニケーションを考察するにあたって，まずもっとも際立っているのは言語である。われわれのコミュニケーションに主要な役割を果たすという意味において，ことば・言語は人間独自のものである。英語であれ，あるいはフランス語，ドイツ語，中国語，インドネシア語であれ，言語はコミュニケーションにとってきわめて重要である。人は，使用することばの選択，そのことばの使用方法を非常にたいせつだと考える。言語の習得は，コミュニケーションの成功にもっとも重要な役割を演じている。人は皆，英語なら英語，日本語なら日本語というように，ある特定の言語の習熟の程度に基づいて人を判断する傾向がある。

　もちろん言語だけがコミュニケーションの唯一の形態というわけではない。別の主要なコミュニケーションの方法として，表情，声の調子，姿勢，服装，距離など非言語によるものがあげられよう。非言語行動については，次の「異文化間コミュニケーション」の章で扱い，異文化間コミュニケーションという重要な話題に焦点をあてることにする。

　本章では，文化と言語の密接な関係に注目する。文化は言語の構造や機能に影響を与える。逆に言うと，言語は文化の結果あるいは文化の具現化だと考えられる。言語はわれわれの文化的価値や世界観にも影響を与え，確固としたものにする。このように，文化と言語はお互いにフィードバックを与えあっているのである。文化と言語はこうした循環的な

性格をもつため，言語を理解しなければ文化を十分には理解しえず，文化を理解しなければ言語を十分には理解しえない，と言えるだろう。言語はわれわれの思考と世界観に影響を与えるため，言語に与える文化の影響を理解することは，世界的見地から文化的差異を理解するための重要な意味をもつのである。

　本章では，世界中のすべての言語に適応しうると考えられる言語の構成要素についてまず検討し，発達段階における言語習得の方法に関する現在の考察に検討を加える。その後で，語用論と同様に語彙における言語間の相違も含め，文化による言語の相違について論じる。そしてサピア・ウォーフ仮説として知られている比較文化心理学と人類学における重要な論理を検証する。サピア・ウォーフ仮説は，言語がわれわれの世界観を形成するのに役立ち，文化と言語の関係にとってきわめて重要なものであることを示唆している。これまでの研究で，この仮説の妥当性を支持している研究と，この仮説の妥当性に異議を唱えている研究の両者を再検討する。最後に，バイリンガリズム（二言語併用）の特殊な例を検討し，バイリンガリズムの行動や個性に対する影響と，バイリンガルである個人に対するありがちな誤解のいくつかを解明する。

言語と言語習得の要素

言語の特性

　文化と言語の関係を検討する前に，まず基本的な「言語の様相」を特定しておくことは有益であろう。言語のさまざまな要素を理解することは，言語に影響をおよぼす要素，影響，および文化についての考察をも容易にする。こうした作業は，また，文化と言語の関係を理解するための基盤となるものであり，文化と言語の関係を調査する研究では，言語の特定の要素に注目することが多いのである。本章で明らかになるように，比較文化研究における発見には言語の特定の要素のみにあてはまるものもある。こうした要素を認識すれば，言語におよぼす文化の影響を正確に指摘することが可能になる。

　通常，すべての文化のすべての言語に該当する以下の5項目の重要な特性に従って，言語学者は言語を記述しようとする。

1. 語彙とは，ある言語におけることばをさす。たとえば，「木（tree）」「食べる（eat）」「どのように（how）」および「ゆっくりと（slowly）」は，それぞれの語が英語の語彙の一部である。
2. 構文論（統語論）ならびに文法とは，語の構成をつかさどるシステムと，意味の通じる発話を構成するための語を構成する規則をさす。たとえば，英語では複数を意味するには，多くのことばの最後にsをつけ加えるという文法上の規則がある。たとえば，「cat」は「cats」になる。また英語の構文の規則では，ふつうは

名詞の後ではなく名詞の前に形容詞を置く。例として,「dog small」ではなく「small dog」をあげておく。
3．音韻論とは，ある言語におけることばの音の響き（発音されるか）に関する系統だった規則をさす。たとえば，英語では「new」の発音と「sew」の発音は異なる。
4．意味論とは，ことばの意味をさす。たとえば，「table」は「4脚で平らな水平面をもつ物質」を意味する。
5．語用論とは，与えられた文脈における言語の使用と理解の規則に関する系統だった規則をさす。たとえば，"It is cold." という発話は，「窓を閉めて欲しい」という要求とも，気温についての事実の記述／論述とも解釈しうる。ことばの解釈は社会的および条件的文脈に依存する。

この他にも，言語学者は言語の構造を説明するのに役立つ概念を2つ使用している。音素とは，ある言語における最小，かつもっとも基本的な音の単位のことであり，形態素とは最小，かつもっとも基本的な意味の単位をさすのである。このように，音素は言語の階層構造のもっとも基本部分に位置し，音が意味をもつと複雑性を増し，さらにはことばとなり，複数のことばが句をなし，最終的には文となるのである。

言語の習得

言語の習得は，どの程度まで生得的なものなのか，あるいは学習するものなのか。その答はまったく明確ではない。現在までのところ明らかなのは，言語習得のある側面は学習により，また他の側面は生得的であるということである。われわれはどのように言語を学習するのだろうか。「子どもは，その自然な環境下で耳にする音を模倣することにより，またことばを発する試みを強化されることにより母語を学ぶのだ」という神話が，多数の文化に共通して存在する（スキナー：Skinner, 1957）。現在では，「模倣は，言語の学習におけるストラテジーとしては，さほど重要ではない」と考えられている。実際のところ，子どもは，言語学習のストラテジーにおいては，われわれがこれまで考えてきたよりもはるかに洗練され高度である。

1950年代の研究で現在は有名な研究となっているが，ジーン・バーコ（Jean Berko）（バーコ：Berko, 1958；バーコ-グリーソン：Berko-Gleason, 1989）は，「子どもは自らが聞く音を単に真似るのではなく，仮説を立て，それを検証しているのだ」という仮説を唱え，実証して見せたのである。この「創造と検証」の仮説は，世界中の子どもがその母語を学ぶ普遍的なストラテジーのように思える。バーコ（1958）は，アメリカ人の子どもに空想上の生物の絵を見せた。子どもに，それは1匹の「wug」（この実験を目的としてバーコが作り出した想像上の生物）であるといい，その想像上の生物が2匹描かれている絵を同じ子どもに見せ，何が描かれているのかを尋ねた。「さあ，ここには2匹の＿＿＿！」

という問いに対して，子どもの多くが空欄には「wugs」が入ると答えた。Wugsということばは英語に存在しないし，この子どもが「wugs」ということばをこの実験以前に耳にしたことはない。「wugs」ということばを作り出すのに，この子どもがそれまでの経験のなかにある「wugs」ということばを模倣したのではないことは明らかである。「wugs」と答えるには，子どもが，複数を意味するには通常名詞にsをつけ加えるという英語規則の知識をあらかじめもっていなければならない。

　子どもの文法規則に対する知識が，言語発達における「後退現象」のように見える原因になることがたまにある。我が子が以前は「行く」（go）という動詞の正しい形態を使用していたのに，それまでは使っていなかったようなまちがった形態を使い始めると，多くの親はとてもうろたえる。たとえば，"I went to school."のような文において正しい過去形である「went」を使用していたのに，突然"I goed to school."と言い始めるかもしれない。うろたえた親は，こうした明らかな後退を「学習障害」の1種だと考えるかもしれない。真実は真実以外の何者でもないことがよくある。子どもは英語の文法を学ぶ以前に，単に模倣することで「went」という動詞の形を学習し，その後，子どもの言語的な理解力が発達し，過去時制には動詞の最後にedを加えるという英語の文法規則を学習する。「went」ではなく「goed」を使用するということは，言語的な発達の面でより高度な水準であることを示すのである。というのは，子どもが，自分たちが聞いたことばをただ単に模倣するのではなく文法規則を適用しているからである。子どもが言語的にさらに発達すると，以前に学んだ規則には不規則の過去形である「went」のような例外が存在することを学ぶであろう。文法規則を知りその文法規則を新しい状況で創造的に適用することは，単なる模倣よりさらに高度な認知的に洗練された状態を示すものであり，普遍的な言語学習のストラテジーである。

　文化が異なれば，子どもの言語学習方法に対する文化的信条も異なる。また子どもの言語学習に対する態度も文化により異なる。たとえば，パプアニューギニアのカルリ族は言語形成および会話技術の両方に，綿密に管理された明示的指示が必要であると考える（シーフェリン：Schieffelin, 1981, 1990；シーフェリンとオクス：Schieffelin & Ochs, 1986）。カルリ族は，自分たちが明示的に教えなければ子どもは言語および会話技術を習得しない，と考える。カルリ族はこうした考えに基づき，どのように会話が展開するのかを子どもに教える。

　サモア族の大人は，子どもが初期段階で発することばは意味をもたず，子どもの発言はどのような場合でも大人にとって重要ではない，と一般的に考える。こうした考えのため，サモア族の大人は子どもに正式な言語の訓練を与えることも，大人が直接に子どもと会話を交わすことも一般的にはない。実際，サモア族の子どもは，大人の言語よりも自分より年長のきょうだい姉妹の言語に触れることが多い（オクス：Ochs, 1988；オクスとシーフェリン：Ochs & Schieffelin, 1979, 1983）。

　米国では，子どもの言語学習に関して大人の取る考えと行動の間に，興味深い相違がみ

られる。大人の多くが，子どもは英語を適切に学ぶには子どもの面倒を見る者からの明示的指示が必要だと考えているが，その一方で，実際にはたいていのアメリカ人の親は，子どもの発言の方法（文法，構文）よりもむしろ発言の中味（内容）に注意を払うのである（チョムスキー：Chomsky, 1965, 1967, 1969）。

　言語学習におけるこうした文化的信条や実践における差異には，目をみはるものがある。しかしもっと驚くべきことは，信条や実践がどうであろうと，あらゆる文化において，子どもは大人からの助けを借りて，またはその助けなしに母語をよどみなくすらすらと話すようになることである。この普遍的な結果は，人間が言語を学習するという普遍的かつ生得的な能力を有することを示している。著名な言語学者チョムスキー（1967）によれば，人間は構文，文法，および語用に関する生得的能力をもつ言語獲得のための装置（language acquisition device，略してLAD）を所有している。このLADのおかげで，あらゆる文化においてごくふつうに発達している子どもは，言語を獲得し，苦もなくすらすらとそれを使用することができるようになる。

　チョムスキーの示唆するLADの存在は実証されてはいないが，LADの存在を考慮すべき証拠はある。ピジンとよばれる（英語にその土地で使用されている土着言語を混ぜ合わせた）ことばや，もっと発展した形のクリオール語とよばれる混交言語話者に関する調査で，これが例証可能である。たとえば，ビッカートン（Bickerton, 1981）は，ハワイ大学でピジン語を話す多数の人たちとそうしたピジン語話者がどのようにクレオール語（混交言語）話者になってゆくのかを調査した。互いに関連のないクレオール語のいくつかの言語に見られた言語的な特徴には，言語的発達・発展によりクレオール語となった原型である本来のピジン語には存在しないものが数多く見られた。こうした特徴はどこから発生したのか。ビッカートンは，互いに関連のないクレオール言語話者のこうした特徴的な要素の使用について，考えられうる説明として，「こうした特徴はわれわれのLADの一部として人間にあらかじめ内蔵されたものである」と論じる。チョムスキーの理論を支持する論拠は数多くあるが，その理論に異議を唱える証拠は存在しない。このようにチョムスキーの理論は，ごくふつうに発達を遂げている子どもは，それぞれの環境における差異が大きいにもかかわらず，全員が母語をすらすらとよどみなく習得する，という事実をもっとも的確に説明する理論の1つである。

　異なる文化背景を有する人が，言語の習得に関し異なる意見や態度をもつことは明らかだが，文化による言語学習のプロセスの差異は明らかになっていない。反証が存在しないため，「子どもに言語学習を可能ならしめるのは普遍的なLADである」というチョムスキーの理論は言語習得の説明としては最適だと考えられる。将来，言語学習のプロセスに関する研究によりLADの限界が試されるかもしれない。そして，言語学習に関する態度および意見の文化的差異が特定の文化における学習プロセスに与える影響のいくつかを，発見できる可能性もある。

文化間の言語の相違

文化と言語における語彙

　言語は文化の具現でありその産物と考えられうる。米国の英語，英語のことばとわれわれがどのようにそのことばを使用するかは，米国の文化の反映である。もしわれわれがアメリカ英語の構造や機能を調査すれば，アメリカ文化の重要な側面と同様の多くのものを見い出すことができるだろう。それはどの言語，文化においても同様である。異なる文化の言語とその語彙の結びつきを引用するのもこの関係を観察する方法の1つである。

■**ある言語には存在し他の言語には存在しないことば**　英語よりもエスキモーの言語のほうが雪に関してより多くのことばをもつことは，周知のとおりである。ウォーフ（Whorf, 1956）は，英語では1つのことば「snow」で表わされる雪に，エスキモーの言語では3種類のことばが存在することを初めて指摘した。英語には存在しないことばをもつ文化や言語は，数多く存在する。前章「文化と感情」の章では，その例として，英語には同等のことばが存在しないドイツ語の「Schadenfreude」（他人の不幸を痛快に思う意地悪な喜び）のような感情の状態を表わす多数のことばを考察した。

　英語のあることばを別の言語に翻訳するとき，英語のあることばと，別の言語に翻訳された2つのことばが，まったく同じ意味をもつと思うことがよくある。異なる言語間で一般的に同じ意味をもつことばも多数存在するが，別のニュアンスや意味合いをもつことばも数多く存在する。「breaking」「cutting」「eating」「drinking」のような一般的なことばでさえ，異なる文脈や他の文化においては，まったく異なるニュアンスや意味合いで使用される（スズキ：Suzuki, 1978）。さらに同一言語の同じことばであっても，異なる文化に属する人は異なる連想を抱くかもしれない。自国語のことばとそれを別の言語に翻訳したときのことばの関係では，翻訳されたことばがまったく同一の意味をもつと考えるべきではない。1つのことばがもつすべての意味を考えると，他の言語において，そのことばとまったく同じ意味，ニュアンス，意味合い，および連想をもつことばを探すことはきわめてむずかしいのである。

■**自分と他者を指し示すことば**　アメリカ英語では，一般的に他の者と話す時に自分自身を「I」と「we」の2つのうち1つ，またはその派生語を使用する。話の相手や話題にかかわりなく，われわれはこうしたことばを使用する。大学教授と話す時でも，われわれは自らを指し示すのに「I」を使用している。また友人，家族，近所の人，知人，上司，および部下に向かって話をする時でも，自分自身をさし示すのに「I」を使用する。同様に，英語では一般的に他者や，他のグループをさし示すのに，唯一「you」だけを使用する。両親，上司，友人，恋人，見知らぬ他人，子ども，そして誰と会話するときでも自分以外の人や人々をさし示すのに「you」またはその派生語の中の1つを使用する。

　しかし，話の相手との関係に基づいて他者をさし示すような，もっと洗練されたシステ

ムをもつ言語も世界中には数多く存在する。日本語はそうしたシステムをもつ極端な例の1つである。日本語には英語の「I」,「we」,および「you」に相当する語が存在する。しかし日本語でこうした語を使用することは,英語に比較するときわめて少ない。日本語では自分自身と他者をさし示すことばは全面的に両者の関係に依存する。両者の地位の相違が,自分自身と他者をさす時にふさわしい呼び方を決定する。たとえば,会話の相手よりも高い地位にあるとすると,日本語では,英語で自分自身をさし示すのに使用する「I」よりは,地位や役割を用いて自分自身をさす。日本では,生徒に向かって話をするとき,先生は自らを「先生」とよび,医者も「先生」ということばを使うかもしれない。また親は自分の子どもに向かって話す時,自分自身をさし示すのに「おかあさん」または「おとうさん」を使用する。

　日本語では,自分が会話の相手よりも低い位置にいるとき,「わたし」,「わたくし」「僕」または「おれ」といった「I」に相当するいくつかの代名詞の中から1つだけを使用する。「I」を意味するために使用することばは,性別(女性は,「ぼく」あるいは「おれ」とは通常は言わない),ていねい度および他者に対する親しさの度合いにより決定される。たとえば,自分より高い地位の者と話す場合には,一般的には自分自身をさし示すのに「わたし」を使用する。友人や同僚と話をする時には,男性は通常,自分自身を「ぼく」あるいは「おれ」という。

　同様に,会話の相手が自分より高い地位の者なら,一般的にはその人を役割や肩書きで呼ぶ。自分の教師に向かって話す場合には,たとえそれが第三者との会話ではなくても,教師のことを「先生」とよぶ。上司を呼ぶときは,「課長」や「社長」など,その上司の肩書きを使う。自分よりも高い地位の者と話す時に,英語の「you」のような人称代名詞を使うことは,けっしてない。自分より低い地位のものと会話をする際には,人称代名詞やその人の名前を使う。「I」に相当する人称代名詞と同様,日本語には「あなた」「おまえ」「きみ」などのように,「you」に相当する人称代名詞がいくつかある。ここでもまた会話に参加する者の関係により,それぞれの人称代名詞の適切な使用が決定される。通常は,「おまえ」や「君」は自分よりも低い地位にある者や,とても親しい者および親密な関係の者に対し使用する。日本語の自分と他者の呼称はアメリカ英語と比較するとより複雑である(図6-1を参照のこと)。

　英語と日本語の相違は文化的相違にも反映されており,これは重要なことである。日本文化ではことば,話し方,動作の癖,および行動やその他の側面はコミュニケーションが発生した条件での関係や会話によって規定されなければならない。日本で行動と言語に相違をもたらすもっとも重要な側面は地位とグループ指向である。会話において自分と比較した場合の他者の地位により,あらゆる行動面において違いがおきる。また会話の中の他者が自分と同グループに属するか否かにより,行動様式とことばが異なる。このように,日本語における自分と他者の呼称の適切な選択は,日本文化の重要な側面を反映しているのである。

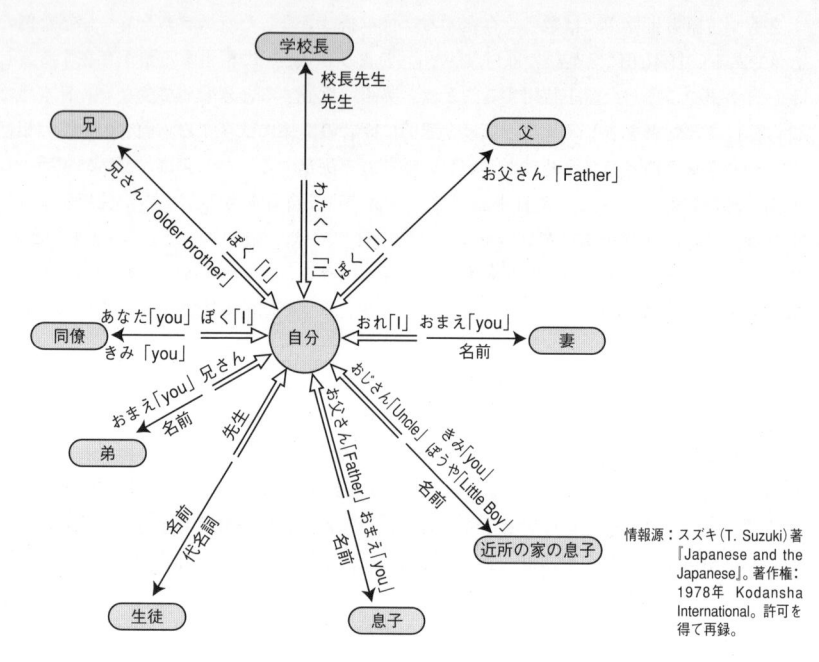

図6-1 自分や概念を表わす日本語

■**数詞（助数詞）** 助数詞は，文化がどのように言語の構造に影響を与えるかを示すまた別のよい例である。たとえば，日本語では数えるものが異なれば，使用する助数詞もまた異なる。円筒形のものには本（1本，2本，3本など），平たい物は枚という助数詞を使用して数える。（1枚，2枚，3枚など）他の言語と同様，日本語にはこうした助数詞が多数存在する。しかし英語ではすべての物は単純に数のみで数えられ，数えるものの種類を表わすような接頭辞あるいは接尾辞は使用しない。

また，他の多くの言語と同様，日本語は1から10までを基本としてあらゆる数を数える。11は文字通り10－1（じゅういち，つまり十の位の後に，一の位が続く）であり，12は10－2（じゅうに），20は2－10（にじゅう）である。しかし英語では1から19まではそれぞれの関連性はなく，日本語の数の数え方に類似するシステムは20から始まる（例：13，thirteenや14，fourteenは，一の位の後に十の位が続くというように，一の位と十の位の関係が逆転しているが，11，elevenや，12，twelveではこうした関係は認められないか，さほど明瞭ではない）。これらの言語学的な差異は米国と日本の数学のテストにおける差異に影響していると考えられている（第4章「文化と発達」を参照。またスティグラーとバレーンズも参照されたい：Stigler & Baranes, 1988）。

文化と語用論(プラグマティクス)

　文化というものは言語の中の語彙だけではなく,「言語がどのように用いられ,また異なった社会状況で言語がどのように理解されているのか」を決定するルールである語用論(プラグマティクス)にも影響をおよぼす。たとえば,カシマとカシマ(Kashima & Kashima, 1998)は71か国で話されている39言語に関して,文化と言語両方のデータを集め検証した。文化的スコアは,ホフスティーデ(Hofstede, 1980, 1983)の「個人主義」「力関係」「不確実回避」「男性性」という4特質と,他に文化関連の15特質という観点から検証されている。言語データは,一人称,二人称代名詞の使用における分析と,会話中でのこういった代名詞省略の許容度における分析を含めた。そして,文化と代名詞語法の関係を検証すべく,この2種のデータにおける相関性が2種類の異なる方法によって分析された。カシマとカシマ(1998)は,日本語やその他のアジアの言語のように代名詞を省略することが許容されている言語をもつ文化では,個人主義の程度が低くなる傾向があることを発見した。そしてそのことは,自己と他者に対する異なる文化的概念化を反映している,とカシマとカシマは解釈したのである。

　言語使用における文化の変化性を論証する多数の研究が,グディクンスト研究グループによっても行なわれた。たとえば,グディクンストとニシダ(Gudykunst & Nishida, 1986)は米国と日本の被験者に,「きょうだい」「雇用者」「他人」などといった30項目の人間関係に関する用語を親密さの度合いに応じてランクづけさせ,また別の研究では人間関係におけるコミュニケーションの6種類のスタイルを「個人化」「同時性」「むずかしさ」の点から評価させた。その結果は,日本人は同僚,大学の研究仲間といったグループ内の人間関係を「親密な関係である」と評価し,その結果はアメリカ人の評価に比べてはるかに高いものであった。また日本人は,人間関係の用語をもっと個人的なもので,同時性の低いものとらえた。その次の研究では,グディンクンスト,ユーン,ニシダ(Gudykunst, Yoon, & Nishida, 1987)は米国,日本,韓国からの参加者に,グループ内,グループ外の人間関係におけるコミュニケーション行動を「個人化」「同時性」「むずかしさ」という3特質から同じように評価させた。その発見によると,グループ内のコミュニケーションに限ってのみ,個人化と協同性のスコアはアメリカ人が最低,韓国人は最高,日本人はその中間という結果になった。集団主義文化では,グループ内の一員とコミュニケーションする際に,個人主義文化よりもはるかに社会的に浸透した公平さの原則が用いられると,グディンクンスト,ユーン,ニシダは示唆している。

　文化による相違は,「謝罪」「子どもの1人語り(ナラティブ)」(ミナミとマケイブ：Minami & McCabe, 1995)「自己開示性」(チェン：Chen, 1995)「お世辞」(バーンランドとアラキ：Barnlund & Araki, 1985)「対人関係の批難」(バーンランドとノムラ：Barnlund & Nomura, 1983)などといった他の多数のコミュニケーション領域でも記録されている。例をあげれば,チェン(Chen, 1995)は,アメリカ人と台湾人の被験者に対象人物4人と,会話の異なる話題6件において,自己開示する基準を作らせた。その結果は,

あらゆる話題や対象人物で，アメリカ人は台湾系中国人よりもかなり高いレベルで自己を開示することがわかった。バーンランドとヨシオカ（Barnlund & Yoshioka, 1990）は，12件の重大な出来事に関連して好まれる「謝罪」のスタイルを検証するため，質的試験研究と計量的，つまり多数の実例を備えた研究を報告した。その報告によると，アメリカ人は間接的で極端にならない形での謝罪を好むのに対し，日本人被験者は直接的で極端な形での謝罪を好んだ。また，アメリカ人は謝罪の形態として説明をつけ加えるのを好む傾向があるのに対し，日本人は償いを好んだのである。

　最近の研究では，こうした文化的相違を解釈するのに，「自己観（self-construal）」「個人レベルでの価値観」そして「人の個性面」といったものがどのように媒介しているかに焦点を当てている。そういった媒介変数を追加することは，状況変数を含む研究のよい例である。キムら（Kim et al., 1996）は，韓国，日本，ハワイ，米国本土からの被験者に，短い場面6件に関連して，「明快さ」「他者の感情への心配り」などといった会話を制約する条件の中で，何が重要かについて5項目を選択させた。被験者は，自己像を「独立したもの」「相互依存したもの」という基準でも測定した。その結果，「文化が自己像に影響をおよぼし，それはまた同様に会話を制約するものに影響を与える」ということが発見された。「自己観」と「個人の価値観」が，状況によって左右されるコミュニケーションのスタイルの成立に影響をおよぼす，とグディクンストら（Gudykunst et al., 1996）は報告している。グディンクンストら（1992）は，「自己監視」および「関係への予期される結果」という2変数が，グループ内，グループ外人間関係でのコミュニケーションのスタイルにおける文化の相違とかかわりがあることも報告している。

要約

　本項で述べた研究結果は，言語の語彙だけでなく言語使用とその機能にも，文化が影響をおよぼすという事実を端的に示唆している。言語の差異は文化の差異に反映し，また文化を確固としたものにもする。たとえば，日本語における自分や他者をさし示すことばの複雑なシステムの使用の結果として，人の思考システムと行動は，長い年月をかけて構築され，やがてはその言語を使用している文化を反映するようになる。言語使用を通じ，個人は文化の行為者となるのである。すなわち，「感情」「連想」「意味合い」「ことばのニュアンス」といったものは文化に影響を与え，また文化によって影響を与えられるのである。時の経過とともに，個人は言語によって文化の本質的な要素を取り込み，言語を使用するうちに文化の言語概念を確固としたものにするのである。こういった文化と言語の関係は日本語，アメリカ英語，そして他のあらゆる言語においてあてはまるのである（図6-2を参照のこと）。

　こうした相互関係が起こる理由というのは，言語が文化を記号化したものであるからである。文化は，ある集団が混乱を回避し，生存を確実なものとしようとその集団世界を組織化するための手段であり，言語はその組織化を代表し，表示する記号システムなのであ

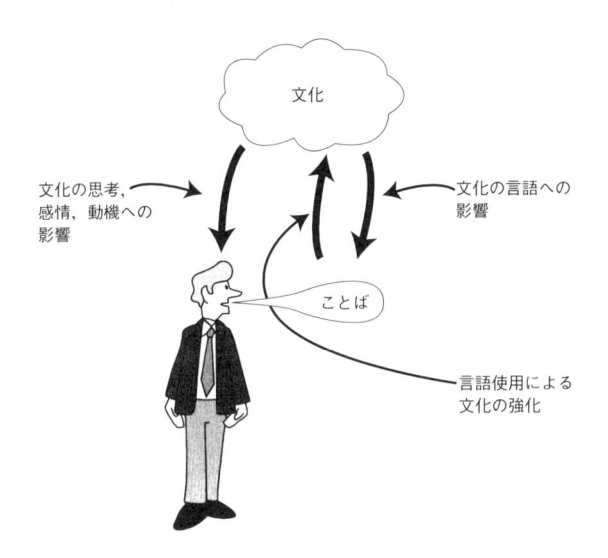

図6-2　文化と言語の相互関係

る。例をあげれば，アメリカ英語での自分と他者を指し示すことばは，アメリカ文化の重要な要素を反映している。アメリカ文化は，一般的に人の社会的地位の相違や，他者がグループ内の人物であるかどうかといった観点にはあまり重点を置かない。アメリカ文化では個人個人を切り離した，1人ひとりが個性豊かで独立した人物だと考える。というのも，アメリカ文化では，状況や社会的地位にかかわらず，個人が重要なものと考えられ，人がいつ，どこで他者とどのようにかかわろうと，人は人であるからである。したがって，アメリカ人は，ほとんどいかなる会話の中でも，自分自身に言及するのに「I」を用い，他者に言及するのに「you」を用いるのである。

　こういった観察によって，異なった文化に属する人々は，自らの世界を異なったように組織化するのだ，ということ，少なくとも，世界を描写するのに用いる言語においては，相違点がみられるのだ，ということが明白になってくる。もちろん，同じ言語を用いる人物2人が，異なる意味をもつ同じ単語を異なったように使う，ということもありうるし，実際そうでもある。1つの文化内での言語の相違が，その文化の中での衝突となることもありうる。しかし，1つの文化内での言語組織や使用における差異は，異文化間の差異よりも小さいものである。

　明らかなのは，異なる文化背景を有する人々が自分たちの言語によって世界を違ったように「薄く切り取っているのだ」ということである。しかし，「そういった相違があまりにあまねくゆきわたっているので，その結果として人々が実際には同じものを違ったようにとらえるのだ」といえるのであろうか。アメリカ人とエスキモー人は実際に雪を違った

ように見たり，考えたり，感じたりするのであろうか。そしてそうした相違は言語の相違に関係するのであろうか。もしくは，アメリカ人，エスキモー人はまったく同じものを見ていても，違ったように分類するのであろうか。こうした問いや，こうしたことに関連した疑問を検証した研究によると，上記のような言語の相違は単に分類上の問題ではなく，本当の世界観における相違を反映しているのだ，ということができる。

● 言語と世界観：言語相対性の例

　言語と行動に関する研究で，もっとも重要で長年におよぶ議論のひとつに，「言語」と「思考のプロセス」の間の関係があげられる。この関係は言語の比較文化研究においてとりわけ重要である。というのも，おのおのの文化には，表現の手段として特定の言語が関連づいているからである。いかにして文化は言語に影響をおよぼすのであろうか。またいかにして言語は文化に影響を与えるのであろうか。

サピア・ウォーフ仮説

　言語相対論ともよばれるサピア・ウォーフ仮説（Sapir-Whorf Hypothesis）は，「異なる言語を話す者は，その言語の相違ゆえに，異なったように思考する」と示唆している。概して，異なる文化は異なる言語を所有しているので，言語機能としての思考と行動における文化間の相違と類似性を理解する上で，サピア・ウォーフ仮説はとりわけ重要である。

　この疑問をさらに検証する前に，この問題が厳密にはどれだけの潜在的影響力を備えているのかを考察する必要がある。もしサピア・ウォーフ仮説が正しいとすれば，言語の性質，構造，機能のゆえに，異なる文化の人々は異なったように思考するのだ，と提示できるわけである。たとえわれわれが同じ出来事を知覚したとしても，思考プロセス，連想，世界に対する解釈の仕方は，話す言語が異なるがゆえに，異なったものとなるかもしれない。そして，この言語というものが，思考プロセスを形成するのに役立つのである。また，この仮説によれば，2つもしくはそれ以上の言語を話す人が異なる言語を話している際に，異なる思考様式を取り入れているのかもしれない，と考えることができる。

　1950年代にエドワード・サピア（Edward Sapir）とベンジャミン・ウォーフ（Benjamin Whorf）が初めてこの仮説を提唱して以来，多くの研究において言語と認知に関する問題の解明が試みられてきた。サピア・ウォーフ仮説を裏づけるかなりの論拠もある一方，その妥当性を疑う論拠もまた存在するのである。

サピア・ウォーフ仮説を支持する初期の研究

　■**物の分類**　初期の言語研究でキャロルとカサグランデ（Caroll & Casagrande, 1958）は，ナバホ語と英語の話者を比較した。そしてナバホ語での形状分類の規則と，そうした

物体を分類する際に，子どもが何に注意を払うのかにおける関係が検証された。本章の最初で述べた日本語の例に類似して，ナバホ語では，文法的に興味深い特徴がある。すなわち，「拾いあげる」「落とす」などのある種の取り扱いを意味する動詞には，どのような種類の物が取り扱われているのかに応じて，特別な言語形式を必要とするのである。全11種のそういった言語形式によって，「球状物」「球状の薄い物」「長く柔軟な物」などと異なる形の物体が描写される。

　キャロルとカサグランデ（1958）は，ナバホ語では上記のような言語的な特徴が英語よりもはるかに複雑であると言及し，そういった言語的な特徴が認知プロセスに影響をおよぼしうる，と提唱した。キャロルとカサグランデは自らの実験で，ナバホ語と英語のどちらかをおもに話す子どもをそれぞれ比較し，物を分類するにあたり，どれくらいの頻度で物質の形状，形，あるいは型を用いるのかを調べた。ナバホ語を主として話す子どもは，英語を主として話す子どもより著しく物質を形状によって分類した。また同じ研究で，低所得層のアフリカ系アメリカ人で英語を話す子どもの成績は，ヨーロッパ系アメリカ人の子どもの成績と類似していた，とキャロルとカサグランデ（1958）は報告した。この発見はとりわけ重要なものであると言える。というのも，ヨーロッパ系アメリカ人の子どもとは異なり，アフリカ系アメリカ人の子どもはブロックやモノポリーのようなボードゲームの玩具に慣れていないからである。

　文化と言語語彙との関係，文化と語用論との関係についての観察に伴い，こうした研究の結果によって，「われわれが話す言語がわれわれの思考に影響をおよぼす」という考えが，初期には支持されたのである。すなわち，言語は，子どもが自分たちの周囲の世界における様相をとらえることを決定づけるのに役立ち，言語は一種の仲介役としての機能を果たしているのである。言語は少なくとも，われわれの思考方法を左右する1つの要素であるように思われる。

■**色彩の言語**　サピア・ウォーフ仮説の正当性を確かめる他の研究として，色彩の知覚を検証する領域があげられる。こうした論点はグリーソン（Gleason, 1961）による以下のような初期の声明に見ることができる。「自然界に存在する色彩の連続的な濃淡は，一連の個別的な分類によって，言語で表わされる。光のスペクトルにも，その連続的なスペクトルの分割を強いる人間の知覚にも，何も生得的のものはない。色を分割する特定の方式は，英語の構造の一部である」。

　言語と色彩知覚の研究は，一般的に「どのように色が分類されるか」また「異なる言語では色がどのように名づけられているか」に焦点を当てている。たとえば，ブラウンとレネバーグ（Brown & Lenneberg, 1954）は色彩の記号化と記憶作業で，色彩が記憶される正確さに否定しがたい関係を発見したのである。ブラウンとレネバーグの研究での，色彩の記号化の定義は「英語話者が与えられた色の名前に対して同意できるか，その色の名前の長さ，色を名づけるのに要した時間」といったものである。ブラウンとレネバーグの研究結果は，サピア・ウォーフ仮説を支持するものとなった。

サピア・ウォーフ仮説に異議を唱える初期研究

　ブラウンとレネバーグ（1954）による研究での，サピア・ウォーフ仮説を裏づける明確な結果を得たにもかかわらず，色彩の知覚における他の初期の研究はサピア・ウォーフ仮説に異議を差しはさむものとなった。バーリンとケイ（Berlin & Kay, 1969）は78種の言語を調査し，普遍的階層から11の基本色の語彙を発見した。英語やドイツ語のような言語では，11の語彙すべてを用い，ニューギニアで話されるダニ語のような言語では，たった2つの語彙しか用いない。さらに，バーリンとケイは言語が普遍的分類を記号化する進化的順序に気づいたのである。たとえば，もし言語に色彩に関する語彙が3つあれば，黒，白，赤を描写するものである。この人間の言語における色彩の名前の階層は下記のようなものである。

1. あらゆる言語には白と黒を表わす語彙がある。
2. 言語に3つの色彩に関する語彙があれば，それらは（白と黒と）赤を表わす語彙である。
3. 言語に4つの色彩に関する語彙があれば，それらは（白と黒と赤と）緑色か黄色のいずれかを表わす語彙である。
4. 言語に5つの色彩に関する語彙があれば，それらは（白と黒と赤と）緑色と黄色の両方を表わす語彙である。
5. 言語に6つの色彩に関する語彙があれば，それらは（白と黒と赤と緑色と黄色と）青色を表わす語彙である。
6. 言語に7つの色彩に関する語彙があれば，それらは（白と黒と赤と緑色と黄色と青色と）茶色を表わす語彙である。
7. 言語に8つ，もしくはそれ以上の色彩に関する語彙があれば，それらは（白と黒と赤と緑色と黄色と青色と茶色と）紫，桃色，橙，灰色，のいずれか，またはこれらの混合色を表わす語彙である。

　先に述べたグリーソンの主張を確かめる試みとして，バーリンとケイ（1969）は20種の言語における色彩に関する語彙の区分を調査する研究を行なった。その研究では，米国の大学に在籍する留学生を対象として自分たちの母国語で基本色をリストにあげるよう依頼した。その後，研究者たちによって特定された基本色語彙のもっとも典型的，あるいは最適な例をずらりと並んだガラスの色片から選び出してもらった。バーリンとケイ（1969）が発見したのは，いかなる言語においても限られた数の基本色を表わす語彙がある，ということであった。また基本色の最適な例として選ばれた色片は，「焦点」とよばれる一群に入る傾向があることも発見した。青みがかった色を表わす語彙がある言語では，その色の最適な例は，他のあらゆる言語の話者にとっての「もっとも青らしい青」（焦点になっている青）であるとわかった。こうした発見が示唆しているのは，言語における根本的相違にもかかわらず，異なる文化に属する人々もまったく同じように色を知覚するのだ，ということであった。このように，サピア・ウォーフ仮説は色彩に関する知覚領域へ適応で

きないので，多くの者がサピア・ウォーフ仮説の妥当性に疑問を持ち始めたのである。

　バーリンとケイの発見は，後にロッシュ（Rosch）が行なった一連の実験によって証明されたのである。ロッシュ（1973）の実験では，焦点がいかに文化的普遍性をもっているのかを調査した。ロッシュは基本色語彙の数が著しく異なる2つの言語を比較した。すなわち，色彩に関して多くの語彙をもつ英語と，色彩に関する語彙がたった2つしかないダニ語を比較したのである。ダニ語は，インドネシア領ニューギニアの高地で今なお石器時代の暮らしをしている部族が話す言語である。色彩に関する語彙の1つである「ミリ（mili）」には，黒，緑，青といった暗色と寒冷色の両方が含まれる。また2つ目の色語彙である「モラ（mola）」には白，赤，黄などの明色，温暖色の両方が含まれる。ロッシュは，言語と記憶の関係も探求した。もしウォーフの論が正しければ，ダニ語において色の語彙が豊富でないことが，ダニ語の話者が色を判別し記憶するのを妨げるのではないか，とロッシュは論じた。ハイダーとオリバー（Heider & Oliver, 1972）は，ダニ語話者が色彩の分類において英語話者と何ら相違なく，混乱することはないことを発見した。ダニ語話者が，記憶作業において英語話者と異なる結果を示すこともなかったのである。

　色彩の知覚に関する調査に基づくサピア・ウォーフ仮説が妥当であるかどうかに関しては，「われわれの色彩に関する知覚が生物学的構造，とりわけ生物学的視覚組織によって大いに決定される」という事実も含めて解釈しなければならない。この視覚組織というのは文化の違いにかかわりなく，人間に共通のものである。デヴァロイらの研究者（De Valois, Abramov, & Jacobs, 1966；De Valois & Jacobs, 1968）はヒトの視覚組織とよく似た視覚組織をもつサルの一種を研究した。その報告によると，われわれは赤と緑，および，青と黄という2色によって刺激される細胞を有しており，いかなる時にも，この細胞は上記2色の組み合わせのどちらかによってのみ刺激される。赤と緑の細胞は赤，もしくは緑のどちらかに反応しうるが，一度に両方に反応することはできない。このことはかなり興味深いことである，というのも，赤と緑を混ぜ合わせることは可能であるが，青緑色のような青と緑の混合色や，紫のような青と赤の混合色を知覚するのと同じようには，赤と緑の混合色を知覚することは不可能だからである。それゆえ，「赤みがかった緑色」というのは，何ら意味をなさないし，また知覚上でも不可能なものである。

　こうした発見によって，われわれがどのように色彩を知覚するかを知る上で，生物学的特質がきわめて重要なものである，と示唆することができる。また言語上で色がどのように呼ばれようが，色知覚の普遍的原則を説明するものであるかもしれない。この場合，色彩の知覚における言語に基づく差異を発見することができれば，それはまったくの驚きとなるであろう。それゆえ，単に色彩に関する知覚への言語の影響が小さいからといって，サピア・ウォーフ仮説を捨て去ることはできないのである。実際には，人間の他の行動領域を調べてみると，サピア・ウォーフ仮説を擁護するに足る数多くの論拠に突き当たることになるのである。

サピア・ウォーフ仮説を支持する最近の研究

　サピア・ウォーフ仮説の正当性を支持し，後に異議を唱えることになった初期の研究以来，他にも数多くの研究が行なわれ，その多くは，サピア・ウォーフ仮説が妥当である，と証明するものとなった。ウォーフ論の影響を受けやすいと思われる人間行動の領域は，因果関係，すなわち，ものごとがいかにして起こるのか，われわれがいかにものごとの起こる理由を説明するのか，という領域である。ニエカワーハワード（Niyekawa-Howard, 1968）は，日本語の文法と「ものごとが起こる原因に対する日本人の認識」を研究した。伝統的に，日本語には間接受動表現という興味深い受動態があり，それには次のような意味が含まれる。文の主語は，主動詞が表わす行為を引き起こされるのであり（例：雨に降られる，赤ん坊に泣かれる），主語の人物はその行為や生じた結果に責任を負いはしない。むろん，この情報は英語でも伝えられはするが，厄介で余分な単語や句を使用しなければならない。日本語の受動態では，この意味（上記の例では「雨に降られて/赤ん坊に泣かれて困った」という意味）は微妙に伝えられる。日本語話者がこの受動態に直面する頻度のため，日本語話者はたとえ結果が肯定的なものであろうがなかろうが，英語話者以上に責任を他者に転嫁するのだ，とニエカワーハワードは考えたのである。

　サピア・ウォーフを支持するさらなる論拠として，ブルーム（Bloom, 1981）の報告は，中国語話者は反事実条件文を用いた仮定的な話に対し，英語話者ほどには仮定的解釈をしないというものであった。どのようにして仮定的意味が伝達されるかという点において，英語と中国語は異なっており，それゆえ言語構造が人の認知プロセスの仲介的役割を果たすのだとする強力な論拠であると，ブルームは研究結果を解釈した。英語では，仮定法の時制が用いられるのに対し，中国語では（英語のように）それぞれの動詞を必ず特徴づけなければならないという意味での仮定法は存在しない。

　しかし，サピア・ウォーフ仮説を支持する他の論には，少なくとも認知上にみられるいく分かの差異は，言語構造によるものである，とするケイとケンプトン（Kay & Kempton, 1984）の発見があげられる。ケイとケンプトンの研究は，英語話者とタラフマラ語話者の思考のプロセスを比較したものである。タラフマラ語は，メキシコのユカタン半島の土着言語であり，青と緑を区別しない言語である。ケイとケンプトンは被験者に言語に関係しない作業を2種類行なわせ，そうした作業はともに，多数の色片から他の色とは「もっとも異なる色」を選択させるものであった。色判別は被験者が色を名づける際に，成功する例がより多かった。これにより，言語上の差異が非言語上の作業に影響をおよぼすことが明らかになったのである。

　他にも多数の調査が，言語相対性を強く支持するものとなった。たとえば，ルーシー（Lucy, 1992）は，アメリカ英語とメキシコ南東ユカテク・マヤの言語を比較し，この2つの言語の差異に関連する特有の思考様式を割り出した。フセイン（Hoosain, 1986, 1991）は，中国語特有の様相が情報処理の容易さにいかに影響をおよぼすかを発表した。ガルロ（Garro, 1986）は，アメリカ英語とメキシコで話されるスペイン語を比較し，言語が色に

対する記憶の保持に影響があると論証した。サンタとベーカー（Santa & Baker, 1975）は，ある形状を視覚再現する際，その質と順序における言語の影響を調べる研究を行ない，サピア・ウォーフ仮説の支持となる論拠を提示した。リンとシュワネンフルーゲル（Lin & Schwaenflugel, 1995）は英語と台湾系中国語を比較し，言語構造はアメリカ人と中国語話者の分類知識の構造に関連していると論証した。まとめてみると，こういった研究はサピア・ウォーフ仮説に多大なる支持を与えるものとなったのである。

サピア・ウォーフ仮説へさらなる異議を唱える研究

これまで見てきたような，サピア・ウォーフ仮説を擁護する多数の強力な論拠にもかかわらず，少数の調査から言語相対性を支持しない結果が再発見されたのである。アウ（Au, 1983, 1984）はブルームのデータ解釈が妥当ではないと異議を唱えたのである。ブルームが用いた話の中国語版と英語版を使用し，ブルームが行なった実験と同じ実験を反復して行なってみることで，発見した研究結果5件を報告したのである。アウの結論は，仮定的解釈の使用はおそらく仮定法の使用，もしくは中国語での事実に反する論法に関連するものではない，というものであった。リュー（Liu, 1985）もブルームと同じ実験を反復して行なってみたが，ブルームが得たような結果は認められなかったのである。

タカノ（Takano, 1989）は，ブルームの研究の概念的および方法論的な問題点を論じ，さらにブルームの得た発見は方法論的な欠点がもたらした人為的な結果である，と述べた。タカノは3件の研究を行ない，ブルームの研究での欠点の性質を調査した。そして言語的差異ではなく，数量的処理における差異によって，ブルームの報告には差異が生じたのだ，と結論づけたのである。

デイヴィス，ソーデン，ジェレット，コーベット（Davies, Sowden, Jerret, & Corbett, 1998）の研究にみられるように，ここ数年のうちに行なわれた他の研究でも，サピア・ウォーフ仮説の正当性を疑う論拠が提示されている。そういった研究はサピア・ウォーフ支持の研究結果には数量的，質的におよばないものの，言語相対性と文化間での正当性において，重要で興味深い問題を投げかけるものである。それゆえ，サピア・ウォーフ仮説の正当性に関しては多大なる議論の余地が残っている。こうした議論が今後におよぼす影響の重要性と派生効果のゆえであることは言うまでもない。サピア・ウォーフが正しいと結論づけるのか，誤りだと結論づけるのか，一貫した論拠を欠き，現在もなお学者の多くが言語と思考の関係に関する新たな論を提起しているのである。

サピア・ウォーフ仮説：結論

おそらく，この分野の研究を理解したいのなら，かなり以前に発表された「言語構造の違いが言語使用者の思考様式に影響を与える」とするサピア・ウォーフ仮説を分析するとよいだろう。サピア・ウォーフ仮説は，あたかも，ただ1つだけの仮説であるかのように思われているが，実際にはさまざまな解釈がある。1960年に，ジョシュア・フィシュマン

(Joshua Fishman) は，仮説の重要な解釈法をわかりやすく分析し発表している（表6-1 を参照のこと）。フィシュマンの説によると，4種類のアプローチは複雑さの度合で配列されている。ふたつの異なる要因が，どのレベルの仮説になるかを決定する。最初の要因は，語彙と文法といった言語に関連しているのである。

表6-1　フィッシュマンによるサピア・ウォーフ仮説図表

言語的特徴に関するデータ	認知的行動に関するデータ	
	言語活動に関するデータ	非言語活動に関するデータ
語彙的／語義的	レベル1＊	レベル2
文法的	レベル3	レベル4＊＊

＊最も簡単
＊＊最も複雑

　もう1つの要因は文化，もしくは意思決定等の非言語行動様式といった話者の認知に関連している。4つのレベルでは，レベル1がいちばん簡単で，レベル4がもっとも複雑である。レベル3と4では，文法と統語論（シンタックス）が語彙と対立している点において，ウォーフの概念にもっとも近い。サピア・ウォーフ仮説を再考してみる際に，どのレベルで検査しているかを念頭に置くことは，非常に重要な意味をもつのである。キャロルとカサグランデは，北米原住民の土着語使用者と英語使用者が，ものをどのように分類しているかを研究した。サピア・ウォーフに関する研究で，フィシュマンのレベル3と4を取り扱った研究は数少ないが，この研究はその一例である。一方，フィシュマンのレベル1の語彙の違いや言語，もしくはレベル2の非言語活動においては多数の研究がなされている。なかでも，レベル2の研究が多く，語彙における相違（lexical difference）と非言語的行動様式とを比較している。このような比較における相違の原因は，言語にあると考えられる。たとえば，ブラウンとレネバーグの色彩に関する1954年の研究を，フィシュマンが使用した用語を使って説明してみると，言語の特徴において，色彩の分類は語彙的，意味的であり，非言語活動は記憶にある，ということになる。

　フィッシュマンの分類によれば，言語間の語彙の違いに対する研究が，もっともよく研究されている分野であり，語彙の研究では，サピア・ウォーフ仮説はあまり強い支持を受けていない。というのも，語彙というのは，思考のプロセスにはさほど関係がないからである。それゆえ，サピア・ウォーフ仮説に対する懐疑が深まるのも，もっともなことではある。しかしながら，それほど研究が盛んではない統語論と文法からなる言語間の相違においては，言語が認知に影響をおよぼすことが説得力をもって証明されている。おそらく，言語システムが，話者の思考のプロセスに実際にどのように影響をおよぼしているかの研究によって，さらに，サピア・ウォーフ仮説は説得力をもって証明されることになるのかもしれない。ジャワ語を例にとってみると，日本語の呼称における言語構造と同様に，インドネシアの言語は，聞き手の社会的地位，年齢，性別により呼称が細分化されている。では，はたして，ジャワ語を話す時には，英語を話す時よりも，社会や地位による違いに

対しての意識が，より厳密になるのだろうか。ハントとアグノリ（Hunt & Agnoli, 1991）は，英語話者と比較して，ジャワ語話者は，ウォーフ説を裏づけることとなる「社会的地位への意識に対して，より明確になる」ということを示唆している。

● バイリンガルにおけることばと行動様式

バイリンガリズムとバイリンガリズムに関するサピア・ウォーフ仮説の見解

　ここまで，人は1つの言語のみを使用するというモノリンガリズム（単一言語論）を想定してきた。事実，もちろんすべての研究がそうだというのではないが，言語と文化の研究のほとんどは，単一言語使用者のみに焦点を当ててきている。しかしながら，話者が2つ以上の言語を使うことができる場合はどうなるであろうか。サピア・ウォーフ仮説に，バイリンガル（2言語併用），マルチリンガル（多言語併用）について，何かしら暗示していることがあったのであろうか。

　2言語併用者の思考，感情，態度が，どちらの言語に依存しているかどうかということは，サピア・ウォーフ仮説の暗示していることであるのかもしれない。メキシコ系アメリカ人，もしくは，スペイン語と英語を併用するメキシコ系アメリカ移住者が，スペイン語を話す時と英語を話す時とでは，違う考え方をするかもしれない。事実，使用している言語によって，考え方，感じ方，行動が変化すると，2言語併用者は多く報告している。この逸話的な事実は，厳密には言語相関論を支持しているのかもしれない。

　あるいは，そうではないのかもしれない。実際，厳密に言うと，2言語併用者が言語によって考え方を変えることは，ウォーフの論点ではないのかもしれない。なぜなら，ウォーフの仮説では，人間の行動様式に変化を与えるものが，たとえば，語彙や文法といった2言語の何らかの様相である，とは必ずしも言及していないからである。言語を学ぶことは，言語を文化という側面から学ぶことであるゆえに，思考の変化が起こるにすぎないのではないだろうか。2言語併用者が言語を学ぶ時も，多くの場合，2つの文化の側面から学ぶのだろう。つまり，人は，おのおのの言語を用い，おのおのの文化独自の観念に接する。こうした理由で，2言語併用者は，2言語を使用した時，考え方に相違を見い出すのだろうが，これは，言語そのものの影響ではないのである。

　ここで，サピア・ウォーフ仮説の支持説と変型支持説との違いを明確にすることにする。支持説の仮説解釈では，言語は概念を変え得るとしている。変型支持説では，言語は概念と関係し得るが，必ずしも言語が概念を変えるわけではない，としている。概念相違の原因は，文化や文化価値観にあるからであろう。文化と文化価値は，言語と概念の中間で可変的な存在であり，概念，感情，行動様式の相違と言語のどちらにも関係がある。

　言語が概念，感情，行動様式に相違をもたらすか否かはさておき，2言語併用の研究は，少なくとも，先述の変型支持説の妥当性を評価するにふさわしいものである。サピア・ウ

ォーフ仮説は，言語が行動様式を変えるとは証明しきれないものの，使用言語の機能によって考え方や行動様式を変えるという事実は，概念的に，少なくとも変型支持説におけるサピア・ウォーフ仮説の裏づけにはなるであろう。いかなる相関関係も因果関係を証明するものではないが，相関関係をまったく無視すべきものでもない。言語は，直接的もしくは文化価値を通し間接的に，その言語を使用する者の概念，行動様式に確実に変化をもたらすのである。

　言語と文化の相関性を理解することへの有用性に関して言及すると，バイリンガルの研究は，方法論的な長所がたぶんにある。言語がわれわれの行動様式，認知，感情に影響をおよぼすか否かを，バイリンガルを被験者とした場合，個人差を考慮する必要がない。なぜなら，同一人物への両方の言語に関する研究だからである。さまざまな単一言語者のグループ（中国語話者，台湾語話者，英語話者）における比較であれば，言語による違いだけでなく，個人レベルにおける違いも生じるであろう。相違がサピア・ウォーフ仮説の裏づけとなる言語の違いによるものなのか，個人差なのかを特定することはできない。しかし，バイリンガル研究は，個人差による相違を除去することが可能である。

　バイリンガル研究の重要な課題のひとつに，比較対象となる言語間の同等性を確立することがある。多くのバイリンガルは，1つの言語を第一言語（または母語）として身につけ，第二言語は第一言語よりやや遅れて身につける。また，バイリンガルの多くは，どちらかの言語において，より堪能であり，流暢である。バイリンガルの研究において，この言語の習熟度の差は比較研究の妨げとなりがちである。なぜなら，言語間における相違が言語相対性によるというよりも，習熟度の違いによるとも考えられるからである。バイリンガルの研究者は被験者の選定に際して，言語の習熟度が同等になるよう注意を払う必要がある。

バイリンガリズムと米国

　過去をふり返ってみても，現在でも，米国は単一言語社会をほぼ維持している。実際，20世紀初頭，2言語以上の知識をもつことは避けるべきだ，とするアメリカ人は多くいた。人のことばの収容許容量は限られており，多すぎる言語を学ぶことは，知性等の機能能力に支障をきたすという概念が一般化していた。しかし，バイリンガルが知性（もしくは他の特性）において劣るという説への証拠は皆無であり，現在では，20世紀初頭の社会通念がまちがっていた事実はあまねく知られているのである。それどころか，2言語以上の知識は思考の柔軟性を増すことがわかっている。

　世界レベルに話を移すと，ほとんどの人がふたつ以上の言語を話すことができる。ほぼアメリカ人はすべてそうであるが，単一言語話者という意味ではアメリカ人は少数派である。つまり，英語は世界中でもっとも広く使用されているが，世界の英語話者の中でもアメリカ人は少数派に属するわけである。こういった事実を自覚すれば，アメリカ人はより多言国語の習得に目を向けるだけでなく，思考の柔軟性，共感性，自民族中心主義といっ

たことにも目を向けるべきだということがわかるだろう。

　米国においては，英語は今もなおよく使われている言語ではあるが，2つ以上の言語を話す人も多く，その数は増え続けている。また，2言語のうち1言語は，母語である場合が多い。米国には大勢の移民がおり，2言語併用者（バイリンガル）の移民は，心理言語学に興味深い問題を提起している。なぜなら，2つの言語は2つの異なる文化システムと関与していることが，しばしば見受けられるからである。前述した通り，バイリンガルの多くは，言語により，考え方や感じ方に違いがあると報告している。使用言語により人格が異なるという見解もある。多言語世界の中で，単一言語国家とみなされている米国ではあるが，民族の多様性と言語使用における傾向の変化により，バイリンガリズムがどのように思考，感情，行動に影響を与えるかという研究の重要性が強調されてきている。

バイリンガルにおける言語相対論の再考

　それではふたつの言語を通して，バイリンガルは2つの文化的に異なる思考様式に通ずる，と仮定することは可能だろうか。仮に，これが可能であるならば，各人格は2言語のどちらかに関与している2つの異なる人格が，1人の人物に存在することが可能だと示唆している，といえるのであろうか。アービン（Ervin, 1964）は，比較文化研究ではおなじみのテストである絵画統画検査（TAT）から抜粋した絵に対する英語とフランス語のバイリンガルの被験者の反応を比較した。被験者は絵を見て，英語でその絵に対する反応を答えた後，同じ絵についてフランス語で答えた。アービンが発見したのは，英語よりも，フランス語において，被験者がより攻撃性，自律性，退避（ひきこもり）傾向を示したことである。こうした研究結果を被験者のフランス文化へのより高い評価によって，多弁となり，性格差を出現した，とアービンは結論づけたのである。

　バイリンガリズムと性格との論点が，どういう意味において米国では重要なのであろうか。中国で中国語を母語として育てられた子どもが，8歳で渡米し，その後，初めて英語を学んだ中国語と英語のバイリンガルを例に取ってみよう。現在，彼女は20歳の大学生で，両親と暮らしている。家では中国語のみを，大学でや友人の大多数とは英語を使う。家で中国語を話す時は，中国文化に即した行動をとり，英語を使う時は，ヨーロッパ的なアメリカの規範に沿った行動をする，とわれわれは予想するであろう。中国語と英語が，実際使用される時においての言語システムに関連して起こる行動様式の差異は，言語的相違と同様に，ウォーフ派の見解で説明が可能であるが，少なくとも，他にふたつの説明でも，言語に関連した性格の切り替わりの原因のしくみを説明することができる。このふたつの説明は，「文化親和仮説（culture affiliation hypothesis）」と「少数派（マイノリティ）グループ親和仮説（minority group affiliation hypothesis）」として知られている。

　「文化親和仮説」とは，単にバイリンガルの移民が，使用している言語に基づいた文化的信条，文化的価値観に自ら加入する傾向を指す。使用言語が変われば，言語に付随している文化価値も変わる。一方，「少数派（マイノリティ）グループ親和仮説」とは，自分

を少数民族の一員としてみなし，自民族の言語を使用する時，ステレオタイプ的な少数派（マイノリティ）文化の典型的な行動を取る傾向を指す。こうしたステレオタイプ的な想定が正しいと仮定すると，文化加入仮説と少数派（マイノリティ）グループ加入仮説は同じ予測が可能である。つまり，第一言語に接する時には，人は先祖代々続いてきた文化様式をとる。先祖代々の文化は文化的なステレオタイプの多くと合致するかもしれない。言語環境の違いで，行動に違いが出たり，性格に違いが出たりすることは予測が可能であるかもしれない。

　ハル（Hull, 1987）ならびにディンゲスとハル（Dinges & Hull, 1992）の研究では，こうした予測の真偽が検証された。違いがみられるなら，そうした違いはバイリンガルの移民にもっとも顕著に出現するだろうというのが，ハルとディンゲスの推論であった。中国語と英語，韓国語と英語のバイリンガルが，カルフォルニア人格目録（CPI）という幅広く使用されている性格テストを受けた。CPIはこの種の研究において，とりわけ優れたテストである。なぜなら，テストはいくつもの言語にも翻訳され，長年にわたり，比較文化研究において使用されているからである。被験者のバイリンガルはCPIを，一度目は母語で，次に英語と2度受けた。主要な論点は，CPIの点数の差として，2つの言語間に，2つの自己もしくは性格が出現するか否かであった。結果として違いは認められたのである。つまり，バイリンガルの被験者は，検査結果において，第一言語（中国語韓国語）か第二言語（英語）に対する反応かによって異なる性格を出現した。さらに，ハル（1990a, 1990b）は，別の性格検査方法で，結果を裏づけたのである。

　また，ある研究結果では，使用言語によって，他者に対する知覚認識が異なることを示唆している。マツモトとアサアール（Matsumoto & Assar, 1992）は，インドで，ヒンズー語と英語のバイリンガルの被験者に感情表現のある40枚の顔写真を表示し，どのような感情なのか，また，その感情の強弱を答えさせた。まず，被験者は，英語で判定し，1週間後，ヒンズー語で同じ写真について判定した。英語での判断は，より正確に感情の種類を見きわめていたが，感情の度合については，ヒンズー語での判断のほうがより強く感知できるという結果となった。つまり，同じ人物が同じ表情に対して下した判断は，判断する際に使用した言語によって異なっていたのである。

バイリンガルに関する誤解

　前述の諸研究は，どのように言語と文化がお互いに織りなす関係にあるかを，また，日々の経験において，ことばがいかに重要であるか論証している。さらに，個人が2つの性格を示すことを精神病とする通念を，一掃するのに役立ったのである。文化による性格の違いは，バイリンガル（2言語併用）とバイカルチュラル（2文化併用）の経験の一端で，自然で健康的なものなのである。

　しかしながら，まだ，他の誤解がある。とりわけ，知性に対しての否定的な印象や通念がある。第二言語を話し，受け答えに時間がかかった時，認知能力が低いように見えるか

らである。しかし，この困難は，外国語処理困難（foreign language processing difficulties）としてよく知られており，こうした困難の理由は，外国語に不慣れであったり，流暢さが足りないことと，外国語での話者のメッセージの意図に対して不確かさと曖昧さを感じることによる，としている。実際，こうした困難は，外国語を学習する際のプロセスの一端であり，第二言語や第三言語を使ってやりとりをする人に対して，否定的な知力や性格とみなす根拠とすべきではない。

また，バイリンガルは言語以外での思考のプロセスで困難さを感じるかもしれない。これは，外国語の影響（foreign langaue effect）（タカノとノダ：Takano & Noda, 1993）とよばれている。母語に比べて上達度の低い外国語を使用している際に，一時的に思考能力が減退することを意味し，外国語での言語処理プロセスのむずかしさよりも副次的な結果として生じる。タカノとノダは，2つの研究で，日本語と英語のバイリンガルにおける外国語の影響の存在を論証した。最初の実験では，日本人とアメリカ人の，日本語と英語のバイリンガルに，第一言語（母語）と第二言語（外国語）の両方の言語で計算問題を答えさせた。英語が第一言語である人も日本語が第一言語である人も，外国語での成績の方がふるわなかった。2回目の研究でも，基本的には同じ方法が用いられたが，思考における作業（タスク）では空間推理タスク，言語タスクでは与えられた文章が正しいかどうかを判断するタスクというように，被験者に課せられたタスクは1回目の研究とは異なっていた。

タカノとノダ（1995）は，2つの付随的研究で母語と外国語の間に差があるほど，外国語の影響は大きくなり，逆に言語間に差が少ないほど影響は少なくなると報告している。タカノとノダが1993年に最初に行なった計算問題での実験を，「ドイツ語を母語とし英語を外国語とする」バイリンガルと，「日本語を母語とし英語を外国語とする」バイリンガルを被験者として実施した。その結果，日本語を第一言語とするバイリンガルの方が，より強い外国語の影響を示した。ノダとタカノは，こうした結果を日本語と英語の言語差が，ドイツ語と英語の言語差より大きいことによると説明している。タカノとノダは，2度目の研究でも最初の研究と同じ実験をくり返したが，被験者には，日本語を外国語とし，韓国語と英語を母語とするバイリンガルを選んだ。

総合して考えてみると，言語的機能（外国語処理困難）と非言語的機能（外国語の影響）における干渉は，バイリンガルにごくふつうに起こることで，予測が可能なものである。こうした類の干渉は，1人の人物にどのような2種類の認知作業が課せられても起こるものである。通常起こる正常な干渉が，バイリンガルへの否定的な印象やバイアス（偏見）となるべきではない。自民族中心主義の概念に駆られたり，また，時にはステレオタイプを無意識に確証しようとする願望のため，われわれは偏見の罠に陥りやすい。しかし，研究結果は，バイリンガルに対する前述のバイアスは根も葉もないものだ，とはっきりと証明しているのである。

結論

　われわれが意思伝達し情報を記憶するのに，言語は主要な手段である。また，言語は，世代から世代へ続くと文化の継承においても主要な手段である。ことばがなければ，われわれが知る文化は存在し得ないであろう。だから比較文化研究者が，とりわけことばに関心があるのも当然なことであろう。

　言語は，おのおのの言語により大きな違いがあり，この違いは，その言語が存する文化が包括する風習と行動様式における重要な相違と関連がある。本書で検討してきたように，文化は，語彙と，言語が社会で実際どのようなルールに基づいて使われているかという語用論（プラグマティクス）と密接な関係にある。サピア・ウォーフ仮説に対する懐疑にもかかわらず，比較文化研究者は，ウォーフ仮説を綿密に検討し，本来の仮説の解釈とは異なる解釈を支持する傾向にある。また，言語は，多言語併用者の性格を予測するという点においても，重要な役割を果たすのである。われわれが言語を学ぶプロセスは，世界中で共通のように思われているが，言語習得においても，われわれの態度や意見は文化により明らかに違いがあるのである。しかし，態度や意見の相違が，どのように言語学習に影響を与えるかは解明されてはいないのである。

　言語研究において，人の言語習得は重要な局面である。なぜなら，言語習得の研究は，人の習性についての幅広いさまざまな論点を解明する一助となるからである。言語習得において，どのプロセスが人類に共通で，どこにおのおのの文化による特色がみられるかを，見きわめることにより，われわれの行動様式が，どこまでが生得的で，どこまでが文化的要因の大きい生まれてから後で習得するものなのかという論議に，より深く取り組むことができるのである。

　また，言語習得の研究は実践的な面においても，重要な役割を果たしている。世界が，各国間のさらなる相互依存で地球単位の集落（global village）という方向に動きだしている中で，異なる文化圏の人々を理解し，コミュニケーション（意思伝達）を円滑に行なうために，2言語以上の知識は必要不可欠な手段となるであろう。また，米国においては，2言語以上の知識は，国際的な相互理解ばかりでなく，自国の多民族，多文化社会を理解する鍵となる，といえよう。現在も多言語は非常に重要視されてはいるが，今後はさらにその傾向は上昇の一途を辿るであろう。

　文化と言語の相関関係を理解することは，異文化間でのコミュニケーションを理解することとなり，よりよいコミュニケーションの一助となるであろう。文化と言語は，互いに織りなす関係にあるため，異文化間コミュニケーションは，おのおの独自の文化（同一文化）内コミュニケーションとは異なるプロセスを辿る。文化と言語の関係における広がりと普及を理解するためには，異文化間コミュニケーションにおける相違に対し，研讃を積

むことが不可欠であろう。外国語運用に際しての困難と本章で論じた「外国語効果」を研究することは，異文化間コミュニケーションへの理解とその取り組みにも役立つこととなるであろう。

　言語，文化，行動様式の特殊な関係を理解することは，とりわけ，アメリカ人学生にとって重要である。周知の通り，アメリカ人は外国語に対して無知である。アメリカ人の自民族中心主義的な概念は，外国の風習やことばを，学習し理解し真価を認めることへの妨げとなり，結果として，外国語に対して無知となるのである。アメリカ人が，世界中でもっとも多くの単一言語話者を占めているという事実，言語が文化と密接に結びついているという事実，多言語使用（マルチリンガリズム）が多文化の真価を認めあうことと関連しているという事実を考え併せると，アメリカ人は人類すべての中でも，とりわけ自民族中心主義である，と言っても過言ではない。英語以外の言語に対して無知であることと，この無知によって不幸にも自民族中心主義が生まれるということは，将来，アメリカ文化が衰退の一途を辿る原因となるかもしれない。日常，このような問題に触れる機会の少ない者は，今こそ「地球」という集落に住む仲間を理解するために，ことばと文化を学び始めるべきであろう。

第7章
異文化間コミュニケーション

　世界が文化的に複雑かつ多元化するにつれ，異文化間コミュニケーションという問題も重要性を増してきた。文化的な障害を乗り越え，互いに意思を通じ合うというわれわれの能力は，単に職場や学校での機能だけではなく，家庭における家族間，または余暇の際の機能にも大きな影響を与えているのである。このように異文化間コミュニケーションの必要性が増大しているにもかかわらず，依存できるものがまったくないため，自らの力で問題を解決しなければならない状態にわれわれは立たされているのである。こういった状況を改善する方法はあるのだろうか。

　異文化間コミュニケーションに関する研究は現在までに数多く行なわれてきた。「文化と言語」の章では，文化が言語行動にどのような影響を与えているのかということについて論じた。また，その他の章では，他者に対する認識や解釈に文化がどのような影響を与えているのかということについて論じた。本章では，コミュニケーションのモデルを構築するという目的で，今までの情報を統合し，その後で，同一文化内コミュニケーションと異文化間コミュニケーションを比較し，後者，すなわち異文化間コミュニケーションのもつユニークな性質について論じる。また，コミュニケーションが失敗に終わる理由と原因，異文化間での順調なコミュニケーションを確実なものにするための対策について論じるつもりである。

　まず初めにコミュニケーションとは何かということを定義し，コミュニケーション・プロセスを構成している要素について説明する。その後で，他の章からの資料を参考にし，コミュニケーションにおける符号化（エンコーディング，encoding）プロセスと符号解読（ディコーディング，decoding）プロセスが文化に与える幅広くて深遠な影響力について検討する。その次に，異文化間コミュニケーションには摩擦や誤解が本来備わっており，避けることは不可能であるという点に注目しながら，同一文化内におけるコミュニケ

ーションと異文化間コミュニケーションを比較する。最後に，感情や摩擦の管理方法，異文化間に存在する感受性の発展に焦点を当てつつ，効果的な異文化間コミュニケーションを築きあげる方策について論ずる。

コミュニケーションの定義

　コミュニケーションおよび異文化間コミュニケーションは現在までに数多く定義されてきた（キムとグディクンスト：Kim & Gudykunst, 1988；サモバーとポーター：Samovar & Porter, 1995を参照のこと）。たとえば，ポーターとサモバー（1997）は，コミュニケーションを「誰かが他者の行動に対応した時に必ず起こること」(p.9) と定義した。また，サモバーとポーター（1995）は，「意思が行動に帰する場合に起こるもの」(p.27) と定義した。本章では，コミュニケーションを「人と人の間で起こる知識，アイデア，考え，概念，感情の交換」として簡潔な定義をすることにする。

　コミュニケーションには，意図的なものと意図的でないものがある。たとえば，コミュニケーションは2人以上の人間が意図的にお互いに意思を伝達しようとする時に起こるものである。会話，手紙，さらに本章でさえもコミュニケーションの1つの方法である。しかし，意図せずにコミュニケーションが起こる場合もある。意図せず，他者に自らのメッセージや意思を伝達している場合がその例である。つまり，意図的なものであろうがなかろうが，コミュニケーションとは，人間が行動によって自らの意志を示すことをいうのである。

　社会心理学や社会コミュニケーションの分野で，「個人間コミュニケーション」という用語は通常，同じ文化的背景を有する人の間で起こるコミュニケーションのことを意味している。そういう点では，「個人間コミュニケーション」と「同一文化内コミュニケーション」は同意語である。その一方で，「異文化間コミュニケーション」とは，異なる文化背景をもつ人と人の間で行なわれる知識，アイデア，考え，概念，感情の交換なのである。

　本書を読み進むとわかるように，異文化間コミュニケーションは特別な問題を抱えている。そういった問題によって，同一文化内コミュニケーションや個人間コミュニケーションと比較すると，異文化間コミュニケーションはより多くの問題を抱えており，かつ困難とされているのである。「異文化間コミュニケーションが抱える特別な問題とは何か」という手がかりをつかむために，われわれはコミュニケーション・プロセスを構成している基本要素をよりいっそう理解する必要がある。

コミュニケーションを構成している要素

コミュニケーションの2つの形態

　コミュニケーション・プロセスを構成している要素はいくつかの方法に分類することができる。1つは，コミュニケーションが起こりえる形態を確認する方法である。人間は「言語的と非言語的」といった2種類の方法を用いて，意志の疎通を図っている。言語形態とは言語を伴うものであり，音素，形態素，語彙，統語論と文法，音韻論，意味論や語用論によって分類される構成要素のユニークな組み合わせであり，こういった構成要素によって，重要なシステムである言語は成り立っているのである。言語は世界を象徴し，また言語によってアイデア，考え，感情のやりとりが可能となるのである。

　非言語的形態とは顔の表情，凝視，アイコンタクト，声の調子といったパラ言語的な合図，他者とのスペース，ジェスチャー，姿勢，沈黙といった非言語的な行為すべてのことをいう。非言語行動は多次元的である。つまり，非言語行動にはコミュニケーションという目的だけではなく，他にも目的が数多く存在するのである。米国内外で行なわれてきた豊富な研究によって，コミュニケーションの際の言語行動に対する非言語行動の相対的な重要性が明らかになってきたのである。

符号化（エンコーディング）と符号解読（ディコーディング）

　コミュニケーション・プロセスの別の見方にエンコーディング（encoding）とディコーディング（decoding）がある。「エンコーディング」とは，メッセージを考え，それを他者に対して送り出すといった方法を，人が意識的あるいは無意識的に選択しているプロセスのことをいう。大人になると，こういったエンコーディングのプロセスについていちいち考えなくてもよいようになる。しかし，申し分のない十分なエンコーディングを行なうためには，子どものころに統語論，文法，語用論や音韻論的な規則をしっかりと学んでおかなければならない。また，非言語によって送られたメッセージを正確に対処する規則も学んでおく必要がある。メッセージや意味をエンコーディングし発信する人を，研究文献では「エンコーダー」または「送信者」とよんでいる。

　「ディコーディング」とは，エンコーダーから何らかのシグナル（合図）を受け，そのシグナルを意味のあるメッセージに訳すといったプロセスのことをいう。「適切な」エンコーディングにとって重要なことは，言語行動や非言語行動の規則をきちんと理解した上で，用いているかどうかということである。また，メッセージが正確に伝達され解釈されているかどうかということも「適切な」ディコーディングにとって重要になってくる。研究文献では，メッセージをディコーディングする人を通常「ディコーダー」または「受信者」とよぶ。

　もちろん，コミュニケーションは一方通行ではない。一方がメッセージをエンコーディ

ングして送信し、もう片一方がそのメッセージをディコーディングするのである。コミュニケーションは、瞬時にくり返されるエンコーディングとディコーディングの複雑なプロセスである。ほとんど同時に起こるために時間が重なり合う場合もある。エンコーディングおよびディコーディング・プロセスとは瞬時のやりとりによる、一進一退のプロセスである。コミュニケーションの研究はけっして容易なものではないが、必ず報われる研究である。コミュニケーション・プロセスの間に、個々人はエンコーダーからディコーダーへ、またディコーダーからエンコーダーへ戻るといったように、刻一刻と役目を交換しあっているのである。

伝達経路，シグナル，メッセージ

　言語行動または非言語行動といった2つの主要な言語形態およびエンコーディングやディコーディングといった２つの主要なプロセスに加えて，他にもコミュニケーションを構成する要素はいろいろある。「シグナル（合図：signal）」とは、コミュニケーションの際に送られる特定の用語および行為のことである。すなわち、メッセージが送られる際にエンコーディングされる特定の言語行動および非言語行動のことである。たとえば、顔の表情は、あるメッセージにエンコーディングされるシグナルの一例である。他にもシグナルには、特定の単語や熟語、姿勢、または声のトーン等がある。

　「メッセージ（message）」とは、意図された意味、あるいはシグナルとともに受信される意味である。メッセージには、知識、アイデア、概念、考え、感情などがあり、エンコーダーが伝え、ディコーダーが解釈するものである。シグナルは、観察可能な行動ではあるが、必ずしも決まった意味をもっているわけではない。メッセージとは、意味であり、行動的なシグナルには伝達したい意味（メッセージ）が込められているのである。

　最後に、「伝達経路（channel）」とは、視覚や聴覚といった特定の知覚方法のことで、この方法を用いて、シグナルが送られたり、メッセージが受け取られたりする。顔の表情、姿勢、ジェスチャーを見るといった「視覚」、およびことばや声のトーンを聞くといった「聴覚」が、もっとも幅広く使われている伝達経路である。しかし、触覚、嗅覚、味覚といった他の感覚もコミュニケーションで使われている。

　コミュニケーション・プロセスとは、送信者がメッセージを一組のシグナルにエンコーディングすることと解釈することができる。エンコーディングされたシグナルは多様な経路を通り伝達される。その後、その伝達されたシグナルは、受信者の中で作動するのである。メッセージを解釈するために、受け取ったシグナルを受信者はディコーディングする。メッセージが解釈されると同時に、ディコーダーはエンコーダーになり、上記と同じプロセスを通して自分のメッセージを相手に伝えるのである。同様にして、最初にエンコーダーであった人がディコーダーになる。役割を変えながら、メッセージをエンコーディングしたりディコーディングしたりするといったこの複雑な転換プロセスが、まさにコミュニケーション・プロセスを構成する重要な要素なのである。

コミュニケーション・プロセスにおける文化の役割

　言語的または非言語的なエンコーディングおよびディコーディング・プロセスに，文化は広くて奥深い影響を与えている。こういった文化の影響については，これまでにも論じてきたが，これからは，今まで論じてきた多数の情報を統合しつつ，何について論じてきたかということを要約することにする。言語的または非言語的なエンコーディングおよびディコーディング・プロセスといったコミュニケーション・プロセスにおける文化の影響に関して，まったく異なるものであるかのようにこれまで論じてきたが，実際のところは，両者ともお互いに影響したりされたりしながら，複雑なシステムの中で相関し合っているのである。

言語的および非言語的行動エンコーディングにおける文化的な影響

　「文化と言語」の章を読むとわかるように，文化は言語に多大な影響を与えている。言語が固有の標識記号となり，それぞれの文化が何を重要としているのかを表現しているのである。限られた言語にしか存在しない単語があるのを，読者の皆さんは思い出すかもしれない（注：第5章「文化と感情」第6章「文化と言語」を参照のこと）。異なる文化や言語では，しばしば自らや他者に対する指示語を異なる用法で使っている。たとえば，役割，立場，地位によって，英語の代名詞，「I」と「you」を異なる単語に置き換えることができるのである。数を数える方式も言語に対する文化の影響の一例である。数えている対象物の性質を特定する「数の単語」が多くの言語には存在するが，言語によっては，数の関係を伝えるための異なった基盤方式をもっているものも存在する。

　語彙だけではなく，言語の機能，あるいは語用論にも文化は影響を与えている。文章から代名詞を省いてもよい言語が存在することが，研究・調査によって明らかになっている。また，グループ内外のコミュニケーション，謝罪，自己の開示，不平，他者の批判といった用途において，文化的な相違が存在することが，また別の調査で明らかになっている。要するに，言語のプラグマティクス（語用論的用法）に対する文化の膨大な影響力の全体像をこういった研究は描いているのである。

　サピア・ウォーフ（Sapir-Whorf）は，文化は人間の思考構造に影響を与えていると主張している。この仮説に異議を唱える調査研究が長年にわたって存在するにもかかわらず，文法的および統語的といった言語の側面が思考に与える影響という点で，この仮説は多くの支持を得ている。バイリンガル（二言語使用）の研究も，文化と言語の間にある緊密な関係を例証している。バイリンガル研究が示唆しているのは，バイリンガルの人がそれぞれの言語を話す際には，頭の中で異なった文化システムにアクセスしているのだ，ということである。

　文化は，非言語行動にも深く影響をおよぼしている。怒り，軽蔑，嫌悪，恐怖，幸福，

悲しみ，驚きは，あらゆる文化に共通するものだと比較文化研究によって明らかになっている。しかし，その一方で，こういった普遍的な表現の使用規則は，文化によって異なることや，またジェスチャー，凝視，視覚的な注目，他者とのスペース，姿勢，声や声の特徴などには文化的相違が多々存在することも，われわれは十分認識しているのである（注：第5章「文化と感情」で扱った「文化表示規則」を参照のこと）。

「文化と言語」の章に示した研究とここで要約した内容は，コミュニケーションの際に，われわれがメッセージをどのようにエンコーディングし，文化がどのような影響を与えているかということを，申し分なく十分に示しているのである。言語を通して言語的にエンコーディングを行なうにしろ，顔の表情，ジェスチャー，姿勢，スペース，あるいは他の非言語的な要因を通して非言語的にエンコーディングを行なうにしろ，文化はエンコーディング・プロセス全体に影響を与えているのである。すなわち，メッセージがどのようにしてシグナルにエンコーディングされ，そのシグナルをいかにしてエンコーダーが正確に送信するかということは，主として文化によって決定されるのである。ディコーダーがシグナルを正確に解読できるかどうかに，正確なコミュニケーションは左右されているのである。言い換えれば，エンコーダーが使用したエンコーディング・プロセスに対して，ディコーダーがその文化に通じているかどうかということが重要になってくるのである。

ディコーディング・プロセスにおける文化的な影響

文化は，ディコーディング・プロセスにいくつかの点で影響をおよぼしている。「文化と感情」の章で論じたように，われわれが子どものころからずっと学んできたのは，感情の認知や解釈に関する文化的なディコーディング規則を用いて言語行動における文化コードや相互作用を解読する規則なのである。ディコーディング規則はエンコーディング規則とともに発達し，コミュニケーション・スキル（技能）の発達におけるごくあたり前の一部なのである。

文化は，また他の方法でもディコーディング・プロセスに影響をおよぼしている。要約という意味で，これまで論じてきた3種類のディコーディングのプロセスをここで再度，見直したいと思う。

■**文化フィルター，自民族中心主義，感情，価値判断**　自らの文化フィルターを通して世界を見る傾向として，自民族中心主義を定義してきた。こういった自民族中心主義的なフィルターは，文化がコミュニケーションに影響している方法の1つである。

成長するにつれて，われわれは言語および非言語行動の両方に敬意を払いつつ，適切な伝達エンコーディングの文化規則を身につけてゆく。幼い時は，こういった規則は常に両親，友人，先生，またその他の「自文化」化（enculturation）を助ける社会化のエージェント（変化させる人，あるいは物といった仲介者）によって確固としたものにされる。例としてスキナー（Skinner, 1957）の言語習得の時の規則強化の論拠を参照されたい。学校システムの下での言語教育にみられるように，文化規則の多くは団体組織や各機関によ

って伝えられ，確固としたものにされてゆくのである。成長するに従い，他者によって，こうした言語規則について気づかされる必要性は少なくなり，意識的な努力を払わなくても，ごく自然に規則を使いこなせるようになる。結果として，われわれは文化固有の言語的および非言語的なコミュニケーションを，必然的に身につけるようになるのである。

　成人した後も，シグナルを理解する方法やメッセージを解釈する方法を学び続けてゆく。つまり，ふさわしいディコーディングに対する文化規則を学んでゆくのである。同一文化内にいる人たちとのコミュニケーションでは，エンコーディングとディコーディング規則の一式を予測できるようになる。こういった規則や予測は暗黙の了解といった基盤を作り上げ，その結果，同一文化内の大人どうしが意思を疎通しあう場合には，規則や予測していることをいちいち口に出す必要はなくなるのである。

　われわれはコミュニケーション・プロセスに対してある特定の予測をしているばかりでなく，こういった予測に関連した感情的な対応も学んでいるのである。こういった対応には，容認や喜びといったものから，激怒，敵意，失望までそれぞれある。感情は価値観と深く結びついているため，通常，深く考えずにわれわれは価値判断を下しがちである。ここで述べている判断は自然なものであり，おのおのが幼いころ，どう育てられたかということに深く根づいているものである。われわれにとって，判断の仕方を学ぶ方法は，唯一この方法しかないのである。自らの感情と価値観によって，われわれは常に自らと他者を評価しているのである。

　すなわち，ディコーディング規則とそれに関連した感情および価値観が，世界を見る際にわれわれが使っている「フィルター」の基礎を形成しているのである。われわれがよりいっそう「自文化」化するにつれて，フィルターはよりいく重にも層を増してゆく。これらのフィルターはレンズのようなもので，このフィルターによって，われわれはある一定の方法で世界を見るようになるのである。成人するころには，同じ文化グループ内の人と同じフィルターを共有するようになる。フィルターは自分の一部となり，目に見えないものであるにもかかわらず，離すことができないものとなる。「自文化」化によって，フィルターはわれわれの心理を構成する要因の一部となってしまうのである。

■**文化とステレオタイプ（固定的概念）**　ステレオタイプ（固定的概念もしくは固定観念）とは，人を一般化すること，とりわけ人の隠れた心理的な特徴や性格の特徴を一般化することである。ステレオタイプは正常な心理作用のプロセスにおいて避けることができないものである。ここで言う心理作用とは，「選択的注意（selective attention）」「価値判断・評価」「概念構成と分類」「帰属性（もしくは属性：attribution）」「感情」「思い出」等を含むものである。ステレオタイプはきわめて貴重なもので，われわれの周囲にある情報を要約する精神的手助けをしているのである。ステレオタイプは，人間関係においても重要な役割を果たしており，コミュニケーションの際にとりわけ重要である。

　ステレオタイプは確固としたものになりがちであり，ステレオタイプによって人は何かを予測するようになる。自らのステレオタイプを裏打ちするような行事には好んで出席し，

自らのステレオタイプに相反するような行事や状況は知らず知らずに無視しているのである。否定的な帰属性は，否定的なステレオタイプを確固としたものにする可能性を秘めている。たとえ自らのステレオタイプに相反する内容だということに気づいたとしても，その時点で「自らのステレオタイプの方が正しいのだ」と自らに言い聞かせてしまうのである。こういったステレオタイプによって，意識的に深く考えたり努力したりせずに，すばやくものごとを棄却するようになり，こういった棄却は感情に応じて行なわれているのである。

「選択的注意（selective attention）」「帰属（もしくは属性：attribution）」や「感情」を含んだこのような心理作用は，すべてわれわれの中に存在する自己概念の一部である。長い年月にわたる「自文化」化（enculturation）の結果として，こういったプロセスがわれわれの文化的知識や自己意識をさらに確固としたものとしているのである。ステレオタイプとは，心理作用の中で欠くことのできない存在であり，感情，価値，自我の核となるものと密接に結びついているものである。

■文化と社会的認知　文化は，われわれが他者の行為をどのように解釈するかに影響をおよぼしている。つまり，文化はわれわれの他者に対する帰属（attribution）に影響を与えているのである。たとえば，アメリカ人は，他者の行動の背後に潜んでいる行動の原因となっている内面的な心理状態や性質を推測しようとする傾向にある。こうした傾向は，「基本的属性錯誤（fundamental attribution error）」として知られている。比較文化研究によってわかったことは，アメリカ文化以外ではこのようなバイアスは存在しないかもしれない，ということである。たとえば，ミラー（Miller, 1984）は，他者の行動に対するアメリカ人とヒンズー系インド人の解釈を比較し，性質による解釈がアメリカ人には一般的であるが，ヒンズー系インド人には，同様の解釈はほとんど見うけられないということを発見した。その代わり，ヒンズー系インド人は動作主の義務や社会的な役割，さらには各状況による特性によって，他者の行動を解釈しているということがわかった。利己的なバイアスや防御的な帰属性といった他の帰属的な傾向も，文化によって異なっているのである。

要約すると，コミュニケーション・プロセスにおいて，文化はシグナルをディコーディングするという大きな役割を演じているのである。その理由には，（1）エンコーディングとディコーディングを支配している文化規則の間にある緊密な関係，（2）自民族中心主義，ステレオタイプ（固定観念）化，社会的認知のそれぞれの進歩に対する文化の影響の2つがある。文化的なディコーディング規則は，われわれの自己概念を集合的に形作っている感情や価値観に深く影響している。一瞬の間にエンコーダーからディコーダーへ，ディコーダーからエンコーダーへとコミュニケーションは入れ替わるため，文化の役割をこのプロセス中に理解するのは，同一文化内コミュニケーションであれ，異文化間コミュニケーションであれ，けっして容易なものではないのである。しかし，同一文化内コミュニケーションと異文化間コミュニケーションといった2種類のコミュニケーション形態を

同一文化内コミュニケーション 対 異文化間コミュニケーション

クロス・カルチュラル（比較文化）研究とインターカルチュラル（異文化）研究の相違点

　多くの場合、「クロス・カルチュラル・コミュニケーション（cross-cultural communication）」という用語は、「インターカルチュラル・コミュニケーション（intercultural communication：異文化間コミュニケーション）」の同意語として使われている。コミュニケーションという背景においては、この2つの用語の間には相違はまったく存在しないといってもよいだろう。しかし「クロス・カルチュラル（cross-cultural：比較文化）」研究と「インターカルチュラル（intercultural：異文化）」研究の間には、重要な相違が存在する。クロス・カルチュラル研究とは、たとえばAとBの文化の相違を感情表現に基づいて比較するといったように、2つもしくはそれ以上の文化を興味のある変数に基づいて、比較する研究なのである。それに対して、インターカルチュラル研究とは、2つの異なる文化にいる人間のコミュニケーションを調査する研究なのである。たとえば、Aという文化圏の人と、それとは異なるBという文化圏の人がいっしょにいるときに、A文化圏の人が自らの感情をどのように表現するのか、また、B文化圏にいる人が自らの感情をどのように表現するのかを調査するといった研究である。

　異文化間コミュニケーションの分野における調査のほとんどは、じつはクロス・カルチュラル（比較文化）研究であり、インターカルチュラル研究ではない。したがって、必ずしもインターカルチュラル的なエピソードに直接、あてはまるデータを生成するわけではないのである。第6章「文化と言語」にあったクロス・カルチュラル（比較文化）研究の多くは、コミュニケーション様式の文化的な相違について扱っており、人は自らとは異なる文化の人間と意思の疎通をどのように図るのか、といったことを論じているわけではないのである。たとえば、アメリカ人と日本人を比較するといったクロス・カルチュラル（比較文化）研究をどれだけ数多く行なったとしても、これらの2つの文化にいる人たちがお互いにコミュニケーションする時に、意思の疎通をどのように図るのかといったことは、クロス・カルチュラル（比較文化）研究でわかるわけではないのである。

　調査をインターカルチュラル的なものにするためには、異文化的なデータを同一文化内で集めたデータと比較しなければならない。この比較によって生じた相違のみが異文化間コミュニケーション、それ自体に起因するものである。たとえば、アメリカ人と日本人の異文化間コミュニケーションを比較するという調査は、アメリカ人が日本人とアメリカ人、また日本人がアメリカ人と日本人、それぞれとどのようにしてコミュニケーションをする

のかということを考察するべきなのである。同一文化内と異文化間コミュニケーションの相違を知ることによって、異文化間コミュニケーションが「どういう点においてユニークなのか」ということを、われわれは初めて理解することができるようになるのである。

同一文化内コミュニケーション

　同一文化内でのコミュニケーションでは、人は同じ規則を暗黙のうちに共有しているのである。容認されている規則の領域内で意思を疎通しあう場合、人は取り交わしているメッセージの内容に集中することができる。同じ文化コードを使って、メッセージをエンコーディングしたりディコーディングしたりするのである。同じ文化領域内で意思を疎通しあう場合には、話し相手は自らと同じ文化の一員であるとか、社会的に適切な行動を取っているといったように、暗黙のうちに判断を下しているのである。自分たちの文化にうまく社会適応している、と相手を見なすかもしれないし、その相手のとったプロセスが「文化的に容認されているプロセスに従っているかどうか」といった価値判断を、それとはなしに下しているかもしれないのである。

　同一文化内コミュニケーション・プロセスの順序は、瞬間的なイラストを用いて図7-1に詳しく述べてある。このパネルの2人の人間は、同じ文化背景を共有しており、同じ規則を用いてメッセージをエンコーディングしたり、ディコーディングしたりしている。パネル1では、Aさんがエンコーダーで、Bさんがディコーダーである。Aさんが伝えたいメッセージの内容は、言語と文化コードを介した非言語行動を経由し、その文化特有のシグナルに「包装」される。パネル2では、文化的に記号化され包装されたシグナルは、多様な伝達経路を通して伝達される。パネル3では、その包装されたシグナルは、ディコーダーであるBさんによって感知され、BさんはそのメッセージをコーダーであるAさんと共有している同じ規則や記号を使った文化的ディコーダーを通して解釈するのである。パネル4では、その包装物が開封され、中にあるメッセージが解釈される。この後、Bさんがエンコーダー、Aさんがディコーダーというように、プロセスは逆方向になる。

　同一文化内の人たちと意思を疎通しあう場合には、エンコーディングやディコーディングの記号や規則をお互い共有しているために、こういったプロセスはうまく作動するのである。エンコーダーである際に、相手に送る記号化した「包装物」というメッセージや、ディコーダーである際に、相手から受け取り、開封する「包装物」というメッセージは、通常同じタイプの包装や箱を共有しているために、双方にとってなじみのあるものなのである。

　同一文化内の時でも、「ふつう」または「社会的に適切」だと考えられている行為から逸脱している人たちとやりとりをする場合には、否定的な反応をすることがしばしばある。相手が送ろうとしているシグナルを解釈するのに困ったりするのは、自らが同じ文化の一員に対して予測している文化的な規則に従って、相手が行動していないからである。そうした予測できないような出来事は不適切だと信じ込んでいるため、どうしてもそういった

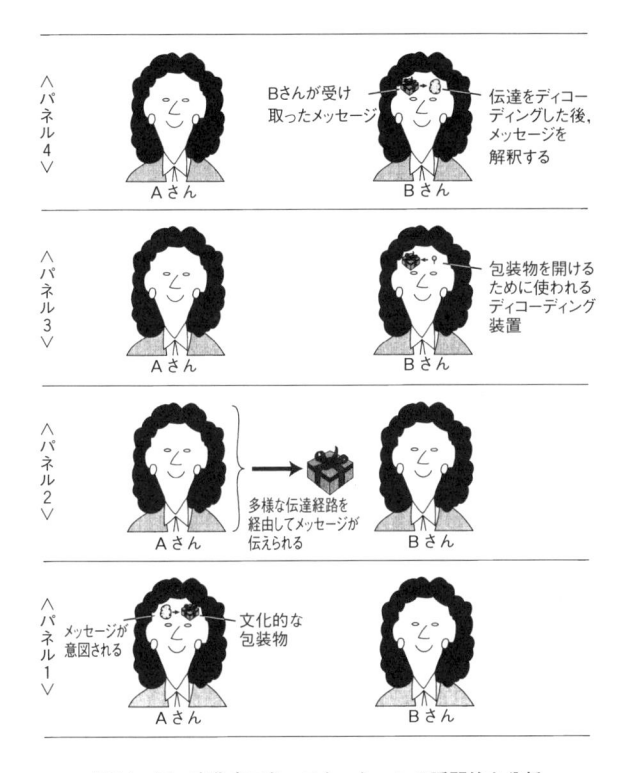

図7-1 同一文化内コミュニケーションの瞬間的な分析

行為をする人に対して否定的反応を示してしまい，「悪い」「バカ」「育ちが悪い」とか「常識がない」といったような否定的な性質の帰属性（もしくは属性）を使ってしまったりするのである。

　同一文化内コミュニケーションにおいても，否定的なステレオタイプ（固定的概念）は容易に育まれる。文化的フィルターや自民族中心主義のせいで，他者の行動を予測するようになるのである。したがって，自らが予測している行動を取らない人と意思の疎通を図ろうとすることは，否定的な帰属性に繋がってしまう恐れが出てくるのである。このような予測できないような出来事はプロセスするのに多大な労力を要し（フォーガス：Forgas, 1994），誘発された感情が影響している場合がほとんどである。結果として，ルール違反者に対してステレオタイプの核となるものを作り上げ，元からもっていた価値観や予測をさらに確固としたものとすることになるのである。こういったプロセスは，同一文化内コミュニケーションの場合でも頻繁に起こりうるものである。

異文化間コミュニケーションのユニークな側面

　異文化間コミュニケーションを瞬間的に詳しく観察してみると（図7-2），同一文化内コミュニケーションと同様のプロセスを数多く見ることができるのがわかる。今回は，AさんとBさんは異なった文化出身だという設定である。パネル１では，Aさんは伝えたいメッセージを自分の文化コードに包装している。パネル２で，その包装された信号を送る。パネル３で，Bさんがその包装された信号を受け取る。その後，パネル４で相違が生じることになる。BさんとAさんの文化コードが異なるため，Bさんはその包装物を開封するのに苦労するのである。結果的に，そのメッセージは不明瞭で，曖昧なものだということになる。

図7-2　異文化間コミュニケーションの瞬間的な分析

　異文化間コミュニケーションは上記のような状況の下で通常起こるため，同一文化内では起こらないよけいな心理的問題が多くかかわってくるのである。次に，異文化研究で注目されている３つの問題である「不確実性」「摩擦」「状況背景」について論じることにする。

■異文化間コミュニケーションと不確実性　　異文化間コミュニケーションは同一文化内コミュニケーションとは異なる性格をもっているが，その1つに，コミュニケーションが起こる際にお互いの人間がもっている規則の不確実性や曖昧さがあげられよう。広範囲にわたる文化的な影響がゆえに，異なる文化背景を有する人のもっている規則が類似しているかどうか，われわれは確信をもてないのである。言語行動や非言語行動におけるエンコーディング，ディコーディングどちらの場合にも，こういった不確実性は必ず備わっている。たとえば，どのようにして相手の意志に従ったシグナルにメッセージを包装するかということや，どのようにして送り手の本来の意志に従って包装物を開封するのかといったことである。

　コミュニケーションに携わっている人間の双方，あるいは少なくとも片方が外国語である言語を使用している場合が，異文化間コミュニケーションでは多くみられる。つまり，言語という面でも不確実性が存在しているのである。さらには，非言語的な伝達経路を使うことによって，文化的な相違はより不確実なものとなる。シグナルやメッセージをエンコーダーの本来の意志に従って解釈しているかどうかということに，ディコーダーは同一文化内コミュニケーションの時ほどには，確信をもつことができないのである。

　グディクンスト（Gudykunst）らは異文化間コミュニケーションの際，それも双方の人間が初めて出会った場合に，双方が不確実性を少なくしようといかに努力しているかという研究結果をまとめた。人に初めて出会った際に抱く最大の関心事の1つは，不確実性を少なくすることやお互いについて予測できるようにすることだ，と示唆したバーガー（Berger, 1979）およびバーガーとカラブレース（Berger & Calabrese, 1975）の研究がグディクンストらの研究の基礎となっている。グディクンストとニシダ（Gudykunst & Nishida, 1984）は，アメリカ人と日本人，各100人を対象に4種類の実験的な状況のうちの1つの状況を与え，文化的類似点（同一文化内コミュニケーション），態度の類似点，文化的相違点（異文化間コミュニケーション），および態度の類似点，文化的類似点と態度の相違点，そして文化的相違点と態度の相違点について実験した。同一文化，異文化にかかわらず，お互いに見知らぬ者どうしの被験者をコミュニケーションさせ，文化的類似点，あるいは相違点を見ようとしたのである。また，見ず知らずの他人を紹介する時に同じ態度，あるいは異なった態度を示すかどうかによって態度の類似点，あるいは相違点を明らかにした。研究者たちは各被験者が自己開示の意志（他者に対してオープンになる意志）があるかどうか，質問する意志があるか，あるいは非言語的な親近感の表現，帰属的自信，人を惹きつける力があるかということ等も評価した。文化的に類似している場合よりも相違がある場合に，質問の意志，自己開示の意志，また非言語的な親近感を示す表現は，より高い確率でみられるという結果が出た。「不確実性縮小理論（uncertainty reduction theory）」は，不確実性のレベルが高くなればなるほど，質問の意志，自己開示の意思といったストラテジーをより頻繁に使用するだろう，と考えている。グディクンスト，ソデタニ，ソノダ（Gudykunst, Sodetani, & Sonoda, 1987）はこういった結果をさ

らに広げつつ,異なった民族集団もさらに加えて,不確実性を減じるために人が取る行動の相違にも,民族間や人間関係における相違は関連している,ということを実証したのである。

より最近の研究では,グディクンストとシャピロ（Gudykunst & Shapiro, 1996）は,ある大学の学生を対象に他の学生とのコミュニケーションにおける各自の体験を記録させた。その調査の一部では303人の学生が,また別の部分では725人の学生が各自の同一文化内および異文化間のコミュニケーション・エピソードについて報告した。各エピソードは7つの分類によって評価された。その結果,コミュニケーションの質と肯定的な期待感,予測感の評価において,異文化間よりも同一文化内エピソードの方が点数が高いということがわかった。しかし,不安,不確実性,社会的なアイデンティティという点においては異文化間エピソードの方が点数が高いということも明らかとなった。同様にして,同一民族内での出会いにおいては,質と満足感という点で点数が高く,また異民族間での出会いの方においては,不安や不確実性という点で点数が高いこともわかった。異文化間コミュニケーションは,同一文化内に比べて,より不確実性の度合いが大きいということを,こういったデータは示唆する結果となったのである。

目標の1つとして,異文化間での初めての出会いにおいて不確実性をできるだけ減少させるということをあげている点では,グディクンストらに,私,マツモトは賛同する。（異文化間での異なったタイプの人間関係における不確実性の影響を立証している調査もある。この調査についてはグディクンスト,ヤングとニシダ：Gudykunst, Yang & Nishida, 1985を参照のこと。）不確実性はメッセージを曖昧にする。したがって,コミュニケーションしている者たちがお互いのシグナルの内容を正しく処理し,メッセージを正しく解釈するのは,不確実性を減らすことなしには不可能なことなのである。もし不確実性を減らすことができたら,相互で交換しているシグナルやメッセージの内容により集中することができるようになる。異文化間コミュニケーションは記号解読言語のようなものである。つまり,最初の段階で記号を解読することで不確実性を減少させ,第二の段階でその解読された記号の内容を解釈し,応対するからである。

■異文化間コミュニケーションと摩擦　　異文化間コミュニケーションの第二の性格とは,摩擦と誤解が不可避であるということである。異文化内で人と出会う場合,人の行動が自らの予測しているものにそぐわない可能性はきわめて大きいわけである。そういった異文化的な行動をわれわれはよく自らの価値観と道徳観に相反するものだと解釈してしまいがちであり,さらには自らの概念を乱す否定的・拒絶的な感情をも引き起こしてしまうことになるのである。異文化間コミュニケーションにおいて,このような摩擦は人との間だけで生じるのではなく,たとえば公共輸送,郵便局,店舗,企業といった文化システム内の他の要因との間にも生じることがある。その結果,相違だけがより目立つようになり,必然的に摩擦や誤解に繋がってしまうのである。

図7-2のイラストは,こういった摩擦がなぜ不可避なものであるのかということを表現し

ている。人は自らの文化内の状況に慣れている。そのため，異文化間コミュニケーションにおいてはシグナルを問題なく送ったり，受け取ったりすることができず，いらだたしさを感じるのである。短気な人は異文化間コミュニケーションを行なっている時，すぐにカッとなったり，容易に困惑したり，また余分な努力に閉口してしまうのである。シグナルをどうにかして解釈できたとしても，その解釈したメッセージが不完全なものであったり，曖昧であったりして，誤解が生じる結果にいたってしまうのである。送り手のもともとの意志に沿ってメッセージが解読されず，後に誤った伝達や問題に繋がる可能性は多いにある。

　もちろん，不確実性もこの摩擦の一因となっている。曖昧なことに対して人は短気になりがちな上，曖昧さを容易に受け入れようとはしないため，結果的に怒り，欲求不満，憤慨に繋がってしまう可能性は大きくなる。不確実性が減少した後でさえも，異文化間の言語・非言語行動の中に存在する相違や文化システム内に本来備わっている感情や価値観のために，摩擦は避けられないものである。その結果として，個々人がもっている意思の解釈に相違が生じることになるのである。（時には同一文化内コミュニケーションにおいても，そういった相違は同様に起こりうるものであるが……。）

■**異文化間コミュニケーションと状況背景**　異文化間コミュニケーションに関するもっとも重要な文化要因のひとつに，状況背景（コンテクスト）がある。本書全体，とりわけ第2章「文化の理解と定義」の章で論じたように，文化がもっている可変性の他の要因には個人主義－集団主義，力関係，不確実性回避，男性度－女性度などがある。ホール（Hall, 1976）が主張した状況背景の要因とは，もともとコミュニケーション・プロセスを基にして，発達してきた文化要因にすぎないのである。

　ハイ・コンテクスト・コミュニケーション（high-context communication）やメッセージというものは，「ほとんどの情報が身体的なものか，人の中に内在化されたものであるが，中には明白なもの，または記号化や伝達されたメッセージの中に存在するものもごくわずかであるが存在する。ロウ・コンテクスト・コミュニケーション（low-context communication）は，まったくその反対であり，情報の大部分がはっきりと記号化されたものである」（p.79）とホール（1976）は述べている。ホールは，ハイ・コンテクスト（HC）とロウ・コンテクスト（LC）といったように，状況背景を連続体としてみなしているのである。この連続体に沿って，各文化集団をさまざまな地点に定めることによって，米国，ドイツ，スカンジナビア，スイスといった文化をロウ・コンテクスト（LC），またアジア文化のほとんどはこうした連続体の中ではハイ・コンテクスト（HC）に属する傾向がある，とホールは主張している。

　ハイ・コンテクスト（HC）文化では，コミュニケーションの際に伝達する情報の多くを身体的背景，地位に基づいた関係，過去の議論，未来の目標といったさまざまな状況背景の要因で包み込んでいる。したがって，考えやメッセージを伝達する際に，明白な話しことばに依存する度合はより少なくなるのである。日本語には「以心伝心」ということばがある。この用語は沈黙，あるいは無言のコミュニケーションに対する日本文化の高い価

値観を反映している。韓国語にも同じようなことば「イ・シム・ジュン・シム」があり，この用語は韓国のコミュニケーションにおける最高形態の1つとしてみなされている。

ロウ・コンテクスト（LC）文化では，考えやメッセージ伝達の際に，明白な話しことばに大きく依存している。というのも，LC文化に属する人たちは，口頭で自らの立場を明確に表現するという能力を重視する傾向にあるからである。こういったスキル（技能）は，HC文化ではあまり重要とされてはいない。話術はLC文化でより高く評価されているのである。ハセガワとグディクンスト（Hasegawa & Gudykunst, 1998）の研究では，日米での沈黙を比較し，明瞭なコミュニケーションと暗黙のコミュニケーション間にある差異を明らかにしている。

コミュニケーションにおける状況背景の相違の例として，ビジネスの合意がある。米国などLC文化では，契約書に署名することによって合意は確定的なものとなるのである。契約書には，明確および率直な態度で，両者に対する条件，制限，義務，責任等が詳細に述べられている。米国のビジネスマンおよびビジネスマンの弁護士たちは，契約獲得，契約書の見直し，契約書が自らの要望を明白に述べているかということを確認するために，時間，努力，エネルギーのほとんどを費やすのである。ところが，そういった契約書によるビジネスは，HC文化では存在しない。HC文化での典型的なビジネスの方法とは，口頭によるおおざっぱな同意である。詳細は，両者がお互い正当なことをするといった暗黙の信頼に委ねられているのである。LC文化の人間がHC文化の同意の仕方を災いの種だとみなす一方で，HC文化の人間はアメリカ人が契約書に気を取られていることを同様に災いを招くものだと見なしているのである。

グディクンストとニシダが1986年に行なった研究では，HC文化とLC文化間のコミュニケーション形式の相違を明らかにしている（グディクンストとニシダ，1986a, 1986b）。この研究では，アメリカ人と日本人の被験者が，6つの異なったタイプの人間関係において，他者との意志疎通をはかる場合における自らのもっている「帰属的な確信性（attributional confidence）」に関してアンケートに回答した。「帰属的な確信性」の定義は，「他者の行動に対して，どの程度まで自らの解釈に確信をもっているのか」ということである。この研究の結果，状況背景と人間関係において，アメリカ人と日本人の間にははっきりとした差異があることが判明した。アメリカ人はクラスメートよりも知人，友人よりも恋人に対してより確信をもつ傾向があるのに対し，日本人は正反対の結果，すなわち，日本人は知人よりもクラスメート，恋人よりも友人に対して確信があるということが明らかになったのである。

このようにして，コンテクスト（状況背景）が異文化間コミュニケーションにおいて考慮すべき重要な要因である，ということがわかったのである。相互作用（インタラクション）をしている人がLC文化，HC文化，どちらの文化から来たのかということが，コミュニケーションをどの程度，明瞭にするべきか，または暗黙であるべきかといったことに影響を与えているのである。

不確実性，摩擦，状況背景はひとまとまりになって，異文化間コミュニケーションを複雑ではあるが魅力的なプロセスにしている。異文化に対して敏感で熟達した人たちにとっても，異文化間コミュニケーションは常に大きな課題となっているのである。では，いったいどのようにすれば異文化間コミュニケーションにおける自らのスキル（技能）を上達させ，異文化間の人間関係をよりよくすることができるのであろう。

効果的な異文化間コミュニケーションに向けて

効果的な異文化間コミュニケーションの障害物

バーナ（Barna, 1997）は，効果的な異文化間コミュニケーションを阻害するおもな障害物を6点，下記のようにまとめている。

1. 類似の想定（assumption of similarities）：異文化間コミュニケーションで誤解が起こる理由の1つは，万人は皆同じだとか，人は皆似ているためコミュニケーションは問題ないものだ，と思いこんでいることにある。確かに，人はだれでも，生物学的または社会的な必要性という点において，基本的に類似するものを多く共有している。しかしながら，コミュニケーションは人間固有の特性であり，文化・社会特性によって形成されているものなのである。じつは，コミュニケーションそれ自体が文化の産物なのである。人類はすべて類似していると強く思いこんでいる文化も中には存在する。つまり，文化によっては，他の文化も自らの文化と似ているという想定の度合がより強い文化もあるのである。したがって，類似の想定それ自体が，文化によって異なってくる存在なのである。

2. 言語の相違（language differences）：あまり流暢ではない言語を用いてコミュニケーションをはかる時，1つの単語，熟語，文章はそれぞれ1つの意味しかもたず，しかも自らが伝達しようとしている意味しかもっていない，というようにわれわれは考えがちである。このように想定するということは，非言語的表現，声のトーン，体の方向やその他多くの行動，または「文化と言語」の章で論じたシグナルやメッセージといった他のコミュニケーションの様式をまったく無視していることになる。本来は複雑なプロセスであるものを，頑迷に1つの意味だけに解釈しようとする限り，コミュニケーションにおける問題は必ず生じることになるのである。

3. 非言語行動における誤った解釈（nonverbal misinterpretations）：どんな文化においても，非言語行動は巨大な量のコミュニケーション・メッセージから成り立っている。したがって，他の文化の非言語行動に精通することは，きわめて困難なことである。非言語行動の解釈に関連する誤解は，摩擦や対立に容易につな

がり，コミュニケーション・プロセスを破壊することになる。

4．先入観と固定的概念（preconceptions and stereotypes）：これまで論じてきたように，人に対するステレオタイプ（固定的概念）や先入観は，ごくあたりまえなものである。こういったステレオタイプや先入観は，われわれの認識やコミュニケーションのあらゆる側面に影響しているため，避けることのできない心理プロセスなのである。ステレオタイプに依存しすぎることによって，他者や他者のコミュニケーションを客観的に見ることができなくなってしまったり，相手が意図しているようにコミュニケーションを解釈する手がかりを捜し出すことができなくなってしまったりするのである。ある特定の事柄にだけ注意を向けるといった選択的注意（selective attention）等のコミュニケーションに否定的な影響を与える心理プロセスのせいで，ステレオタイプはずっと維持され続けてゆくのである。

5．評価する傾向（tendency to evaluate）：文化的価値観は，他者や自分達を取り巻く世界に対するわれわれの帰属性に影響を与えている。価値観が異なる他の人に対して，否定的な評価を生み出すことになり，その評価が効果的な異文化間コミュニケーションへの障壁となってしまうのである。

6．強度の不安／緊張（high anxiety or tension）：よりなじみの深い同一文化内コミュニケーションの場合に比べて，異文化間コミュニケーションには，強い不安を引き起こし，ストレスのたまるものである。異文化間コミュニケーションであろうが，受験やスポーツの試合といった他の生活活動であろうが，適度の不安や緊張は最良の成果のために必要なものである。しかしながら，強度の不安やストレスは思考プロセスや行動の機能失調に繋がる可能性が出てくる。ストレスと不安によって，他の障害が強化されたり，独断的で柔軟性のない解釈にしがみついたりする。そればかりでなく，反対意見が客観的な論拠をもっているにもかかわらず，自らのステレオタイプにしがみついたまま，反対意見をもっている人に対して否定的な評価を下すようになってしまうのである。要するに，強度の不安やストレスは，異文化間コミュニケーションにとって，けっして効果的な存在ではないのである。

では，上記のような6つの障害をどのようにすれば克服し，効果的な異文化間コミュニケーションを行なうことができるようになるのであろうか。異文化間コミュニケーション能力（intercultural communication competence）という名の下で，過去10年いや20年，かなりの研究がこの課題に注目してきた。

異文化間コミュニケーション能力

異文化間コミュニケーション能力（intercultural communication competence，略して

ICC）とは，異なる文化的状況下で効果的に意志を疎通できる能力のことをいう。近年になって，ICCのさまざまな要因に関する調査が，ますます増加してきた。

■ICCのモデル　表7-1はスピッツバーグ（Spitzberg, 1997）の研究を再検討し，ICCの要因を記したリストである。スピッツバーグ（1997）はICCの要因を以下に示す3つの構成要素（あるいは3つのさまざまな分析レベル）に統合したモデルを示唆した。その3つの構成要素とは，（1）個人的なシステム－異文化間コミュニケーションを円滑に運ぶ人の特性（2）挿話的なシステム－コミュニケーションを行なっている人間のお互いの能力を養う特性（3）人間関係のシステム－人間のもっているICCのスキル（技能）をさまざまな状態や状況に一般化させる特性，である。

表7-1　実験により判明した異文化能力の要素

異文化に適応する能力	率直さ
異なった社会体系に対応する能力	教師としての一般的能力（タスク）
心理的なストレスに対応する能力	無能
新しい人間関係を築く能力	将来への方向づけの知的な処理能力
コミュニケーションを促進させる能力	相互関係への関与
他人を理解する能力	対人関係における柔軟性
順応性	対人関係における調和
仲介（内部的な地位や有効性／楽観主義）	対人関係に対する興味
文化的な相違の認知	人間関係における敏感度／成熟度
自我と文化の認知	管理能力
注意深さ	非自民族中心主義
カリスマ性	非言語的な行動
コミュニケーションに対する気遣い	意見による統率力
コミュニケーション能力	個人的／家族的適応性
	頑固さ（課題に対する粘り強さ）
コミュニケーションの有効性	課題達成
コミュニケーション機能	「ソフトウェア」の移動
責任管理	自己のアイデンティティ探求
会話管理行動	自信／主導権
協調性	自意識
文化的な共感	自己開示
文化的な相互作用	自主的な慣習性
要望（長期的な目標の方向づけ）	社会的適応
従属的な不安	配偶者／家族間コミュニケーション
区別	性格的な長所
共感／有効性	言語活動
人間関係に対する精通度	

情報源：スピッツバーグ（Spitzberg, 1997）から著者の許可を得て再録。

　グディクンスト（1993）はスピッツバーグの発表した構成要素に関連してはいるが，少し異なった3つのおもな構成要因－（1）動機的要因（2）知識的要因（3）スキル（技能）的要因を発表した。動機的要因とは，「コミュニケーションを行なっている人たちの

必要性」「お互いのもっている魅力」「社会的結合」「自己像」「新しい情報に対する寛大さ」等である。知識的要因とは，「期待」「共有ネットワーク」「多様に物を見ることができる知識」「異なった解釈ができる知識」「類似と相違の知識」などである。スキル的要因とは，「共感する能力」「曖昧さを容認する能力」「コミュニケーションに適応する能力」「新しい分類を作ることのできる能力」「行動を受け入れることのできる能力」「適切な情報を収集する能力」などである。これらの3種類の要因は，（1）ある状況における不確実性の量と（2）コミュニケーションで人が実際に感じる不安やストレスの程度，という2つの構成要素に影響を与えているのだ，とグディクンスト（1993）は主張する。コミュニケーションを行なっている人たちのコミュニケーションに対する「注意深さ」の程度に，これら2つの構成要素は影響をおよぼしているのである。ちなみに，「注意深さ」の程度とは，人が自らや他者の行動について理性的になり熟慮することのできる程度，またコミュニケーションが展開してゆくにしたがって，適切にやり取りし，解釈することができるといった程度のことである。このモデルによると，高度な注意深さが不確実性や不安を相殺し，効果的なコミュニケーションという結果を招くことになるのである。

　他にも多くの研究が，前述したICCの特性やICCがもつ他の特性を示唆している。たとえば，チェン（Chen, 1990）は，「自己概念」「自己開示」「自己監視」「社会的弛緩」「伝達スキル（技能）」「行動的柔軟性」「相互作用管理能力」「相互作用的関与」「社会的技能（ソーシャル・スキル）」「適応能力」「文化的認識」等における個々の特性にICCが関連している，と主張している。ハマー，ニシダ，ワイズマン（Hammer, Nishida, & Wiseman, 1996）は，アメリカ人と日本人がコミュニケーションする際のアメリカ人のICCについて研究し，（1）日本の状況と日本人の規制された行動に対する理解（2）一般的な日本文化に対する理解（3）日本文化に対する影響，といった3つのICC要因を強調した。ワイズマン，ハマー，ニシダ（Wiseman, Hammer, & Nishida, 1989）の関連研究では，他の文化，自民族中心主義，社会的距離，また他の文化の知識に対する肯定的／否定的な態度はこういった3タイプの構成概念の異なった段階に当てはめることができる，と主張している。最後になるが，マーティンとハマー（Martin & Hammer, 1989）が行なったアメリカ人学生の仮想状況のもとでの相互作用（インタラクション）の研究では，アメリカ人，不特定の外国人学生，日本人学生，ドイツ人学生との関係に対するアメリカ人大学生の回答を調査し，「コミュニケーション機能」「非言語」「状況」「会話管理」といった4種類の要因およびスキル（技能）があることを発見した。

　効果的な異文化間コミュニケーションにおいて知識とスキルは不可欠である，と一般的な研究書では述べているが，それだけでは十分とは言えない。人の考えと解釈に知識とスキルを合わせたもの，プラス開放性と柔軟性をつけ加えること，また意志の疎通を効果的に図り，よりよい人間関係を築きあげるという動機をもつことも効果的な異文化間コミュニケーションにとっては必要なのである。

■外国人学生対象の異文化間コミュニケーション能力（ICC）研究　　外国人学生を対象

とする異文化間コミュニケーション能力（ICC）はかなり広範囲で研究されている。米国を訪れる外国人学生の数は過去20年間で劇的に増加し，これからもさらに増えることが見込まれている。また，移民の増加でアメリカ人二世，三世の数も増加しつつある。こういった学生は自分たちの両親や祖父母と同様に，祖先の文化的価値観や行動の数多くを維持し続けているのである。現在，異文化間コミュニケーションに従事していると考えられている大学生の大部分は，こういった外国人学生で占められている。

　異文化間コミュニケーション能力（ICC）に関連しているさまざまな要因は，外国人交換留学生が異なった文化に適応するために重要なものであるということが，研究によって明らかにされた。たとえば，ジマーマン（Zimmerman, 1995）は，101人の外国人大学生のキャンパスとコミュニティにおけるコミュニケーションの経験を調査した。その結果，異文化間コミュニケーション能力（ICC）の情緒的および行動的次元（ディメンション：dimension）は，学生が自らのコミュニケーション・スキルに満足しているかどうかに関連している，ということを発見した。しかし，コミュニケーション能力とアメリカ生活に適応するためにもっとも重要な予測変数は，「アメリカ人学生と話すことだ」ということを，ジマーマンは発見したのである。これで，米国にどれだけ長く住んでいるかとか，またどれだけ長く大学に通ったかということは，外国人学生の適応性やコミュニケーションに対する学生の満足感には関係がない，ということが判明したのである。

　異文化への適応に関してわれわれがもっている知識という観点から見れば，こういったジマーマンの発見は道理にかなったものである。ベーリー，キム，ボスキー（Berry, Kim, & Boski, 1988）は，新しい文化に適応しようとする際にみられる典型的な行動タイプを，以下のように4種類に分類した：（1）自分だけの小さい自国文化コミュニティを作る，（2）自国文化は事実上，除外して滞在国の文化メンバーだけとつきあう，（3）滞在国，自国文化，どちらの文化ともうまくつきあわず溶け込もうともしない，（4）自国文化との関係を維持しつつも，滞在国の文化にできる限り溶け込もうとする。滞在国の文化に接する機会が少ないために，外国人訪問者は自分だけの小さな世界を構築することになるのであり，米国にどれだけ滞在したかといったことや，どれだけ学校に通っていたかといったことは，異文化間コミュニケーション能力（ICC）の発達にはほとんど影響しないのである。

　また異文化間コミュニケーション能力（ICC）は，外国人学生にとってストレス対処法という点でも重要になってくる。レッドモンドとブンイー（Redmond & Bunyi, 1993）は，631人の外国人留学生を対象に異文化間コミュニケーション能力（ICC）とストレスのレベルを調査した。レッドモンドらは，異文化間コミュニケーション能力（ICC）を「コミュニケーションの有効性」「適応性」「社会的統合」「言語能力」「滞在国文化に対する知識」「脱中心化」と定義した。適応性と社会的脱中心化が，ストレスの量をもっともうまく予測するものであり，またコミュニケーションの有効性，適応性，社会的統合は，ストレスを対処する上での有効性をもっともうまく予測するものであることが，結論としてわかった。

コミュニケーションにおける文化的多様性の肯定的な影響を立証している研究が，少なくとも1つは存在する。それはカレル（Carrell, 1997）の研究である。異文化間コミュニケーション能力（ICC）の中心的な構成要素である「共感（empathy）」について，カレルはコミュニケーションの授業や文化に関連した授業に参加した学生237人を対象に実験を行なった。異文化間コミュニケーションに関する授業を終了した学生および多様性の影響を受けた異文化間コミュニケーションの教育を受けた学生は特性，態度，行動において著しい共感を身につけたことが，結果として判明している。
　つまり，こうしたカレルの調査が示唆しているのは，異文化間コミュニケーション能力（ICC）が，米国にいる外国人交換留学生にとって異なった文化に適応してゆく際にたいせつなものであること，また大学のカリキュラムに関連分野の授業を取り入れることが必須であるということである。また，今までに実施してきた調査のほとんどは，外国人学生すべてに幅広く対応できる普遍的な概念としての異文化間コミュニケーション能力（ICC）を研究してきた。しかし，今後の調査では，異なった異文化間コミュニケーション能力（ICC）の構成要素は文化の異なる人たちにとっても重要であるという可能性を調査するべきである。実際，レッドモンドとブンイー（1993）のストレスに関する調査では，米国と伝統的文化を共有している文化出身の留学生のストレスはもっとも少なく，またもっともコミュニケーション能力に優れていることが判明したのである。機能的には，世界は日々縮小しつつある。したがって，今までよりももっと幅広い相違に取り組むことが必要となってきている。また，これからの研究では，アメリカ人学生の外国や他文化における異文化間コミュニケーション能力（ICC）と異文化への適応について調査する必要性もある。

異文化感受性

　学生が異文化間コミュニケーション能力（ICC）を増加させるにつれて，そういった学生がよりグローバル（世界的）になり，文化的に相対的になるのはごく当然なことである。コミュニケーションは，文化相対主義における主要な要素ではあるが，異文化能力（IC＝intercultural competence）の構成要素，すなわち対応能力，労働能力，生活能力，また日常生活における異文化的，比較文化的な相違を処理する能力といったように，必ずしも人がもっている総合的な能力の構成要素に限ったものだけではないのである。
　ベネット（Bennet, 1979, 1988）は，異文化能力の主要な構成要素を証明するモデルを開発するという点でリーダー的な存在である。ベネットは，特定の行動の集合体というよりはむしろ発達アプローチの観点から異文化能力（IC）を見ており，自らの発達モデルを異文化感受性（IS＝intercultural sensitivity）と称している。また，「文化的な相違に順応する能力として，現実を構成する要素」と異文化感受性（IS）を定義している。要するに，ベネットは自民族中心主義や民族相対主義の発達的な連続体とともに異文化感受性（IS）を見ており，文化的な相違に対する完全否定から，認識や好意的評価，または状況にあわせて異文化に融合したり，離れたりできる文化的な相違を維持する各自の能力にそ

の範囲はおよぶのである。

　ベネットのモデルは異文化感受性（IS）を下記のように 6 段階に分けている。初めの 3 段階は発達における自民族中心主義的な段階であり，後の 3 段階は民族相対主義的発達について述べている。

1. 否定（denial）：自民族中心主義のもっとも初期の段階は，文化的相違はまったく存在しないといった段階から始まる。この段階にいる人たちは異なった文化集団から物理的または心理的に離れていたり，あるいはそういった文化的相違から距離をおいたり，自らを切り離すために物理的，あるいは社会的障壁を築いているのである。

2. 防衛（defense）：自民族中心主義の第二段階は，文化的な相違が存在することは認めるが，そういった変化を自らに対する脅威として見ているため，文化的な相違に対してついつい自己防衛（防御）してしまうものである。この段階にいる多くの人たちは，他の文化をけなしたり，他の文化に対して軽蔑的な態度を取ったりすることによって，文化的な相違に対して自らを防衛（防御）しようとしているのである。自らの文化集団は優れていると評価している場合も多いが，興味深いことには，自らの文化集団をけなし，また他の文化の方が優れていると評価するといったように 2 つのプロセスを逆にすることによって，文化的な相違に対して自らを防衛（防御）する人も中にはいる。

3. 最小化（minimization）：自民族中心主義の第三段階は，文化的な相違の存在は認めるものの，自らの生活に対する文化的な相違の影響や重要性は，最小化しようとするものである。この段階にいる人たちが取る方法の 1 つに，文化的な相違が生じた時に，その相違を「一般化もしくは普遍化する」方法がある（例：「人類はみんな同じなのだから，どうして自分が努力しなくてはならないのだ」）。

4. 容認（acceptance）：民族相対主義的発達の第一段階では，文化的な相違を認識し受け入れるだけではなく，尊重する。この尊重は 2 つの段階で起こる。1 つ目は文化的な相違の多様な行動的徴候といった段階，2 つ目は異文化にいる人たちの文化的価値観の段階である。

5. 適応（adaptation）：民族相対主義的発達の第二段階で，個々の人間は自らが容認した文化的な相違に順応し，異文化にいる人たちとつきあい，意志を疎通しあうための新しいスキルを修得し始める。こういったスキルの 1 つに「共感（他者の観点に立ってその人の感情や経験を感じることのできる能力）」がある。異文化にいる人たちと接し，両者の間にある相違に適応するにつれて，（同情とは対極的な意味で）共感するということ，つまり他の文化にいる人たちの状況を認識的に理解するだけではなく，自らも同様に感じることができるようになるのである。2 つ目のスキルは多元主義の概念に関連している。他者の価値観，考え，態

度を理解することにより，複数の哲学を受け入れるようになる。また，複数性や相違といった概念を包含するために，自らの心の中に多様な文化的状況を創造するようになるのである。ここでいう複数性は二文化併存や多文化主義に密接に関連しているものである。

6. 統合（integration）：民族相対主義の最終段階は，哲学や意識的な理解としての複数統合や，一般化された背景の下で文化的な相違を評価するといった能力にかかわってくる。1つの文化的観点からではなく，むしろ複数性と状況背景を基準にして文化的な相違を評価するようになる。このレベルの統合は，「発展的辺縁化（constructive marginality）」に繋がる可能性がある。「発展的辺縁化」とは，個々の人間が社会的背景に従いながら，異文化的な複数性の限界を行きつ戻りつつ，または出たり入ったりしながら適切に住むことができることをいう。

ベネットの異文化感受性（IS）モデルは自民族中心主義から民族相対主義の観点における発達段階だけではなく，それぞれの段階に関連している特定のスキル，認識，感情プロセスを識別しているという点でユニークなものである。このモデルは異文化能力（IC）や異文化感受性（IS）の成長方向や発達方向を示しており，モデルに内在する発達の連続体に沿って移動する必要がある特定のスキルや帰属性をはっきりと実証している。異文化間コミュニケーションにおけるベネットの研究から直接的に育ってきたこのモデルは，本分野における主要な研究結果となっている。

ベネットのISモデルは異文化感受性（IS）発達の性質や発達の最終点に関連した価値観という点で，暗黙の想定を包含している。あまり好ましくない作動形態からより好ましい作動形態といったように，連続体としての進歩を示しているのである。この仮説は今日の多文化的世界にいる人間の多くに適しており，また本書のメッセージにも一致しているように思われる。では，本当に否定，防衛（防御），最小化がより機能的である文化集団はまったく存在しないのだろうか。その答えは，おそらく「存在する」であろう。したがって，このベネットのモデルも，状況的に意味のある場合のみに適用されるべきなのである。

もう1つの想定とは，個々の人間は，人生のある時点で，連続体に沿って，ある地点にそれぞれ位置しているというものである。だが，ある状況下では自民族中心主義であるが，別の状況では民族相対主義であるという人も中には存在するのではないのだろうか。この質問に対する答えもおそらく「存在する」であろう。したがって，1つの連続体に沿った絶対的なものとして各段階を見るよりも，状況背景によって異なるものとして各段階を見る方がより有益であるのかもしれない。

異文化間摩擦の対処法

これまで論じてきたように，異文化間摩擦は異文化間コミュニケーションにおいて避けることのできない部分である。文化的相違のせいで，コミュニケーションしている相手を

完全には理解できなかったり，また言いたいことが伝わらなかったりするのである。小さな誤解は異文化間コミュニケーションを通して必ず起こりえるし，たとえ誤解が生じない場合でも，自分のもっているプライドを捨てなければならなかったりする。また，相手を攻撃するつもりがない場合でも，異文化から来た人の取る行動がどうしても自分をいらだたせるといったように，ささいな出来事は無視しなければならないようになるのである。

避けることのできないこのような摩擦を，生産的かつ効果的な方法で対処することは，異文化関係を成功させるためにきわめて重要である。では，いったいどのようにしたらこの目標に到達することができるのであろうか。

1つの方法としては，文化的な類似性および相違性を記憶したり，また常に検索できるように自分自身で自らの文化辞書を作ったりしながら，その文化を完全に熟知することがある。だが，習得することが莫大であるのに比べて，時間，エネルギー，また知識を貯えておく場所が限られていることを考慮すると，この方法はかなり困難な課題であるということがわかる。しかし，このアプローチにも利点がないわけではない。多くの人が旅行，ビジネス，ホームステイ・プログラムなどを通して異文化を理解し，知識を広げているのである。事実，これまでに論じてきた研究の多くが，滞在国文化，自民族中心主義，社会的距離に対する知識，態度と異文化間コミュニケーション能力（ICC）の間にある関係，また滞在国文化のメンバーとの関係と異文化間コミュニケーション能力（ICC）の間にある関係を立証しており，さらにはこの方法も支持している。

だが，自らが日常生活で接する可能性のある文化やその文化内にいる人たちの文化辞書を作ることは，誰にもできない。この方法では，文化に精通する機会をほとんどの人はもっていないのである。その代わりとして，効果的な異文化間コミュニケーションのために，大多数の人は異文化発育の「プロセス・モデル」に依存する必要があるのである。本章の残りの部分では，摩擦管理能力に基づいたモデルおよび規則と感情抑制に基づいたモデルといった2種類のモデルについて論ずることにする。

■**摩擦管理**　ティン-トゥーメイ（Ting-Toomey, 1997）は，効果的な摩擦管理に必要なのは，世界観や行動における文化的な相違に対する知識および敬意である，と示唆している。また，ハイ・コンテクスト（high-context）とロウ・コンテクスト・コミュニケーション（low-context communication）の間に存在する相違や「時間」の文化的認識に対して感受性が豊かであることも必要だ，とティン-トゥーメイは示唆している。またグディクンストの異文化間コミュニケーション能力（ICC）モデルと同様に，異文化間コミュニケーションにおける摩擦を対処する上での「配慮」の重要性についても，ティン-トゥーメイは強調している。ランガー（Langer, 1989）は，配慮することによって，人は精神的に新しいカテゴリーを構築し，新しい情報を受け入れたり多様な認識を知ったりすることができる，と主張している。要するに，配慮することによって民族相対主義に関連したさまざまな性質に対して，意識的，かつ良心的になることができるようになる，と述べているのである。

また，ティン-トゥーメイ（1997）は，個人主義の傾向にある人たちのためと集団主義の傾向にある人たちのために，別々の効果的な摩擦管理を示唆している。個人主義的傾向にある人が集団主義文化の中での摩擦に対処する際に留意すべき点は以下のようなものである。（1）集団主義文化の中では「面子」が重要であることに配慮し，かつ集団主義文化ではその面子を維持していることを理解すること，（2）小さな摩擦を対処することに対して前向きであること，（3）強引であってはならないこと，（4）目立たないが注意深く観察することの重要性に対して敏感であること，（5）とりわけ他者の感情に注意して，人の言うことを聞くというスキル（技能）を身につけること，（6）直接的に問題を処理しようとするスタイルを放棄すること，（7）相手が問題に直接的に向かい合いたくないのであれば，摩擦状態をそのままにしておくこと，等である。それに対して，集団主義的傾向にある人が個人主義の中での摩擦に対処する際に留意すべき点は以下のようなものである。（1）個人主義的な問題解決の想定に配慮すること，（2）主要な問題を解決することや自分の感情や意見を率直に表現することに全力を傾けること，（3）断定的スタイルで摩擦行動に携わること，（4）摩擦に対して個人的な責任感があること，（5）ことばで自らの意見を伝えようとすること，（6）直接的な言語メッセージを使用すること，（7）問題を解決するのに他者と直接向かいあって解決しようとすること，等である。

　要約すれば，ティン-トゥーメイ（1997）によれば，個人主義および集団主義的文化出身者にとって必要なことは，認識的，感情的，行動的バイアス（偏見），また自らが所属している組織，コミュニケーションや摩擦調停といった状況に使用しがちな「盲点」に対して，各自が注意深くなるべきことなのである。新しいコミュニケーション・スキルを習得し試みるためには寛大（オープン）になる必要性があり，また異文化関係をより成功させるための精神的なカテゴリーを新しく構築する必要性がある，と示唆しているのである。

■感情抑制　　本章でのメッセージの1つは，効果的な異文化間コミュニケーションは必ずしも容易なものではない，というものである。摩擦や誤解は避けることのできないものであり，民族中心主義的，ステレオタイプ（固定観念）的な考え方は，しばしば異文化間の相違，摩擦，理解に対して，否定的な価値判断を引き起こすことになるのである。否定感情はこういった否定的な価値判断に結びついており，こういった否定的反応によって，われわれはコミュニケーションをより発展させにくくしているのである。そればかりではなく，こういった否定感情によって，異なった文化出身者と団結したり，異文化間に存在する相違を十分に理解することができなかったりするのである。再びくり返すことになるが，異文化間コミュニケーションにおいて，摩擦は避けて通ることのできない問題である。したがって，否定的な感情的反応を抑制できるという能力が，とりわけ重要になってくるのである。自分の感情を抑制できる人たちは，より発展的な異文化間プロセスに従事することができ，異文化間コミュニケーションを成功させる扉を開いている状態にすでになっているのである。逆に，自分の感情を抑制できない人たちは，成功に繋がる扉を閉じた状態になっている。要するに，感情は異文化経験の成功の鍵を握っているのである。

自分の感情を調節したり抑制したりする能力こそが，じつは個人的成長への鍵なのである。子どもを相手にしたことのある人は，必ず次のような経験があるはずである。その経験とは，子どもはその利他的性質にもかかわらず，自分を傷つけたり，動揺させたりするようなことが起こったら，外的世界との接触をやめ，後退した状態に戻ってしまう，ということである。より幼稚な手法に自分自身を閉じこめてしまうため，子どもたちは利他的な行動に従事することが不可能となってしまうのである。「退行（regression）」として知られているこの概念は，必ずしも子どもや若者に限ったものではない。時には大人も同様に退行するのである。自らの在り方を支配する否定的な感情に克服されてしまい，利他的，あるいは批判的思考（critical thinking）ができる人でさえも，前向きに考えたり行動したりすることができなくなってしまうのである。

　異文化間コミュニケーションにおける文化的な相違や摩擦に直面した時，否定的な感情を抑制できる人は自らをも抑えることができるようになるのである。こういった人は本性を出さず，自らの考え，行動，感情が否定的な感情に克服されないように常に努力しているのである。だから，こういった人は，文化間に存在する相違の原因となる各自の価値判断や帰属性の幅を広げてくれる別のプロセスにかかわることができるようになるのである。いったん，感情が抑制できるようになれば，今まで知らなかった文化的相違の原因について考えるようになる。自らの文化組織を離れ，文化的相違の原因について批判的に考えることができるようになるのである。このように，批判的思考ができるようになれば，文化相違の原因に対する別の想定に対しても，開放的になることができるようになり，相違を受け入れるか拒否するといった柔軟性をもつことができるようになるのである。

　すなわち，否定的な感情を調整したり抑制したりすることによって，コミュニケーションや表現方法に対してより注意深くなることができ，発展的で開放的な精神カテゴリーの創造に従事できるようになるのである。異文化間コミュニケーションで必ず起こりえる否定的感情を自ら対処できない限り，たとえもっとも複雑な精神モデルを学んでも，効果的な異文化間コミュニケーションの精神状態を保つ手助けにはならない。否定的な感情を捨てることによって，批判的思考を通して新しい精神カテゴリーを創造し，より発展的な思考プロセスに従事することができるようになるのである。感情調節こそがより進歩した複雑なプロセスへの扉を開ける鍵なのである。

● 結論

　コミュニケーションとは，シグナルを経由して送った多様なメッセージに関連した豊かで複雑なプロセスである。言語的および非言語的シグナルのエンコーディングに，文化は広範囲で影響を与えている。このような文化の影響がゆえに，異文化間コミュニケーションにおいて，摩擦や誤解は不可避なものとなるのである。こうした摩擦や誤解といった障

害を克服するために，研究者たちは感情抑制や配慮に焦点をあてた人間育成モデルを示唆している。このモデル・プロセスに従事できる人は，新しい精神カテゴリーを創造した上で，文化的な相違を尊重し開放的になることができるばかりでなく，他者に共感したり，自らの異文化に対する感受性を向上させたりすることもできるようになるのである。

異文化間コミュニケーションに関する研究調査がかなり前進し，異文化間コミュニケーションにおけるユニークな要素を特定できるようになってきてはいるが，なすべきことはまだまだ数多く残っている。たとえば，この分野の研究調査の大多数では，事実か想像上の状況のどちらかを用いたアンケート調査に基づいてこれまで調査してきたが，そうしたアンケート調査では現実の状況に相当する質問を被験者に尋ねてきたわけである。今後は，現実の時間の流れの中で起こる異文化間コミュニケーションにおける認知，感情，行動に直接アクセスできるような研究がもっと必要となるであろう。

今後の研究調査でさらになすべきことは，何が障害やつまずきのもととなっているのか，異文化感受性（intercultural sensitivity，略してIS），異文化間コミュニケーション能力（intercultural communication competence，略してICC），摩擦管理，感情抑制など，本章で論じた概念を取り入れ，こうした概念を有意義で有益な介入プログラムに導入することで，異文化間コミュニケーションを改善するのにこうした概念が有益であり，かつ効能があると立証できるようなデータを生成することである。たしかにそうしたデータはすでに存在してはいるが，そうしたデータは基礎・基盤研究における発見というよりは文献研究で散発的に見うけられるものの域を出ていないのが実情である。心理学のこうした分野での応用介入研究の重要性から考えれば，効能があると立証できるようなデータが今後はより大きな場所を占めてゆくであろう。

この研究分野でみられる新しい発展は精神測定面で妥当なテストの開発であり，こうしたテストは異文化間コミュニケーションや異文化適応において人がどのくらい成功できるかを予測するものである。私，マツモトが知る限りでは，現時点ではこのようなテストは2種類しか存在しない。1つは商業ベースで開発されたもので，もう1つは研究調査の目的で開発されたものである（ラズラフら：Ratzlaff et al., 1998；ヴォウトら：Vogt et al., 1998）後者，すなわち研究目的で開発されたテストは人格や異文化適応に関連して論じられるべきものである。

最後に，他者とコミュニケーションを図ったり相互作用をしたりする際に，どのような類のものがわれわれの判断の妨げとなっているのか，文化に根ざしたどのような類のスクリプトを用いているのか，どのようにすれば自民族中心主義を脱却し民族相対主義へとわれわれが移行できるのか，というようなことを考えてみる機会を本章で提示した情報が読者の皆さんに提供できたことを願ってやまない。(注：スクリプトとは，たとえば結婚式，レストランでの食事，誕生パーティなど，特定の行動において起こる連続的な典型的出来事や社会的相互作用のスキーマ［第4章「文化と発達」で解説］や抽象的な認知事象のことである。)

引用文献

Abramson, R. P., & Pinkerton, D. S. (1995). *Sexual nature, sexual culture*. Chicago, IL; University of Chicago Press.
Acioly, N. M., & Schliemann, A. D. (1986). *Intuitive mathematics and schooling in understanding a lottery game*. Paper presented at the Tenth PME Conference, London.
Ainsworth, M. D., Blehar, M. C., Waters, E., & Wall, S. (1978). *Patterns of attachment: A psychological study of the strange situation*. Hillsdale, NJ: Erlbaum.
Amir, Y. & Sharon, I. (1987). Are social psychological laws cross-culturally valid? *Journal of Cross Cultural Psychology, 18* (4), 383-470.
Angyal, A. (1951). *Neurosis and treatment: A holistic theory*. New York: Wiley.
Atkinson, J. W. (1964). *An introduction to motivation*. Princeton, NJ: Van Nostrand Reinhold.
Au, T. K. (1983). Chinese and English counterfactuals: The Sapir-Whorf hypothesis revisited. *Cognition, 15*, 155-187.
Au, T. K. (1984). Counterfactuals: In reply to Alfred Bloom. *Cognition, 17*, 289-302.
Aune, K., & Aune K. (1995). Culture differences in the self-reported experience and expression of emotions in relationships. *Journal of Cross Cultural Psychology, 27*, 67-81.
Averill, J. R. (1980). Emotion and anxiety: Sociocultural, biological, and psychological determinants. In A. O. Rorty (Ed.), *Explaining emotions* (pp. 37-72). Berkeley: University of California Press.
Bakan, D. (1966). *The duality of human existence*. Boston, MA: Beacon Press.
Balint, M. (1959). *Thrills and regression*. London, England: Hogarth Press.
Bard, P., & Mountcastle, V. B. (1948). Some forebrain mechanisms involved in the expression of rage with special reference to suppression of angry behavior. *Research Publications of the Association for Research on Nervous and Mental Disease, 27*, 362-404.
Barna, L. M. (1997). Stumbling blocks in intercultural communication. In L. Samovar, & R. Porter (Eds.), *Intercultural communication: A reader* (pp. 370-379). Belmont, CA: Wadsworth.
Barnlund, D. C., & Araki, S. (1985). Intercultural encounters: The management of compliments by Japanese and Americans. *Journal of Cross-Cultural Psychology, 16* (1), 9-26.
Barnlund, D. C., & Yoshioka, M. (1990). Apologies: Japanese and American styles. *International Juornal of Intercultural Relations, 14*, 193-206.
Barnlund, D., & Nomura, N. (1983). Patterns of interpersonal criticism in Japan and United States. *International Journal of Intercultural Relations, 7* (1), 1-18.
Barry, H. (1980). Description and uses of the Human Relations Area Files. In H. C. Triandis, & J. W. Berry (Eds.), *Handbook of cross-cultural psychology, Vol. 2: Methodology* (pp. 445-478). Boston: Allyn, & Bacon.
Baumrind, D. (1971). Current patterns of parental authority. *Developmental Psychology Monograph, 4* (No. 1, Pt. 2).
Bennett, M. J. (1979). Overcoming the golden rule: Sympathy and empathy. *Communication Yearbook, 3*, 407-422.
Bennett, M. J. (1988). Foundations of knowledge in international educational exchange: Intercultural communication. In J. Reid (Ed.), *Building the professional dimension of educational exchange*. Washington, D. C. : NAFSA.
Berger, C. (1979). Beyond initial interaction. In H. Giles, & R. St. Claire (Eds.) *Language and social psychology* (pp. 122-144). Oxford, UK: Basil Blackwell.
Berger, C. R., & Calabrese, R. J. (1975). Some explorations in initial interaction and beyond: Toward a development theory of interpersonal communication. *Human Communication Research, 10*, 179-

196.
Bergling, K. (1981). *Moral development: The validity of Kohlberg's Theory.* Stockholm: Almgrist, & Wilsell International.
Berko, J. (1958). The child's learning of English morphology. *Word, 14,* 150-177.
Berko-Gleason, J. (Ed.). (1989). *The development of language* (2nd ed.). Columbus, OH: C. E. Merrill.
Berlin, B., & Kay, P. (1969). *Basic color terms: Their universality and evolution.* Berkeley: University of California Press.
Bernal, H. (1993). A model for delivering culture-relevant care in the community. *Public Health Nursing, 10* (4), 228-232.
Berry, J. W. (1969). On cross-cultural comparability. *International Journal of Psychology, 4,* 119-128.
Berry, J. W., Kim, U., & Boski, P. (1988). Psychological acculturation of immigrants. In Y. Y. Kim & W. B. Gudykunst (Eds.), *Cross-cultural adaptation: Current approaches.* International and intercultural communication annual (Vol. 11, pp. 62-89). Newbury Park, CA: Sage.
Berry, J. W., Poortinga, Y. H., Segall, M. H., & Dasen, P. R. (1992). *Cross-cultural psychology: Research and applications.* New York: Cambridge University Press.
Best, D., House, A., Barnard, E. A., & Spicker, S. B. (1994). Parent-child interactions in France, Germany, and Italy: The effects of gender and culture. *Journal of Cross-Cultural Psychology, 25* (2), 181-193.
Betancourt, H., & Lopez, R. S. (1993). The study of culture, ethnicity, and race in American psychology. *American Psychologist, 48* (6), 629-637.
Bickerton, D. (1981). *The roots of language.* Ann Arbor, MI: Karoma Publishers.
Biehl, M., Matsumoto, D., Ekman, P., Hearn, V., Heider, K., Kudoh, T., & Ton, V. (1997). Matsumoto and Ekman's Japanese and Caucasian facial expressions of emotion (JACFEE): Reliability data and cross-national differences. *Journal of Nonverbal Behavior, 21,* 3-21.
Biehl, M., Matsumoto, D., & Kasri, F. (in press). Culture and emotion. In U. Gielen and A. L. Comunian (Eds.) *Cross-cultural and international dimensions of psychology.* Trieste, Italy: Edizioni Lint Trieste S. r. 1.
Birenbaum, M., & Kraemer, R. (1995). Gender and ethnic-group differences in causal attributions for success and failure in mathematics and language examinations. *Journal of Cross-Cultural Psychology, 26* (3), 342-359.
Blinco, M. A. P. (1992). A cross-cultural study of task persistence of young children in Japan and the United States. *Journal of Cross-Cultural Psychology, 21* (3), 407-415.
Bloom, A. H. (1981). *The Linguistic shaping of thought: A study in the impact of language on thinking in China and the West.* Hillsdale, NJ: Erlbaum.
Bochner, S. (1994). Cross-cultural differences in the self concept. *Journal of Cross-Cultural Psychology, 25,* 273-283.
Bond, M. H. (1986). *The psychology of the Chinese people.* New York: Oxford University Press.
Bond, M. H., & Tak-Sing, C. (1983). College students' spontaneous self concept: The effect of culture among respondents in Hong Kong, Japan, and the United States. *Journal of Cross-Cultural Psychology, 14,* 153-171.
Bond, M. H., & Wang, S. (1983). China: Aggressive behavior and the problems of mainstreaming order and harmony. In A. P. Goldstein, & M. H. Segall (Eds.), *Aggression in global perspective* (pp. 58-74). New York: Pergamon.
Bornstein, H. M. (1989). Cross-cultural developmental comparisons: The case of Japanese-American infant and mother activities and interactions. What we know, what we need to know, and why we need to know. *Developmental Review, 9,* 171-204.
Boucher, J. D., & Brandt, M. E. (1981). Judgement of emotion: American and Malay antecedents. *Journal of Cross Cultural Psychology, 12* (3), 272-283.
Boucher, J. D., & Carlson, G. E. (1980). Recognition of facial expression in three cultures. *Journal of*

Cross-Cultural Psychology, 11 (3), 263-280.
Bowen, M. (1966). The use of family theory in clinical practice. *Comprehensive Psychiatry, 7,* 345-374.
Bowlby, J. (1969). *Attachment and loss, Vol. 1: Attachment.* New York: Basic Books.
Brandt, M. E., & Boucher, J. D. (1985). Judgement of emotions from antecedent situations in three cultures. In I. Lagunes, & Y. Poortinga (Eds.), *From a different perspective: Studies of behavior across cultures* (pp. 348-362). Netherlands: Swets, & Zeitlinger.
Brandt, M. E., & Boucher, J. D. (1986). Concepts of depression in emotion lexicons of eight cultures. *International Journal of Intercultural Relations, 10,* 321-346.
Brewer, M. B., & Campbell, D. T. (1976). *Ethnocentrism and intergroup attitudes.* New York: Wiley.
Brewer, M. B., & Kramer, R. M. (1985). The psychology of intergroup attitudes and behavior. *Annual Review of Psychology, 36,* 219-243.
Bronstein, P. (1984). Differences in mothers' and fathers' behaviors toward children: A cross-cultural comparison. *Developmental Psychology, 20* (6), 995-1003
Bronstein, P. A., & Paludi, M. (1988). The introductory psychology course from a broader human perspective. In P. A. Bronstein, & K. Quina (Eds.), *Teaching a psychology of people: Resources for gender and sociocultural awareness* (pp. 21-36). Washington, DC: American Psychological Association.
Brown, R., & Lenneberg, E. (1954). A study in language and cognition. *Journal of Abnormal and Social Psychology, 49,* 454-462.
Buck, R. (1984). *The communication of emotion.* New York: Guilford Press.
Buunk, B., & Hupka, R. B. (1987). Cross-cultural differences in the elicitation of sexual jealousy. *Journal of Sex Research, 23* (1), 12-22.
Cannon, W. B. (1927). The James-Lange theory of emotions: A critical examination and an alternative theory. *American Journal of Psychology, 39,* 106-124.
Carlo, G., Koller H. S., Eisenberg N., DaSilva, S. M., & Frohlich, B. C. (1996). A cross-national study on the relations among prosocial moral reasoning, gender role orientations, and prosocial behaviors. *Developmental Psychology, 32* (2), 231-240.
Carrell, L. J. (1997). Diversity in the communication curriculum: Impact on student empathy. *Communication Education, 46* (4), 234-244.
Carroll, J. B., & Casagrande, J. B. (1958). The function of language classifications in behavior. In E. E. Maccoby, T. M. Newcomb, & E. L. Hartley (Eds.), *Readings in social psychology* (pp. 18-31). New York: Holt.
Carter, K. A., & Dinnel, D. L. (1997). *Conceptualization of self-esteem in collectivistic and individualistic cultures.* Bellingham: Western Washington University Press.
Caudill, W., & Frost, L. (1973). A comparison of maternal care and infant behavior in Japanese-American, American, and Japanese families. In W. Lebra (Ed.), *Mental health research in Asia and the Pacific* (Vol. 3, pp. 3-15). Honolulu: East-West Press.
Caudill, W., & Weinstein, H. (1969). Maternal care and infant behavior in Japan and America. *Psychiatry: Journal for the Study of Interpersonal Processes, 32* (1), 12-43.
Cederblad, M. (1988). Behavioural disorders in children from different cultures. *Acta Psychiatrica Scandinavia Supplementum, 344,* 85-92.
Chao, K. R. (1996). Chinese and European American mothers' beliefs about the role of parenting in children's school success. *Journal of Cross-Cultural Psychology, 27* (4), 403-423.
Charlesworth, W. R., & Kreutzer, M. A. (1973). Facial expressions of infants and children. In P. Ekman (Ed.), *Darwin and facial expression* (pp. 91-168). New York: Academic Press.
Chen, G. M. (1990). Intercultural comminication competence: Some perspectives of research. *Howard Journal of Communications, 2* (3), 243-261.
Chen, G. M. (1995). Differences in self-disclosure patterns among Americans versus Chinese: A comparative study. *Journal of Cross-Cultural Psychology, 26,* 84-91.

Chisholm, J. (1983). *Navajo infancy.* New York: Aldine.
Chomsky, N. (1965). *Aspects of the theory of syntax.* Cambridge, MA: MIT Press.
Chomsky, N. (1967). *Current issues in linguistic theory.* The Hague: Mouton.
Chomsky, N. (1969). *Deep structure, surface structure, and semantic interpretation.* Bloomington: Indiana University Linguistics Club.
Clymer, C. E. (1995). The psychology of deafness: Enhancing self-concept in the deaf and hearing impaired. *Family Therapy, 22* (2), 113-120.
Clymer, K. J. (1995). *Quest for freedom: The United States' and India's independence.* Columbia: Columbia University Press.
Conroy, M., Hess, D. R., Azuma, H., & Kashiwagi, K. (1980). Maternal strategies for regulating children's behavior. *Journal of Cross-Cultural Psychology, 11* (2), 153-172.
Cousins, S. D. (1989). Culture and self-perception in Japan and the United States. *Journal of Personality and Social Psychology, 56,* 124-131.
Dabul, A. J., Bernal, M. E., & Knight, G. P. (1995). Allocentric and idiocentric self-description and academic achievement among Mexican American and Anglo American adolescents. *The Journal of Social Psychology, 135* (2), 621-630.
Dalal, K. A., Sharma, R., & Bisht, S. (1983). Causal attributions of ex-criminal tribal and urban children in India. *The Journal of Social Psychology, 119,* 163-171.
Dasen, P. R. (1975). Concrete operational development in three cultures. *Journal of Cross-Cultural Psychology, 6,* 156-172.
Dasen, P. R. (1982). Cross-cultural aspects of Piaget's theory: The competence-performance model. In L. L. Adler (Ed.), *Cross-cultural research at issue.* New York: Academic Press.
Dasen, P. R., Lavallee, M., & Retschitzki, J. (1979). Training conservation of quantity (liquids)in West African (Baoule)children. *International Journal of Psychology, 14,* 57-68.
Dasen, P. R., Ngini, L., & Lavallee, M. (1979). Cross-cultural training studies of concrete operations. In L. Eckensberger, Y. Poortinga, , & W. Lonner (Eds.), *Cross-cultural contributions to psychology* (pp. 94-104). Amsterdam: Swets, & Zeitlinger.
Davies, I. R. L., Sowden, P. T., Jerrett, D. T., & Corbelt, G. G. (1998). A cross-cultural study of English and Setswana speakers on a colour triads task: A test of the Sapir-Whorf hypothesis. *British Journal of Psychology, 89* (1), 1-15.
Davis, F. G. (1991). *Who is black? One nation's definition.* University Park: Pennsylvania State University Press.
Degler, C. (1971). *Neither black nor white: Slavery and race relations in Brazil and the United States.* New York: Macmillan.
De Valois, R. L., Abramov, I., & Jacobs, G. H. (1966). Analysis of response patterns of LGN cells. *Journal of the Optical Society of America, 56,* 966-977.
De Valois, R. L., & Jacobs, G. H. (1968). Primate color vision. *Science, 162,* 533-540.
Devereux, C. E., Jr., Bronfenbrenner, U., & Suci, G. (1962). Patterns of parent behaviour in the United States of America and the Federal Republic of Germany: A cross-national comparison. *International Social Science Journal, 14,* 488-506.
Dhawan, N., Roseman, I. J., Naidu, R. K., Komilla, T., & Rettek, S. I. (1995). Self-concepts across two cultures. *Journal of Cross-Cultural Psychology, 26* (6), 606-621.
DiMartino, C. E. (1994). Appraising social dilemmas: A cross-cultural study of Sicilians, Sicilian Americans, and Americans. *Journal of Cross-Cultural Psychology, 25* (2), 165-180.
Dinges, N. G., & Hull, P. (1992). Personality, culture, and international studies. In D. Lieberman (Ed.), *Revealing the world: An interdisciplinary reader for international studies.* Dubuque, IA: Kendall-Hunt.
Doi, K. (1982). Two dimensional theory of achievement motivation. *Japanese Journal of Psychology, 52,* 344-350.

Doi, K. (1985). The relation between the two dimensions of achievement motivation and personality of male university students. *Japanese Journal of Psychology, 56*, 107-110.
Doi, T. (1973). *The anatomy of dependence*. Tokyo: Kodansha.
Durkheim, E. (1938/1964). *The rules of sociological method*. Reprint. London: The Free Press of Glenscoe.
Durrett, M. E., Otaki, M., & Richards, P. (1984). Attachment and mothers' perception of support from the father. *Journal of the International Society for the Study of Behavioral Development, 7*, 167-176.
Eberhardt, J. L., & Randall, J. L. (1997)The essential notion of race. *Psychological Science, 8* (3), 198-203.
Edwards, P. K. (1981). Race, residence, and leisure style: Some policy implications. *Leisure Sciences, 4* (2), 95-112.
Ekman, K. L. (1982). A comparative study of value priorities in a sample of United States Air Force personnel and their spouses. *Dissertation Abstracts International, 43* (6-B), 2037.
Ekman, P. (1972). Universal and cultural differences in facial expression of emotion. In J. R. Cole (Ed.), *Nebraska symposium on motivation*, 1971 (PP. 207-283). Lincoln: University of Nebraska Press.
Ekman, P. (1973). Universal facial expressions in emotion. *Studia Psychologica, 15* (2), 140-147
Ekman, P. (1994). Strong evidence for universals in facial expressions: A reply to Russell's mistaken critique. *Psychological Bulletin, 115*, 268-287.
Ekman, P., & Friesen, W. V. (1969). The repertoire of nonverbal behavior: Categories, origins, usage, and coding. *Semiotica, 1*, 49-98.
Ekman, P., & Friesen, W. V. (1971). Constants across cultures in the face and emotion. *Journal of Personality and Social Psychology, 17*, 124-129.
Ekman, P., & Friesen, W. V. (1978). *The facial action coding system (FACS): A technique for measurement of facial action*. Palo Alto, CA: Consulting Psychologists Press.
Ekman, P., & Friesen, W. V. (1986). A new pancultural expression of emotion. *Motivation and Emotion, 10*, 159-168.
Ekman, P., Friesen, W. V., & Ellsworth, P (1972). *Emotion in the human face*. New York: Garland.
Ekman, P., & Friesen, W., LeCompete, W. L., Ricci-Bitti, P. E., Tomita, M., Tzavaras, A., O'Sullivan, M., Diacoyanni-Tarlatzis, I., Krause, R., Pitcairn, T., Scherer, K., Chan. A., & Heider, K. (1987). Universals and cultural differences in the judgements of facial expressions of emotion. *Journal of Personality and Social Psychology, 53* (4), 712-717.
Ekman, P., & Heider, K. G. (1988). The universality of a contempt expression: A replication. *Motivation and Emotion, 12*, 17-22.
Ekman, P., O'Sullivan, M., & Matsumoto, D. (1991a). Confusions about context in the judgment of facial expression: A reply to 'contempt and the relativity thesis.' *Motivation and Emotion, 15*, 169-176.
Ekman, P., O'Sullivan, M., & Matsumoto, D. (1991b). Contradictions in the study of contempt: What's it all about? *Motivation and Emotions, 15*, 293-296.
Ekman, P., Sorenson, E. R., & Friesen, W. V. (1969). Pan-cultural elements in facial displays of emotion. *Science, 164*, 86-94.
Erikson, E. H. (1950). *Childhood and society*. New York: Norton.
Erikson, E. H. (1963). *Childhood and society* (2nd ed.). New York: Norton.
Ervin, S. M. (1964). Language and TAT content in bilinguals. *Journal of Abnormal and Social Psychology, 68*, 500-507.
Farver, M. J. & Howes, C. (1988). Cross-cultural differences in social interaction: A comparison of American and Indonesian children. *Journal of Cross-Cultural Psychology, 19* (2), 203-215.
Fernandez-Dols, J. M., & Ruiz-Belda, M. A. (1997). Spontaneous facial behavior during intense emotional episodes:Artistic truth and optical truth. In J. A. Russell, & J. M. Fernandez-Dols

(Eds.), *The psychology of facial expression* (pp. 255-274). New York:Cambridge University Press.
Ferrante, J. (1992). *Sociology: A global perspective*. Belmont, CA: Wadsworth.
Festinger, L., Schachter, S., & Back, K. (1950). *Social pressures in informal groups: A study of human factors in housing*. New York: Harper.
Filardo, E. K. (1996). Gender patterns in African American and White adolescents' social interractions in same-race, mixed-gender groups. *Journal of Personality and Social Psychology, 71* (1), 71-82.
Fishman, J. A. (1960). A systematization of the Whorfian hypothesis. *Behavioral Science, 5*, 323-339.
Fletcher, J. M., Todd, J. & Satz, P. (1975). Culture fairness of three intelligence tests and a short form precedure. *Psychological Reports, 37*, (3, Pt2), 1255-1262.
Flores, E., Eyre, S. L., & Millstein, S. G. (1998). Socio-cultural beliefs related to sex among Mexican American adolescents. *Hispanic Journal of Behavioral Sciences, 20* (1), 60-82.
Forgas, P. J. (1994). The role of emotion in social judgments: an introductory review and an Affect Infusion Model (AIM). *European Journal of Social Psychology, 24*, 1-24.
Franz, C. E., & White, K. M. (1985). Individuation and attachment in personality development: Extending Erickson's theory. *Journal of Personality, 53* (2): 224-256.
Freedman, D. (1974). *Human infancy: An evolutionary perspective*. Hillsdale, NJ: Erlbaum.
Freud, S., & Strachey, J. (1961). *Beyond the pleasure principle*. New York: W. W. Norton and Co, Inc.
Friesen, W. V. (1972). *Cultural differences in facial expressions in a social situation: An experimental test of the concept of display rules*. Unpublished doctoral dissertation, University of California, San Francisco.
Galati, D. & Sciaky, R. (1995). The representation of antecedents of emotions in northern and southern Italy. *Journal of Cross-Cultural Psychology, 26* (2), 123-140.
Garcia Coll, C. T. (1990). Developmental outcomes of minority infants: A process oriented look at our beginnings. *Child Development, 61*, 270-289.
Garcia Coll, C. T., Sepkoski, C., & Lester, B. M. (1981). Cultural and biomedical correlates of neonatal behavior. *Developmental Psychobiology, 14*, 147-154.
Garro, L. C. (1986). Language, memory, and focality: A reexamination. *American Anthropologist, 88* (1), 128-136.
Geary, C. D. (1996). International differences in mathematical achievement: Their nature, causes, and consequences. *Current Directions in Psychological Science, 5* (5), 133-137.
Geen, T. R. (1992). Facial expressions in socially isolated nonhuman primates: Open and closed programs for expressive behavior. *Journal of Research in Personality, 26*, 273-280.
Geertz, C. (1973). *The interpretation of cultures*. New York: Basic Books.
Geertz, C. (1975). From the natives point of view: On the nature of anthropological understanding. *American Scientist, 63*, 47-53.
Georgas, J. (1989). Changing family values in Greece: From collectivist to individualist. *Journal of Cross-Cultural Psychology, 20*, 80-91.
Georgas, J. (1991). Intrafamily acculturation of values in Greece. *Journal of Cross-Cultural Psychology, 22*, 445-457.
Gerber, E. (1975). *The cultural patterning of emotions in Samoa*. Unpublished doctoral dissertation, University of California, San Diego.
Gergen, K. J., Gulerce, A., Lock, A., & Misra, G. (1996). Psychological science in cultural context. *American Psychologist*, 496-503.
Gilligan, C. (1982). *In a different voice: Psychological theory and women's development*. Cambridge, MA: Harvard University Press.
Gladwin, H., & Gladwin, C. (1971). Estimating market conditions and profit expectations of fish sellers at Cape Coast, Ghana. In G. Dalton (Ed.), *Studies in economic anthropology. Anthropological Studies No. 7* (pp. 122-143). Washington, DC: American Anthropological Association.
Gladwin, T. (1970). *East is a big bird: Navigation and logic on Puluwat Atoll*. Cambridge, MA: Harvard

University Press.
Gleason, H. A. (1961). *An introduction to descriptive linguistics*. New York: Holt, Rinehart, & Winston.
Goody, J. R. (1968). *Literacy in traditional societies*. Cambridge, England: Cambridge, University Press.
Goody, J. R. (1977). *The domestication of the savagemind*. Cambridge, England: Cambridge University Press.
Graham, S. (1992). Most of the subjects were white and middle-class: Trends in published research on African Americans in selected APA journals, 1970-1989. *American Psychologist, 47*, 629-639.
Grossmann, K., Grossmann, K. E., Spangler, S., Suess, G., & Unzner, L. (1985). Maternal sensitivity and newborn attachment orientation responses as related to quality of attachment in northern Germany. In I. Bretherton, & E. Waters (Eds.), *Growing points of attachment theory. Monographs of the Society of Reseach in Child Development, 50* (1-2 Serial No. 209).
Gudykunst, W. B. (1993). Toward a theory of effective interpersonal and intergroup communication: An anxiety/uncertainty management (AUM)perspective. In R. L. Wiseman, & J. Koester (Eds.) ; et al. *International and Intercultural communication annual: Intercultural communicaion competence, 17* (pp. 33-71). Newbury Park: Sage.
Gudykunst, W. B., Gao, G., Schmidt, K. L., Nishida, T., Bond, M. L., Leung, K., Wang, G., & Barraclough, R. A. (1992). The influence of individualism-collectivism, self-monitoring, and predicted-outcome value on communication in ingroup and outgroup relationships. *Journal of Cross-Cultural Psychology, 23* (2), 196-213.
Gudykunst, W. B., Matsumoto, Y., Ting-Toomey, S., Nishida, T., Kim, K., & Heyman, S. (1996). The influence of cultural individualism-collectivism, self construals, and individual values on communication styles across cultures. *Human Communication Research, 22* (4), 510-543.
Gudykunst, W. B., & Nishida, T. (1984). Individual and cultural influences on uncertainty reduction. *Communication Monographs, 51*, 23-36.
Gudykunst, W. B., & Nishida, T. (1986a). Attributional confidence in low-and high-context cultures. *Human Communication Research, 12*, 525-549.
Gudykunst, W. B., & Nishida, T. (1986b). The influence of cultural variability on perceptions of communication behavior associated with relationship terms. *Human Communication Research, 13*, 147-166.
Gudykunst, W. B., & Shapiro, R. B. (1996). Communication in everyday interpersonal and intergroup encounters. *International Journal of Intercultural Relations, 20* (1), 19-45.
Gudykunst, W. B., Sodetani, L. L., & Sonoda, K. T. (1987). Uncertainty reduction in Japanese-American/Caucasian relationships in Hawaii. *The Western Journal of Speech Communication, 51*, 256-278.
Gudykunst, W. B., & Ting-Toomey, S. (1988). Culture and affective communication. Special Issue: Communication and affect. *American Behavioral Scientist, 31*, 384-400.
Gudykunst, W. B., Yang, S. M., & Nishida, T. (1985). A cross-cultural test of uncertainty reduction theory: Comparisons of acquaintances, friends, and dating relationships in Japan, Korea, and the United States. *Human Communications Research, 11* (3), 407-454.
Gudykunst, W. B., Yoon, Y., & Nishida, T. (1987). The influence of individualism-collectivism on perceptions of communication in ingroup and outgroup relationships. *Communication Monographs, 54*, 295-306.
Guisinger, S., & Blatt, S. J. (1994). Individuality and relatedness: Evolution of a fundamental dialectic. *American Psychologist, 49*, 104-111.
Gumpez, J. J., & Levinson, S. C. (Eds.). (1996). *Rethinking linguistic relativity*. Cambridge, England: Cambridge University Press.
Hadley, R. F. (1997). Cognition, systematicity and nomic necessity. *Mind and Language, 12* (2), 137-153.

Hall, E. T. (1966). *The hidden dimension*. New York: Doubleday.
Hall, E. T. (1976). *Beyond culture*. New York: Anchor.
Hamilton, V. L., Blumenfeld, P. C., Akoh, H., & Miura, K. (1991). Group and gender in Japanese and American elementary classrooms. *Journal of Cross-Cultural Psychology, 22*, 317-346.
Hammer, M. R., Nishida, H., & Wiseman, R. L. (1996). The influence of situational prototypes on dimensions of intercultural communication competence. *Journal of Cross-Cultural Psychology, 27* (3), 267-282.
Harlow, H. F., & Harlow, M. K. (1969). Effects of various mother-infant relationships on rhesus monkey behavior. In B. M. Foss (Ed.), *Determinants of infant behavior* (Vol. 4). London: Methuen.
Harrison, A. O., Wilson, M. N., Pine, C. J., Chan, S. Q., & Buriel, R. (1990). Family ecologies of ethnic minority children. *Child Development, 61*, 347-362.
Hasegawa, T., & Gudykunst, W. B. (1998). Silence in Japan and the United States. *Journal of Cross Cultural Psychology, 29* (5), 668-684.
Hau, K., & Lew, W. J. (1989). Moral development of Chinese students in Hong Kong. *International Journal of Psychology, 24* (5), 561-569.
Hauser, M. D. (1993, July). Right hemisphere dominance of the production of facial expression in monkeys. *Science, 261*, 475-477.
Heelas, P., & Lock, A. (1981). *Indigenous psychologies: An anthropology of the self*. London, England: Academic Press.
Heider, E. R., & Oliver, D. (1972). The structure of the color space in naming and memory for two languages. *Cognitive Psychology, 3*, 337-354.
Heyes, C. M. (1993). Imitation, culture and cognition. *Animal Behaviour, 46* (5), 999-1010.
Hiatt, L. R. (1978). Classification of the emotions. In L. R. Hiatt (Ed.), *Australian aboriginal concepts* (pp. 182-187). Princeton, NJ: Humanities Press.
Hippler, A. E. (1980). Editorial. *International Association of Cross-Cultural Psychology Newsletter, 14*, 2-3.
Hirschfield, L. A. (Series Ed.). (1996). Learning, development, and conceptual change. *Race in the making: Cognition, culture, and the child's construction of human kinds*. Cambridge, MA: The MIT Press.
Hofstede, G. (1980). *Culture's consequences: International differences in work-related values*. Beverly Hills, CA: Sage.
Hofstede, G. (1983). Dimensions of national cultures in fifty countries and three regions. In J. B. Deregowski, S. Dziurawiec, & R. C. Annis (Eds.), *Expiscations in cross-cultural psychology* (pp. 335-355). Lisse: Swets, & Zeitlinger.
Hofstede, G. (1984). *Culture's consequences: International differences in work-related values*. Newbury Park, CA: Sage.
Holloway, S. D., & Minami, M. (1996). Production and reproduction of culture: The dynamic role of mothers and children in early socialization. In D. W. Schwalb, B. J. Schwalb, et al. (Eds.), *Japanese childrearing: Two generations of scholarship* (pp. 164-176). New York: Guilford Press.
Hoosain, R. (1986). Language, orthography and cognitive process: Chinese perspectives for the Sapir-Whorf hypothesis. *International Journal of Behavioral Development, 9* (4), 507-525.
Hoosain, R. (1991). *Psycholinguistic implications for linguistic relativity: A case study of Chinese*. Hillsdale, NJ: Lawrence Erlbaum Associates, Inc.
Howell, S. (1981). Rules not words. In P. Heelas, & A. Lock (Eds.), *Indigenous psychologies: The anthropology of the self* (pp. 133-143). San Diego, CA: Academic Press.
Hughes, B., & Paterson, K. (1997). The social model of disability and the disappearing body: Towards a sociology of impairment. *Disability and Society, 12* (3), 325-340.
Hui, C. H. (1984). *Individualism-collectivism: Theory, measurement, and its relation to reward*

allocation. Unpublished doctoral dissertation, University of Illinois.
Hui, C. H. (1988). Measurement of individualism-collectivism. *Journal of Research in Personality, 22*, 17-36.
Hui, C. H., & Triandis, H. C. (1986). Individualism-collectivism: A study of cross cultural researchers. *Journal of Cross-Cultural Psychology, 17*, 225-248.
Hull, P. V. (1987). *Bilingualism: Two languages, two personalities? Resourcesin education, educational resources clearinghouse on education*. Ann Arbor: University of Michigan Press.
Hull, P. V. (1990a). *Bilingualism: Two languages, two personalities?* Unpublished doctoral dissertation, University of California, Berkeley.
Hull, P. V. (1990b, August). *Bilingualism and language choice*. Paper presented at the Annual Convention of the American Psychological Association, Boston.
Hunt, E., & Agnoli, F. (1991). The Whorfian hypothesis: A cognitive psychology perspective. *Psychological Review, 98*, 377-389.
Husen, T. (1967). *International study of achievement in mathematics*. New York: Wiley.
Izard, C. E. (1971). *The face of emotion*. New York: Appleton-Century-Crofts.
Izard, C. E. (1994). Innate and universal facial expressions: Evidence from developmental and cross-cultural research. *Psychological Bulletin, 115* (2), 288-299.
Izard, C. E., & Haynes, O. M. (1988). On the form and universality of the contempt expression: A challenge to Ekman and Friesen's claim of discovery. *Motivation and Emotion, 12* (1), 1-16.
Jacobson, L. (1996). PPR bistand til sprogskolerne-et omrade uden lovdaekning. /Psychological support in language schools: An unlegislated area. *Psykologisk-Paedagogisk Radgivning, 33* (1): 46-61.
Jahoda, G. (1984). Do we need a concept of culture? *Journal of Cross-Cultural Psychology, 15* (2), 139-151.
James, W. (1890). *The principles of psychology* (Vol. 2). New York: Holt.
Jones, E. E., & Harris, V. A. (1967). The attribution of attitudes. *Journal of Experimental Social Psychology*, 3, 1-24.
Joseph, R. A., Markus, H. R., & Tafarodi, R. W. (1992). Gender differences in the source of selfesteem. *Journal of Personality and Social Psychology, 63*, 1017-1028.
Joshi, S. M., & MacLean, M. (1997). Maternal expectations of child development in India, Japan, and England. *Journal of Cross-Cultural Psychology, 28* (2), 219-234.
Kashima, E. S., & Kashima, Y. (1998). Culture and language: The case of cultural dimensions and personal pronoun use. *Journal of Cross-Cultural Psychology, 29*, 461-486.
Kashima, Y., Kim, U., Gelfand, M. J., Yamaguchi, S., Choi, S., & Yuki, M. (1995). Culture, gender, and self: A perspective from individualism-collectivism research. *Journal of personality and Social Psychology, 69*, 925-937.
Kay, P., & Kempton, W. (1984). What is the Sapir-Whorf hypothesis? *American Anthropologist, 86*, 65-89.
Keller, H., Chasiotis, A., & Runde, B. (1992). Intuitive parenting programs in German, American, and Greek parents of 3-month-old infants. *Journal of Cross-Cultural Psychology, 23* (4), 510-520.
Kelley, M., & Tseng, H. (1992). Cultural differences in child rearing: A comparison of immigrant Chinese and Caucasian American mothers. *Journal of Cross-Cultural Psychology, 23* (4), 444-455.
Kemper, T. (1978). *A social interactional theory of emotions*. New York: Wiley.
Kim, M., Hunter, J. E., Ahara, A. M., Horvath, A., Bresnahan, M., & Yoon, H. (1996). Individual vs. culture-level dimensions of individualism and collectivism: Effects on preferred conversational styles. *Communication Monograph, 63*, 29-49.
Kim, U., and Berry, J. W. (1993). Introduction. In K. Uichol, & J. W. Berry (Eds.), *Indigenous psychologies: Research and experience in cultural context. Cross-cultural research Indigenous and methodology series, Vol. 17*, 1-29. Newbury Park, CA: Sage Publications, Inc.

Kim, Y. Y., & Gudykunst, W. B. (Eds.). (1988). Cross cultural adaptation: Current approaches. *International and intercultural communication annual, 11.* Newbury Park: Sage.

Kitayama, S., & Markus, H. R. (1991). Culture and the self: Implications for cognition, emotion, and motivation. *Psychological Review, 98,* 224-253.

Kitayama, S., & Markus, H. R. (Eds.). (1994). *Emotions and culture: Empirical studies of mutual influence.* Washington: American Psychological Association.

Kitayama, S., & Markus, H. R. (in press, a). A cultural perspective to self-conscious emotions. In J. P. Tangney & K. Fisher (Eds.), *Shame, guilt, embarranssment, and pride: Enpirical studies of self-conscious emotions.* New York: Guilford Press.

Kitayama, S., & Markus, H. R. (in press, b). Culture and self: Implications for internationalizing psychology. In J. D' Arms, R. G. Hasite, & H. K. Jacobson (Eds.), *Becoming more international and global: Challenges for American higher education.* Ann Arbor: University of Michigan Press.

Kitayama, S., & Markus, H. R., Kurokawa, M., & Negishi, K. (1993). Social orientation of emotions: Cross-cultural evidence and implications. Unpublished manuscript. University of Oregon.

Kitayama, S., & Markus, H. R., & Matsumoto, H. (1995). Culture, self, and emotion: A cultural perspective on "self-consciouse" motions. In J. P. Tangney, & K. Fisher (Eds.), *Self-conscious emotions: The psychology of shame, guilt, embarrassment, and pride* (pp. 439-464). New York: Guilford Press.

Kleinman, A. (1988). *Rethinking psychiatry: From cultural category to personal experience.* New York: Free Press.

Kluckholn, F., & Strodtbeck, F. (1961). *Variations in value orientations.* Evanston, IL: Row, Peterson.

Kohlberg, L. (1976). Moral stages and moralization: The cognitive-developmental approach. In J. Lickona (Ed.), *Moral development behavior: Theory, research and social issues.* New York: Holt, Rinehart, & Winston.

Kohlberg, L. (1984). *The psychology of moral development: The nature and validity of moral stages* (Vol. 2). New York: Harper, & Row.

Kosmitzki, C. (1996). The reaffirmation of cultural identity in cross-cultural encounters. *Personality and Social Psychology Bulletin, 22,* 238-248.

Kreutzer, V. O. (1973). A study of the use of underachieving students as tutors for emotionally disturbed children. *Dissertation Abstracts International, 34* (6-A), 3145.

Kroeber, A. L., & Kluckholn, C. (1952). *Culture: A critical review of concepts and definitions* (Vol. 47, No. 1). Cambridge, MA: Peabody Museum.

Kush, C. J. (1996). Field-dependence, cognitive ability, and academic achievement in Anglo American and Mexican American Students. *Journal of Cross-Cultural Psychology, 27* (5), 561-575.

LaFrance, M., & Mayo, C. (1976). Racial differences in gaze behavior during conversation: Two systematic observational studies. *Journal of Personality and Social Psychology, 33* (5), 547-552.

Lambert, E. W., Mermingis, L., & Taylot, M. D. (1986). Greek Canadians' attitudes toward own group and other Canadian ethnic groups: A test of the multiculturalism hypothesis. *Canadian Journal of Behavioral Science, 18* (1), 35-51.

Lammers, C. J., & Hickson, D. J. (Eds.). (1979). *Organizations alike and unlike: International and interinstitutional studies in the sociology of organization.* London: Routledge & Kegan Paul.

Landau, M. S. (1984). The effects of spatial ability and problem presentation format on mathematical problem solving performance of middle school students. *Dissertation Abstracts international, 45* (2-A), 442-443.

Lange, C. (1887). *Ueber Gemuthsbewegungen.* Leipzig: Theodor Thomas.

Langer, E. J. (1989). *Mindfulness.* Reading, MA: Addison-Wesley.

Langman, P. E. (1997). White culture, Jewish culture, and the origins of psychotherapy. *Psychotherapy, 34* (2), 207-218.

Latané, B. (1981). The psychology of social impact. *American Psychologist, 36,* 343-356.

Latané, B., Williams, K., & Harkins, S. (1979). Many hands make light the work: the causes and consequences of social loafing. *Journal of Personality and Social Psychology*, 37, 322-332.
Laurendeau-Bendavid, M. (1977). Culture, schooling, and cognitive development: A comparative study of children in French Canada and Rwanda. In P. R. Dasen (Ed.), *Piagetian psychology: Cross-cultural contributions* (pp. 123-168). New York: Gardner/Wiley.
Laurent, A. (1978). *Matrix organizations and Latin culture*. Working Paper 78-28. Brussels: European Institute for Advanced Studies in Management.
Lazarus, R. S. (1991). *Emotion and adaptation*. New York: Oxfond University Press.
Lederer, G. (1982). Trends in authoriarianism: A study of adolescents in West Germany and the United State since 1945. *Journal of Cross-Cultural Psychology*, 13 (3), 299-314.
Lee, F., Hallahan, M. & Herzog, T. (1996). Explaining real-life events: How culture and domain shape attributions. *Personality and Social Psychology Bulletin*, 22 (7), 732-741.
Lee, H. O., & Boster, F. J. (1992). Collectivism-individualism in perceptions of speech rate: A Cross-Cultural comparison. *Journal of Cross-Cultural Psychology*, 23, 377-388.
Lee, S. (1995). Reconsidering the status of anorexia nervosa as a culture-bound syndrome. *Social Science and Medicine*, 42, 21-34.
Lee, V. K., & Dengerink, H. A. (1992). Locus of control in relation to sex and nationality: A cross-cultural study. *Journal of Cross-Cultural Psychology*, 23 (4), 488-497.
Lee, W. M. L., & Mixson, R. J. (1995). Asian and Caucasian client perceptions of the effectiveness of counseling. *Journal of Multicultural Counseling and Development*, 23 (1), 48-56.
Leenaars, A. A., Anawak, J., & Taparti, L. (1998). Suicide among the Canadian Inuit. In R. J. Kosky & H. S. Hadi (Eds.): *Suicide prevention: The global context* (pp. 111-120). New York: Plenum Press.
Lee, H. O., & Boster, F. J. (1992). Collectivism-individualism in perceptions of speech rate: A cross-cultural comparison. *Journal of Cross-Cultural Psychology*, 23, 377-388.
Leff, J (1973). Culture and the differentiation of emotional states. *British Journal of Psychiatry*, 123, 299-306.
Leung, K. (1988). Some determinants of conflict avoidance. *Journal of Cross-Cultural Psychology*, 19, 125-136.
Levine, R. A. (1977). Child rearing as cultural adaptation. In P. H. Leiderman, S. R. Tulkin, & A. Rosenfeld (Eds.), *Culture and infancy* (pp. 15-27). New York: Academic Press.
Levy, R. I. (1973). *Tahitians*. Chicago: University of Chicago Press.
Levy, R. I. (1983). Introduction: Self and emotion. *Ethos*, 11, 128-134.
Levy, R. I. (1984). The emotions in comparative perspective. In K. Scherer, & P. Ekman (Eds.), *Approaches to emotion* (PP. 397-412). Hillsdale, NJ: Erlbaum.
Levy-Bruhl, L. (1910). *Les fonctions mentales dans les societes infereures*. Paris: Alcan. (Trans: 1928, How natives think. London: Allen, & Unwin.)
Levy-Bruhl, L. (1922). *Mentaliete primitive*. Paris: Alcan. (Trans. 1923, Primitive mentality. London: Allen, & Unwin.)
Levy-Bruhl, L. (1949). *Les carnets de Lucien Levy-Bruhl*. [The notebooks of Lucien Levy-Bruhl.]Paris: Press Universitaires de France.
Lewotin, R. C., Rose, S., & Kamin, L. J. (1984). *Not in our genes: Biology, ideology and human nature*. New York: Pantheon Books.
Lin, P., & Schwanenflugel, P. (1995). Cultural familiarity and language factors in the structure of category knowledge. *Journal of Cross-Cultural Psychology*, 26 (2), 153-168.
Linton, R. (1936). *The study of man: An introduction*. New York: Appleton.
Little, D. T., Oettingen, G., Stetsenko, A., & Baltes, B. P. (1995). Children's action-control beliefs about school performance: How do American children compare with German and Russian children? *Journal of Personality and Social Psychology*, 69 (4), 686-700.
Liu, L. G. (1985). Reasoning conterfactually in Chinese: Are their any obstacles? *Cognition*, 21 (3), 239-

270.
Livesly, W. J., & Bromley, D. B. (1973). *Person perception in childhood and adolescence.* London: Wiley.
Lucy, J. A. (1992). *Language diversity and thought: A reformation of the linguistic relativity hypothesis.* Cambridge, England: Cambridge University Press.
Luria, A. R. (1976). *Cognitive development: Its cultural and social foundations* (M. Lopes, & L. Solotaroff, trans.). Cambridge, MA: Harvard University Press. [Original work published 1974]
Luthar, S. S., & Quinlan, D. M. (1993). Parental images in two cultures: A study of women in India and America. *Journal of Cross-Cultural Psychology, 24* (2), 186-202.
Lutz, C. (1980). *Emotion words and emotional development on Ifaluk Atoll.* Unpublished doctoral dissertation, Harvard University.
Lutz, C. (1982). The domain of emotion words in Ifaluk. *American Ethnologist, 9,* 113-128.
Lutz, C. (1983). Perental goals, ethnopsychology, and the development of emotional meaning. *Ethos, 11,* 246-262.
Lutz, C. (1988). *Unnatural emotions: Everyday sentiments on a Micronesian atoll and their challenge to Western theory.* Chicago: University of Chicago Press.
Ma, K. H., & Cheung, C. (1996). A cross-cultural study of moral stage structure in Hong Kong Chinese, English, and Americans. *Journal of Cross-Cultural Psychology, 27* (6), 700-713.
Ma, S. M. (1998). *Immigrant subjectives in Asian American and Asian Diaspora literatures.* New York: State University of New York Press.
Maccoby, E. E., & Martin, J. A. (1983). Socialization in the context of the family: Parent-child interaction. In E. M. Hetherington (Ed.), *Handbook of child psychology, Vol. 4: Socialization, personality, and social development* (4th ed.), (pp. 1-101). New York: Wiley.
Maehr, M., & Nicholls, J. (1980). Culture and achievement motivation: A second look. In N. Warren (Ed.), *Studies in cross-cultural psychology* (Vol. 2) (PP. 221-267). London: Academic Press.
Malpass, R (1993, August). *A discussion of the ICAI.* Symposium presented at the Annual Convention of the American Psychological Association, Toronto, Canada.
Markham, R., & Wang, L. (1996). Recognition of emotion by Chinese and Australian children. *Journal of Cross-Cultural Psychology, 27* (5), 616-643.
Marks, D. (1997). Models of disability. *Disability and Rehabilitation an International Multidisciplinary Journal, 19* (3), 85-91.
Markus, H. R. (1977). Self-schemata and processing information about the self. *Journal of Personality and Social Psychology, 35,* 63-78.
Markus, H. R., & Kitayama, S. (1991a). Cultural variation in self-concept. InG. R. Goethals, & J. Strauss (Eds.), *Multidisciplinary perspectives on the self.* New York: Springer-Verlag.
Markus, H. R., & Kitayama, S. (1991b). Culture and the self: Implications for cognition, emotion, and motivation. *Psychological Review, 98,* 224-253.
Martin, J. N., & Hammer, M. R. (1989). Behavioral categories of intercultural communication competence: Everyday communicators' perceptions. *International Journal of Intercultural Relations, 13* (3), 303-332.
Matsumoto, D. (1989). Cultural influences on the perception of emotion. *Journal of Cross-Cultural Psychology, 20,* 92-105.
Matsumoto, D. (1990). Cultural similarities and differences in display rules. *Motivation and Emotion, 14* (3), 195-214.
Matsumoto, D. (1991). Cultural influences on facial expressions of emotion. *Southern Communication Journal, 56,* 128-137.
Matsumoto, D. (1992a). American Japanese cultural differences in the recognition of universal facial expressions. *Journal of Cross-Cultural Psychology, 23,* 72-84.
Matsumoto, D. (1992b). More evidence for the universality of a contempt expression. *Motivation and Emotion, 16* (4), 363-368.

Matsumoto, D. (1993). Ethnic differences in affect intensity, emotion judgments, display rule attitudes, and self-reported emotional expression in an American sample. *Motivation and Emotion, 17* (2), 107-123.

Matsumoto, D. (1996a). *Culture and psychology.* Pacific Grove, CA: Brooks Cole.

Matsumoto, D. (1996b). *Unmasking Japan: Myths and realities about the emotinos of the Japanese.* Stanford, CA: Stanford University Press.

Matsumoto, D., & Assar, M. (1992). The effects of language on judgments of universal facial expressions of emotion. *Journal of Nonverbal Behavior, 16,* 85-99.

Matsumoto, D., Colvin, C., Taylor, S., Goh, A., & Murayama, M. (1998, August). American-Japanese differences in organizational culture. In C. Colvin (Chair), *Cultural analysis of organizational typologies.* Symposium conducted at the 24th International Congress of Applied Psychology, San Francisco.

Matsumoto, D., & Ekman, P. (1989). American-Japanese cultural differences in intensity ratings of facial expressions of emotion. *Motivation and Emotion, 13,* 143-157.

Matsumoto, D., & Hearn, V. (1991). *Culture and emotion: Display rule differences between the United States, Poland, and Hungary.* Manuscript submitted for publication.

Matsumoto, D., Kasri, F., & Kooken, K. (1999). American-Japanese cultural differences in judgments of expression intensity and subjective experience. *Cognition and Emotion, 13,* 201-218.

Matsumoto, D., Kasri, F., Milligan, E., Singh, U., & The, J. (1997). *Lay conceptions of culture: Do students and researchers understand culture in the same way?* Unpublished paper, San Francisco State University.

Matsumoto, D., & Kudoh, T. (1993). American-Japanese cultural differences in attributions of personality based on smiles. *Journal of Nonverbal Behavior, 17* (4), 231-243.

Matsumoto, D., Kudoh, T., Scherer, K, & Wallbott, H. (1988). Antecedents of and reactions to emotions in the United States and Japan. *Journal of Cross-Cultural Psychology, 19* (3), 267-286.

Matsumoto, D., Kudoh, T., & Takeuchi, S. (1996). Changing patterns of individualism and collectivism in the United States and Japan. *Culture and Psychology, 2,* 77-107.

Matsumoto, D., Takeuchi, S., Andayani, S., Koutnetsouva, N., & Krupp, D. (1998). The contribution of individualism-collectivism to cross-national differences in display rules. *Asian Journal of Social Psychology, 1,* 147-165.

Matsumoto, D., Wallbott, H. G., & Scherer, K. R. (1987). Emotions in intercultural communication. In M. K. Asante, & W. B. Gudykunst (Eds.), *Handbook of international and cultural communication.* Newbury Park, CA: Sage.

Matsumoto, D., Weissman, M., Preston, K., Brown, B., & Kupperbusch, C. (1997). Context-specific measurement of individualism-collectivism on the individual level: The IC Interpersonal Assessment Inventory (ICIAI). *Journal of Cross-Cultural Psychology, 28,* 743-767.

Matsuyama, Y., Hama, H., Kawamura, Y., & Mine, H. (1978). Analysis of emotional words. *The Japanese Journal of Psychology, 49,* 229-232.

Mauro, R., Sato, K., & Tucker, J. (1992). The role of appraisal in human emotions: A cross-cultural study. *Journal of Personality and Social Psychology, 62* (2), 301-317.

McCargar, D. F. (1993). Teacher and student role expectations: Cross-cultural differences and implications. *Modern Language Journal, 77* (2), 192-207.

McClelland, D. C. (1961). *The achieving society.* Princeton, NJ: Van Nostrand.

McConatha, J. T., Lightner, E., & Deaner, S. L. (1994). Culture, age, and gender as variables in the expression of emotions. *Journal of Social Behavior and Personality, 9* (3), 481-488.

Mead, M. (1961). *Cooperation and competition among primitive people.* Boston: Beacon Press.

Mesquita, B., & Frijda, N. H. (1992). Cultural variations in emotions: A review. *Psychological Bulletin, 112* (2), 179-204.

Messick, D. M., & Mackie, D. M. (1989). Intergroup relations. *Annual Review of Psychology, 40,* 45-81.

Miller, J. G. (1984). Culture and the development of everyday social explanation. *Journal of Personality and Social Psychology, 46,* 961-978.

Miller, J. G., & Bersoff, D. M. (1992). Culture and moral judgment: How are conflicts between justice and interpersonal responsibilities resolved? *Journal of Personality and Social Psychology, 62,* 541-554.

Minami, M., & McCabe, A. (1995). Rice balls and bear hunts: Japanese and North American family narrative patterns. *Journal of Child Language, 22,* 423-455.

Miura, I. T., Okamoto, Y., Kim, C. C., Steere, M., et al. (1993). *First graders' cognitive representation of number and understanding of place value.* Cross-national comparisons: France, Japan, Korea, Sweden, and the United States.

Miyake, K. (1993). Temperament, mother-infant interaction, and early emotional development. *The Japanese Journal of Research on Emotions, 1* (1), 48-55.

Miyake, K., Chen, S., & Campos, J. J. (1985). Infant temperament, mother's mode of interaction, and attachment in Japan. An interim report. In I. Bretherton, & E. Waters (Eds.), *Growing points of attachment theory. Monographs of the Society of Research in Child Development, 50* (1-2, Serial No. 209).

Morelli, G. A., Oppenheim, D., Rogoff, B., & Goldsmith, D. (1992). Cultural variations in infant sleeping arrangements: Questions of independence. *Developmental Psychology, 28,* 604-613.

Morgan, L. H. (1877). *Ancient society: Or, researches in the line of human progress from savagery through barbarism to civilization.* Chicago: C. H. Kerr.

Mulder, M. (1976). Reduction of power differences in practice: The power distance reduction theory and its applications. In G. Hofstede, & M. S. Kassem (Eds.), *European contributions to organize theory* (pp. 79-94). Assen, Netherlands: Van Gorcum.

Mulder, M. (1977). *The daily power game.* Leyden, Netherlands: Martinus.

Murdock, G. P., Ford, C. S., & Hudson, A. E. (1971). *Outline of cultural materials* (4th ed.). New Haven, CT: Human Relations Area Files.

Myers, D. (1987). *Social psychology* (2nd ed.). New York: McGraw-Hill.

Myers, F. R. (1979). Emotions and the self: A theory of personhood and political order among Pintupi aborigines. *Ethos, 7,* 343-370.

Niedenthal, P., & Beike, D. (1997). Interrelated and isolated self-concepts. *Personality and Social Psychology Review, 1* (2), 106-128.

Niyekawa-Howard, A. M. (1968). *A study of second language learning: The influence of first language on perception, cognition, and second language learning: A test of the Whorfian hypothesis.* Washington, DC: U. S. Dept. of Health, Education, and Welfare, Office of Education, Bureau of Research.

Nurmi, J., Poole, E. M., & Seginer, R. (1995). Tracks and transitions: A comparison of adolescent future-oriented goals, explorations, and commitments in Australia, Israel, and Finland. *International Journal of Psychology, 30* (3), 355-375.

Ochs, E. (1988). *Culture and language development: Language acquisition and language socialization in a Samoan village.* Cambridge, England: Cambridge University Press.

Ochs, E., & Schieffelin, B. B. (Eds.). (1979). *Developmental pragmatics.* New York: Academic Press.

Ochs, E., & Schieffelin, B. B. (1983). *Acquiring conversational competence.* London, & Boston: Routledge, & Kegan Paul.

Oettingen, G. (1997). Culture and future thought. *Culture and Psychology, 3* (3), 353-381.

Ogbu, J. U. (1981). Origins of human competence: A cultural-ecological perspective. *Child Development, 52,* 413-429.

Okabe, R. (1983). Cultural assumptions of east and west: Japan and the United States. In W. Gudykunst (Ed.), *Intercultural communication theory: Current perspectives* (pp. 21-44). Beverly Hills, CA: Sage.

Olah, A. (1995). Coping strategies among adolescents: A cross-cultural study. *The Association for*

Professionals in Services for Adolescents, 491-507.
Omi, M., & Winant, H. (1994). *Racial formation in the United States: From the 1960s to the 1990s* (2nd ed.). New York: Routledge.
Oyserman, D. (1993). The lens of personhood: Viewing the self and others in a multicultural society. *Journal of Personality and Social Psychology, 65* (5), 993-1009.
Oyserman, D., Gant, L., & Ager, J. (1995). A socially contextualized model of African American identity: Possible selves and school persistence. *Journal of Personality and Psychology, 69* (6), 1216-1232.
Pang, O. V. (1991). The relationship of test anxiety and math achievement to parental values in Asian American and European American middle school students. *Journal of Research and Development in Education, 24* (4), 1-10.
Papps, F., Walker, M. Trimboli, A., & Trimboli, C. (1995). Parental discipline in Anglo, Greek, Lebanese, and Vietnamese cultures. *Journal of Cross-Cultural Psychology, 26* (1), 49-64.
Pascual, L., Haynes, O. M., Galperin, Z. C., & Bornstein, H. M. (1995). Psychosocial determinants of whether and how much new mothers work: A study in the United States and Argentina. *Journal of Cross-Cultural Psychology, 26* (3), 314-330.
Pelto, P. J. (1968, April). The differences between "tight" and "loose" societies. *Trans-action*, pp. 37-40.
Pelto, P. J., & Pelto, G. H. (1975). Intra-cultural diversity: Some theoretical issues. *American Ethnologist, 2*, 1-18.
Pennebaker, J. W., Rime, B., & Blankenship, V. E. (1996). Stereotypes of emotional expressiveness of northerners and southerners: A cross-cultural test of Montesquieu's hypothesis. *Journal of Personality and Social Psychology, 70* (2), 372-380.
Pe-Pua, R. (1989). Pagtatanong-Tanong: A cross-cultural research method. *International Journal of Intercultural Relations, 13*, 147-163.
Phinney, J. S. (1996). When we talk about American ethnic groups, what do we mean? *American Psychologist, 51* (9), 918-927.
Phinney, S. J., & Chavira, V. (1992). Ethnic identity and self-esteem: an exploratory longitudinal study. *Journal of Adolescence, 15*, 271-281.
Piaget, J. (1952). *The origins of intelligence in children*. New York: International Universities Press.
Piaget, J. (1954). *Construction of reality in the child*. New York: Basic-Books.
Piers, G., & Singer, M. B. (1971). *Shame and guilt: A psychoanalytic and a cultural study*. New York: W. W. Norton.
Pike, K. L. (1954). *Language in relation to a unified theory of the structure of human behavior, Pt. 1* (Preliminary ed.). Glendale, CA: Summer Institute of Linguistics.
Pittam, J., Gallois, C., Iwawaki, S., & Kroonenberg, P. (1995). Australian and Japanese concepts of expressive behavior. *Journal of Cross-Cultural Psychology, 26* (5), 451-473.
Poortinga, H. Y. (1990). *Presidential address IACCP towards a conceptualization of culture for psychology*. Unpublished paper, Tilburg University, The Netherlands.
Porter, R. E., & Samovar, L. A. (1997). *Intercultural communication: A reader*. Belmont, CA: Wadsworth.
Price-Williams, D., & Ramirez III, M. (1977). Divergent thinking, cultural differences, and bilingualism. *The Journal of Social Psychology, 103*, 3-11.
Ratzlaff, C., Leroux, J., Vogt, A., Nishinohara, H., Yamamoto, A., Matsumoto, D. (1998, August). *ICAPS: A new scale of intercultural adjustment II*. Paper presented at the meeting of the American Psychological Association, Boston, MA.
Redmond, M. V., & Bunyi, J. M. (1993). The relationship of intercultural communication competence with stress and the handling of stress as reported by international students. *International Journal of Intercultural Relations, 17* (2), 235-254.
Riesman, P. (1977). *Freedom in Fulani social life: An introspective ethnography* (M. Fuller, Trans.).

Chicago: University of Chicago Press. (Original work published 1974.)

Rohner, R. P. (1984). Toward a conception of culture for cross-cultural psychology. *Journal of Cross-Cultural Psychology, 15*, 111-138.

Rosch, E. (1973). On the internal structure of perceptual categories. In T. E. Moore (Ed.), *Cognitive development and the acquisition of language* (pp. 111-144). San Diego, CA: Academic Press.

Rose, M. H. (1995). Apprehending deaf culture. *Journal of Applied Communication Research, 23 (2)*, 156-162.

Roseman, I. J., Dhawan, N., Rettek, S. I., Nadidu, R. K., & Thapa, K. (1995). *Journal of Cross-Cultural Psychology, 26*, 23-48.

Rosenberg, E. L., & Ekman, P. (1994). Coherence between expressive and experiential systems in emotion. *Cognition and Emotion, 8* (3), 201-229.

Ross, B. M., & Millson, C. (1970). Repeated memory of oral prose in Ghana and New York. *International Journal of Psychology, 5*, 173-181.

Ross, J., &Ferris, K. R. (1981). Interparsonal attraction and organizational outcome: A field experiment. *Administrative Science Quarterly, 26*, 617-632.

Ross, L. (1977). The intuitive psychologist and his shortcomings: Distortions in the attribution process. In L. Berkowitz (Ed.), *Advances in experimental social psychology* (Vol. 10) (pp. 174-221). New York: Academic Press.

Russell, J. A. (1991). Culture and the categorization of emotions. *Psychological Bulletin, 110*, 426-450.

Russell, J. A. (1994a). Is there universal recognition of emotion from facial expression? A review of the cross-cultural studies. *Psychological Bulletin, 115* (1), 102-141.

Russell, J. A. (1994b). Afterword. In J. Russell, J. Fernandez-Dols, A. Manstead, & J. Wellenkamp (Eds.), *Everyday conceptions of emotion* (pp. 571-574). Netherlands: Kluwer Academic Publishers.

Russell, J. A. (1995). Facial expressions of emotion: What lies beyond minimal universality? *Psychological Bulletin, 118* (3), 379-391.

Russell, J. A. (1997). Reading emotions from and into faces: Resurrecting a dimensional-contextual perspective. In J. A. Russell, J. M. Fernandez-Dols, et al. (Eds.), *The psychology of facial expression. Studies in emotion and social interaction, 2nd series* (pp. 295-320). New York: Cambridge University Press; Paris: Editions De La Maison Des Sciences De L' Homme.

Sagi, A., Lamb, M. E., Lewkowicz, K. S., Shoham, R., Dvir, R., & Estes, D. (1985). Security of infant-mother, -father, and metapelet attachments among kibbutz reared Israeli children. In I. Bretherton, & E. Waters (Eds.), *Growing point in attachment theory. Monographs of the Society for Research in Child Development, 50* (1-2 Serial No. 209).

Samovar, L. A., & Porter, R. E. (1985). *Intercultural communication: A reader*. Belmont, CA: Wadsworth.

Samovar, L. A., & Porter, R. E. (1995). *Communication between cultures*. Belmont, CA: Wadsworth.

Sampson, E. E. (1988). The debate on individualism: Indigenous psychologies and their role in personal and societal functioning. *American Psychologist, 43*, 15-22.

Santa, J. L., & Baker, L. (1975). Linguistic influences on visual memory. *Memory and Cognition, 3* (4), 445-450.

Santiago-Rivera, A. L., & Azara, L. (1995). Developing a culturally sensitive treatment modality for bilingual Spanish-speaking clients: Incorporating language and culture in counseling. *Journal of Counseling and Development, 74* (1), 12-17.

Sargent, C. (1984). Between death and shame: Dimensions of pain in Bariba culture. *Social Science and Medicine, 19* (12), 1299-1304.

Satoh, K. (1996). Expression in the Japanese kindergarten curriculum. *Early Child Development and Care, 123*, 193-202.

Saudino, K. J. (1997, August). Moving beyond the heritability question: new directions in behavioral genetic studies of personality. *Current Directions in Psychological Science, 6* (4), 86-90.

Scarr, S., & Weinberg, R. A. (1976). I. Q. test performance of black children adopted by white families. *American Psychologist, October*, 726-739.
Schachter, S., & Singer, S. S. (1962). Cognitive, social and physiological determinants of emotional state. *Psychological Review, 69*, 379-399.
Schaller, G. (1963). *The mountain gorilla*. Chivago: University of Chivago Press.
Schaller, G. (1964). *The year of the gorilla*. Chivago: University of Chivago Press.
Schein, E. H. (1985). *Organizational culture and leadership: A dynamic view*. The Jossey-Bass Management Series and The Jossey-Bass Social and Behavioral Science Series. San Francisco: Jossey-Bass Inc.
Scherer, K. R. (1997a). Profiles of emotion-antecedent appraisal: Testing theoretical predictions across cultures. *Cognition and Emotion, 11* (2), 113-150.
Scherer, K. R. (1997b). The role of culture in emotion-antecedent appraisal. *Journal of Personality and Social Psychology, 73* (4), 902-922.
Scherer, K. R., Matsumoto, D., Wallbott, H., & Kudoh, T. (1988). Emotional experience in cultural context: A comparison between Europe, Japan, and the USA. In K. Scherer (Ed.), *Facets of emotion: Recent research* (pp. 5-30). Hillsdale, NJ: Erlbaum.
Scherer, K. R., Summerfield, A., & Wallbott, H. (1983). Cross-national research on antecedents and components of emotion: A progress report. *Social Science Information, 22*, 355-385.
Scherer, K. R., & Wallbott, H. G. (1994). Evidence for universality and cultural variation of differential emotion response patterning. *Journal of Personality and Social Psychology, 66* (2), 310-328.
Scherer, K. R., Wallbott, H. G., & Summerfield, A. B. (Eds.). (1986). *Experiencing emotion: A cross-cultural study*. Cambridge, England:Cambridge University Press.
Schieffelin, B. B. (1981). *How Kaluli children learn what to say, what to do, and how to feel: An ethnographic study of the development of communicative competence*. Unpublished doctoral dissertation, University of California, San Diego.
Schieffelin, B. B. (1990). *The give and take of everyday life: Language socialization of Kaluli children*. New York: Cambridge University Press.
Schieffelin, B. B., & Ochs, E. (Eds.). (1986). *Language socialization across cultures*. Cambridge, England: Cambridge University Press.
Schimmack, U. (1996). Cultural influences on the recognition of emotion by facial expressions. *Journal of Cross-Cultural Psychology, 27*, 37-50.
Schwartz, S. (1990). Individualism-collectivism: Critique and proposed refinements. *Journal of Cross-Cultural Psychology, 21*, 139-157.
Schwartz, S., & Bilsky, W. (1987). Toward a universal psychological structure of human values. *Journal of Personality and Social Psychology, 53*, 550-562.
Schwartz, S. H. (1978). Temporal instability as a moderator of the attitude behavior relationship. *Journal of Personality and Social Psychology, 36* (7), 715-724.
Seiffge-Krenke, I. & Shulman, S. (1990). Coping style in adolescence: A cross-cultural study. *Journal of Cross-Cultural Psychology, 21* (3), 351-377.
Shand, N., Kosawa, Y., & Decelles, P. (1988). Cognitive measures and maternal physical contact in Japan and America. In C. Bagley & G. Verma (Eds.), *The cross-cultural imperative*. London: Macmillan.
Shayer, M., Demetriou, A., & Perez, M. (1988). The structure and scaling of concrete operational thought: Three studies in four countries and only one story. *Genetic Psychology Monographs, 114*, 307-376.
Shea, J. D. (1985). Studies of cognitive development in Papua New Guinea. *International Journal of Psychology, 20*, 33-61.
Shore, B. (1991). Twice born, once conceived: Meaning construction and cultural cognition. *American Anthropologist, 93*, (1), 9-27.

Shweder, R. A. (1994). Liberalism as destiny. In B. Puka et al. (Eds.), *Moral development: A compendium: Vol. 4. The great justice debate: Kohlberg criticism* (pp. 71-74). New York: Garland Publishing, Inc.

Shweder, R. A., & Bourne, E. J. (1984). Does the concept of the person vary cross-culturally? In R. A. Shweder, & R. A LeVine (Eds.), *Culture theory: Essays on mind, self, and emotion* (pp. 158-199). Cambridge, England: Cambridge University Press.

Shweder, R. A., Mahapatra, M., & Miller, J. G. (1987). Culture and moral development. In J. Kagan, & S. Lamb (Eds.), *The emergence of morality in young children*. Chicago: University of Chicago Press.

Singelis, M. T., Triandis, C. H., Bhawuk, S. D., & Gelfand, J. M. (1995). Horizontal and vertical dimensions of individualism and collectivism: A theoretical and measurement refinement. *Cross-Cultural Research, 29* (3), 241-275.

Singelis, T. (1994). The measurement of independent and interdependent self-construals. *Personality and Social Psychology Bulletin, 20* (5), 580-591.

Singelis, T., & Sharkey, W. (1995). Culture, self-construal, and embarrassability. *Journal of Cross-Cultural Psychology, 26* (6), 622-644.

Skinner, B. F. (1957). *Verbal behavior. The century psychology series*. New York: Appleton-Century-Crofts.

Slavin, M. O., and Kriegman, D. (1992). *The adaptive design of the human psyche: Psychoanalysis, evolutionary biology, and the therapeutic process*. New York: The Guilford Press.

Slee, R., & Cook, S. (1994). Creating cultures of disability to control young people in Australian schools. *Urban Review, 26,* 15-23.

Snarey, J. R. (1985). Cross-cultural universality of social development: A critical review of Kohlbergian research. *Psychological Bulletin, 97,* 202-232.

Solis-Camara, P., & Fox, R. A. (1995). Parenting among mothers with young children in Mexico and the United States. *Journal of Social Psychology, 135* (5), 591-599.

Song, M. J., & Ginsburg, H. P. (1987). The development of informal and formal mathematical thinking in Korean and U. S. children. *Child Development, 58,* 1286-1296.

Soudijn, K. A., Hutschemaekers, G. J. M. & Van de Vijver, F. J. R. (1990). Culture conceptualizations. In F. J. R. Van de Vijver and G. J. M. Hutschemaekers (Eds.), *The investigation of culture: Current issues in cultural psychology* (pp. 19-39). Tilburg: Tilburg University Press.

Spencer, H. (1876). *Principles of sociology*. New York: D. Appleton.

Spitzberg, B. (1997). A model of intercultural communication competence. In L. Samovar, & R. Porter (Eds.), *Intercultural communication: A reader* (pp. 379-391). Belmont, CA: Wadsworth.

Stephan, W. G., Stephan, C. W., & De Vargas, M-C. (1996). Emotional expression in Costa Rica and the United States. *Journal of Cross-Cultural Psychology, 27* (2), 147-160.

Stetsenko, Little, T-D, Oettingen, G., & Baltes, P. B. (1995). Agency, control, and means-ends beliefs about school performance in Moscow children: How similar are they to beliefs of Western children? *Developmental-Psychology, 31* (2), 285-299.

Stevenson, H. W., Stigler, J. W., Lee, S., Lucker, W., Kitamura, S., & Hsu, C. (1985). Cognitive performance and academic achievement of Japanese, Chinese, and American children. *Child Development, 56* (3), 718-734.

Stevenson, H. W., Lee, S. Y., & Stigler, S. Y. (1986). *Beliefs and achievements: A study in Japan, Taiwan, and the United States.* Uupublished manuscript.

Stevenson, W. H., Chen, C., & Lee, S. (1993). Mathematics achievement of Chinese, Japanese, and American children: *Ten years later. Science, 259,* 53-58.

Stewart, A. J., Malley, J. E. (1987). Role combination in women: Mitigating agency and communion. In F. J. Crosby et al., (Eds.), *Spouse, parent, worker: On gender and multiple roles* (pp. 44-62). New Haven, CT: Yale University Press.

Stigler, J. W., & Baranes, R. (1988). Culture and mathematics learning. In E. Rothkpof (Ed.), *Review of research in education* (Vol. 15) (pp. 253-306). Washington DC: American Educational Research Association.

Stigler, J. W., Lee, S., & Stevenson, H. W. (1986). Digit memory in Chinese and English: Evidence for a temporally limited store. *Cognition, 23*, 1-20.

Stigler, W. J. & Perry, M. (1988). Mathematics learning in Japanese, Chinese, and American classrooms. *New Directions for Child Development, 41*, 27-58.

Stryker, S. (1986). Identity theory: Developments and extensions. In K. Tardley, & T. Honess (Eds.), *Self and identity* (pp. 89-107). New York: Wiley.

Suggs, D. N., & Miracle, A. W. (Eds.). (1993). *Culture and human sexuality: A reader.* Pacific Grove: Brooks/Cole Publishing Co.

Super, C. M., & Harkness, S. (1986). The developmental niche: A conceptualization at the interface of child and culture. *International Journal of Behavioural Development, 9*, 545-569.

Super, C. M., & Harkness, S. (1994). The developmental niche. In W. Lonner, & R. Malpass (Eds.), *Psychology and culture* (pp. 95-99). Boston: Allyn, & Bacon.

Suzuki, T. (1978). *Japanese and the Japanese.* Tokyo: Kodansha.

Tajfel, H. (1982). Social psychology of intergroup relations. *Annual Review of Psychology, 33*, 1-39.

Takahashi, K. (1990). *Affective relationships and their lifelong development.* (Vol. 10). Hillsdale, NJ: Lawrence Erlbaum.

Takahashi, K., & Majima, N. (1994). Transition from home to college dormitory: The role of preestablished affective relationships in adjustment to a new life. *Journal of Research on Adolescence, 4* (3), 367-384.

Takaki, R. (1998). *Strangers from a different shore: A history of Asian Americans* (rev. ed.). Boston: Back Bay Books.

Takano, Y. (1989). Methodological problems in cross-cultural studies of linguistic relativity. *Cognition, 31*, 141-162.

Takano, Y., & Noda, A. (1993). A temporary decline of thinking ability during foreign language processing. *Journal of Cross-Cultural Psychology, 24* (4), 445-462.

Takano, Y., & Noda, A. (1995). Interlanguage dissimilarity enhances the decline of thinking ability during foreign language processing. *Language Learning, 45* (40), 657-681.

Takano, Y., & Osaka, E. (1997). "Japanese collectivism" and "American individualism": Reexamining the dominant view. *The Japanese Journal of Psychology, 68* (4), 312-327.

Thomas, A., & Chess, S. (1977). *Temperament and development.* New York: Brunner/Mazel.

Ting-Toomey, S. (1997). Managing intercultural conflicts effectively. In L. Samovar, & R. Porter (Eds.), *Intercultural communication: A reader* (pp. 392-404). Belmont, CA: Wadsworth.

Tomasello, M. (1993). On the interpersonal origins of self-concept. In U. Neisser (Ed), et al., *The perceived self: Ecological and interpersonal sources of self-knowledge. Emory symposia in cognition, 5* (pp. 174-184). New York: Cambridge University Press.

Tomkins, S. S. (1962). *Affect, imagery, and consciousness, Vol. 1: The positive affects.* New York: Springer.

Tomkins, S. S. (1963). *Affect, imagery, and consciousness, Vol. 2: The positive affects.* New York: Springer.

Trankina, F. J. (1983). Clinical issues and techniques in working with Hispanic children and their families. In G. J. Powell (Ed.), *The psychological development of minority group children* (pp. 307-329). New York: Brunner/Mazel.

Triandis, H. C. (1972). *The analysis of subjective culture.* New York: Wiley.

Triandis, H. C. (1989). The self and social behavior in differing cultural contexts. *Psychological Review, 96*, 506-520.

Triandis, H. C. (1994). *Culture and social behavior.* New York: McGraw-Hill.

Triandis, H. C. (Series Ed.). (1995). *New directions in social psychology: Individualism, & collectivism.* Boulder: Westview Press.

Triandis, H. C. (1996). The psychologist measurement of cultural syndromes. *American Psychologist, 51* (4), 407-415.

Triandis, H. C., Bontempo, R., Betancourt, H., Bond, M., Leung, K., Brenes, A., Georgas, J., Hui, C. H., Marin, G., Setiadi, B., Sinha, J. B., Verma, J., Spangenberg, J., Touzard, H., & de Montonollin, G. (1986). The measurement aspects of individualism and collectivism across cultures. *Australian Journal of Psychology, 38,* 257-267.

Triandis, H. C., Bontempo, R., Villareal, M. J., Asai, M., & Lucca, N. (1988). Individualism and collectivism: Cross-cultural perspectives on selfingroup relationships. *Journal of Personality and Social Psychology, 4,* 323-338.

Triandis, H. C., & Lambert, W. W. (1958). A restatement and test of Schlosberg's theory of emotion with two kinds of subjects from Greece. *Journal of Abnormal and Social Psychology, 56,* 321-328.

Triandis, H. C., Leung, K., Villareal, M., & Clack, F. (1985). Allocentric versus idiocentric tendencies: Convergent and discriminate validation. *Journal of Research in Personality, 19,* 395-415.

Triandis, H. C., McCusker, C., & Hui, C. H. (1990). Multimethod probes of individualism and collectivism. *Journal of Personality and Social Psychology, 59,* 1006-1020.

Tronick, E. Z., Morelli, G. A., & Ivey, P. K. (1992). The Efe forager infant and toddlers pattern of social relationships: Multiple and simultaneous. *Developmental Psychology, 28,* 568-577.

Tuss, P., Zimmer, J., & Ho, H. (1995). Causal attributions of under achieving fourth-grade students in China, Japan, and the United States. *Journal of Cross-Cultural Psychology, 26* (4), 408-425.

Tylor, E. B. (1865). *Researches into the early history of mankind and development of civilization.* London: John Murray.

U. S. Bureau of the Census. (1985). Persons of Spanish origin in the United States: March 1985. *Current Population Reports* (Series P-20, No. 403). Washington, DC: Government Printing Office.

Van-Geert, P. (1995). Green, red, and happiness: Towards a framework for understanding emotion universals. *Journal of Culture and Psychology, 1* (2), 259-268.

Vinacke, W. E. (1949). The judgment of facial expressions by three national-racial groups in Hawaii: I. Caucasian faces. *Journal of Personality, 17,* 407-429.

Vinacke, W. E., & Fong, R. W. (1955). The judgement of facial expressions by three national-racial groups in Hawaii: II. Oriental faces. *Journal of Social Psychology, 41,* 184-195.

Vogt, A. L., LeRoux, J., Ratzlaff, C., Nishinohara, H., Yamamoto, A., & Matsumoto, D. (1998, April). *A new scale of intercultural adjustment.* Paper presented at the meeting of the Western Psychological Association, Irvine, CA.

Walker, L. J. (1984). Sex differences in the development of moral reasoning: A critical review. *Child Development, 57,* 522-526.

Wallbott, H., & Scherer, K. (1986). How universal and specific is emotional experience? Evidence from 27 countries on five continents. *Social Science Information, 25,* 763-795.

Wallbott, H., & Scherer, K. (1988). Emotion and economic development: Data and speculations concerning the relationship between emotional experience and socioeconomic factors. *European Journal of Social Psychology, 18,* 267-273.

Wallbott, H., & Scherer, K. (1995). Cultural determinants in experiencing shame and guilt. In J. Tangney, & K. Fischer (Eds.), *Self-conscious emotions.* New York: The Gullford Press.

Watkins, D., & Regmi, M. (1996). Within-culture and gender differences in self-concept. An investigation with rural and urban Nepalese school children. *Journal of Cross-Cultural Psychology, 27* (6), 692-699.

White, G. M. (1980). Conceptual universals in interpersonal language. *American Anthropologist, 88,* 759-781.

Whorf, B. L. (1956). Language, thought and reality (J. Carroll, Ed.). Cambridge, MA: MIT Press.

Wierzbicka, A. (1986). Human emotions: Universal or culture-specific? *American Anthropologist, 88*, 584-594.
Wierzbicka, A. (1994). Semantic universals and primitive thought: The question of the psychic unity of humankind. *Journal of Linguistic Anthropology, 4* (1), 23.
Wierzbicka, A. (1995). The relevance of language to the study of emotions. *Psychological Inquiry, 6* (3), 248-252.
Winegar, L. (1995). Emotion and facial expression: A semantic perspective. *Culture and Psychology, 1*, 227-258.
Wiseman, R. L., Hammer, M. R., & Nishida, H. (1989). Predictors of intercultural communication competence. *International Journal of Intercultural Relations, 13*, 349-370.
Wolpoff, M., & Caspari, R. (1997). *Race and human evolution: A fatal attraction*. New York: Simon, & Schuster.
Wylie, R. C. (1979). *The self concept, Vol. 2: Theory and research on selected topics*. Lincoln: University of Nebraska Press.
Yamaguchi, S. (1994). Collectivism among the Japanese: A perspective from the self. In U. Kim, & H. Triandis (Eds.), *Individualism and collectivism: Theory, method, and applications. Cross-cultural research and methodology series, Vol. 18*, (pp. 175-188). Thousand Oaks, CA: Sage Publications, Inc.
Yamamoto, J., & Kubota, M. (1983). The Japanese-American family. In G. J. Powell (Ed.), *The psychological development of minority group children* (pp. 307-329). New York: Brunner/Mazel.
Yan, W. & Gaier, L. E. (1994). Causal attributions for college success and failure: An Asian-American comparison. *Journal of Cross-Cultural Psychology, 25*, 146-158.
Yang, K. S. (1982). Causal attributions of academic success and failure and their affective consequences. *Chinese Journal of Psychology*[Taiwan], *24*, 65-83. (The abstract only is in English.)
Yao, L. E. (1985). A comparison of family characteristics of Asian American and Anglo American high achievers. *International Journal of Comparative Sociology, 26* (3-4), 198-206.
Yee, H. A., Fairchild, H. H., Weizmann, F., & Wyatt, E. G. (1993). Addressing psychology's problems with race. *American Psychologist, 48* (11), 1132-1140.
Yrizarry, N., Matsumoto, D., & Wilson-Cohn, C. (1998). American and Japanese multi-scalar intensity ratings of universal facial expressions of emotion. *Motivation and Emotion, 22*, 315-327.
Yu, E. S. H. (1974). Achievement motive, familism, and hsiao: A replication of McClellend-Winterbottom studies. *Dissertation Abstracts International, 35*, 593A (University Microfilms No. 74-14, 942).
Yum, J. O. (1987). Korean philosophy and communication. In D. L. Kincaid (Ed.), *Communication theory: Eastern and western perspectives*. New York: Academic Press.
Zahn-Waxler, C., Friedman, J. R., Cole, M. P., Mizuta, I., & Hiruma, N. (1996). Japanese and United States preschool children's responses to conflict and distress. *Child Development, 67*, 2462-2477.
Zimmerman, S. (1995). Perceptions of intercultural communication competence and international student adaptation to an American compus. *Communication Education, 44* (4)321-335.
Zuckerman, M. (1990). Some dubious premises in research and theory on racial differences: Scientific, social, and ethical issues. *American Psychologist, 45* (12), 1297-1303.

人名索引（ABC順）

■A
エインズワース（Ainsworth, M. D.）　ii, 88
アウ（Au, T. K.）　179
アズマ（Azuma, H.）　90
■B
バウムリンド（Baumrind, D.）　ii, 90
ベネット（Bennett, M. J.）　210
バーコ/バーコ-グリーソン（Berko-Gleason, J.）　165
バーリン（Berlin, B.）　176
ベーリー（Berry, J. W.）　20, 26
ブルーム（Bloom, A. H.）　178
ボーンスタイン（Bornstein, H. M.）　93, 95
ボウルビィ（Bowlby, J.）　ii, 78, 87
ブロンフェンブレナー（Bronfenbrenner, U.）　91
ブロンスタイン（Bronstein, P. A.）　92, 112
ブラウン（Brown, R.）　175, 180
■C
コーディル（Caudill, W.）　95
チョムスキー（Chomsky, N.）　167
コンロイ（Conroy, M.）　90
■D
ダーウィン（Darwin, C. R.）　109, 120
ダーセン（Dasen, P. R.）　20, 26
ドイ（Doi, T.）　ii, 73, 79
■E
エクマン（Ekman, P.）　121
エリクソン（Erikson, E. H.）　88, 114
■F
フロイド（Freud, S.）　78
フリーセン（Friesen, W. V.）　121
■G
ガーゲン（Gergen, K. J.）　14
ギリガン（Gilligan, C.）　65, 112
グディクンスト（Gudykunst, W. B.）　49, 171, 172, 204
グイシンガー（Guisinger, S.）　79
■H
ホール（Hall, E. T.）　iii, 47, 203
ハークネス（Harkness, S.）　104
ハーロウ（Harlow, H. F.）　87
ハーロウ（Harlow, M. K.）　87
ヘーゲル（Hegel, G. W. F.）　109
ヘス（Hess, D. R.）　90
ホフステーデ（Hofstede, G.）　30, 46, 47, 48, 50, 134, 144, 152, 171
ハロウェイ（Holloway, S. D.）　96
■I
イザード（Izard, C. E.）　121, 136
■J
ジェームズ（James, W.）　ii, 154
■K
カシワギ（Kashiwagi, K.）　90
ケイ（Kay, P.）　176, 178
キタヤマ（Kitayama, S.）　62, 71, 144
クルックホルン（Kluckholn, C.）　20, 25
コールバーグ（Kohlberg, L.）　111
コズミツキィ（Kosmitzki, C.）　81
クローバー（Kroeber, A. L.）　20, 25
■L
ランゲ（Lange, C.）　154
レネバーグ（Lenneberg, E.）　175, 180
レヴァイン（Levine, R. A.）　iii, 94
レヴィ・ブルール（Levy-Bruhl, L.）　110
ルーシー（Lucy, J. A.）　178
■M
マッコビー（Maccoby, E. E.）　90
マーカス（Markus, H. R.）　60, 62, 71, 144
マツモト（Matsumoto, D.）　22, 47, 49, 52, 126
マケイブ（McCabe, A.）　171
ミード（Mead, M.）　46, 121, 124
ミナミ（Minami, M.）　96, 171
ミウラ（Miura, I. T.）　98
ミヤケ（Miyake, K.）　88, 89
■O
オクス（Ochs, E.）　166
オグブ（Ogbu, J. U.）　ii, 84
■P
ペルト（Pelto, P. J.）　26, 47
ピアジェ（Piaget, J.）　ii, 105
ポーティンガ（Poortinga, Y. H.）　20, 26
■R
ロゴフ（Rogoff, B.）　91
ローナー（Rohner, R. P.）　25
ロッシュ（Rosch, E.）　177
ラッセル（Russell, J. A.）　136
■S
サピア（Sapir, E.）　174
シェラー（Scherer, K. R.）　142, 150
シーフェリン（Schieffelin, B. B.）　166
シーガル（Segall, M. H.）　20, 26
スキナー（Skinner, B. F.）　165, 194
スティーブンソン（Stevenson, H. W.）　97
スティグラー（Stigler, J. W.）　97, 102, 170
スーパー（Super, C. M.）　104
■T
トマセロ（Tomasello, M.）　103
トリアンディス（Triandis, H. C.）　25, 27, 28, 46, 47, 48, 49, 50, 51, 66, 121
トロニク（Tronick, E. Z.）　89
■W
ウォールボット（Wallbott, H.）　142
ウォーフ（Whorf, B. L.）　168, 174
ヴィエツビツカ（Wierzbicka, A.）　136

事項索引 (50音順)

■あ
愛着　86, 87
　安心した——　88
　不安定で回避を示す——　88
　不安定で抵抗・葛藤を示す——　88
愛着行動　→愛着を参照
アイデンティティ　104
アイデンティティ(自我同一性)の確立 対 役割葛藤・混乱[エリクソンの社会的感情発達理論]　115
アタッチメント　→愛着を参照
「甘え」　iii, 159

■い
「異文化」化(acculturation)　85
異文化間コミュニケーション能力(intercultural communication competence：ICC)　189, 190, 206, 216
異文化感受性(intercultural sensitivity：IS)　210, 216
異文化能力(intercultural competence：IC)　210, 216
意味論　165
インターカルチュラル・コミュニケーション　197

■え
エティック(etic)　iii, 9, 39
エミック(emic)　iii, 10, 39
エリクソンの社会的感情発達理論　114

■お
親子相互作用(インタラクション)　96
親の養育スタイル　90, 94
　甘い——　90, 94
　毅然とした——　90, 94
　権威主義的な——　90, 94
　放任主義の——　90, 94
音韻論　165
音素　165

■か
外国語処理困難　184
外集団　128
核家族　83, 94
拡大家族　83, 93, 94
数の概念　98, 170, 193
仮説　5
カルリ族　166
感覚運動期[ピアジェの理論]　105
慣習的道徳観[コールバーグの道徳理論]　111
感情　72
感情契機　146
感情経験　140
　社会的束縛から解放された——　72
　社会的に束縛された——　72
感情認識の普遍性　129
感情評価　149
感情表現　120
　——の普遍性　120
　——の文化的相違　124
　文化特有の——　73
感情誘発　→感情契機を参照
感情抑制　214

■き
気質　86
帰属性　→属性を参照
帰属的な確信性　204
基本的信頼 対 基本的不信[エリクソンの社会的感情発達理論]　114
基本的属性錯誤　67, 196
キャノン・バード説　155
勤勉感(生産性) 対 劣等感[エリクソンの社会的感情発達理論]　114

■く
具体的操作期[ピアジェの理論]　106
クレオール語(混交言語)　167
クロス・カルチュラル・コミュニケーション　197

■け
形式的操作期[ピアジェの理論]　106
形態素　165
言語習得のための装置(Language Acquisition Device：LAD)　167
顕在的要素　148

■こ
構文論　→統語論を参照　164
コールバーグの道徳的(発達)理論　111
後慣習的道徳観[コールバーグの道徳理論]　111
個人主義　47, 52, 128
個人主義－集団主義　47, 77
個人中心的傾向　51
固定観念　→ステレオタイプを参照
固定的概念　→ステレオタイプを参照
誤認独自特性効果　70
コミュニケーションの定義　190
コミュニケーション・プロセスの要素　191
語用論(プラグマティクス)　165, 171, 186

■さ
サピア・ウォーフ仮説　ii, 164, 174, 179, 186, 193

■し
ジェームズ・ランゲ説　154
ジェンダー(gender)　37
自我の統合性 対 絶望[エリクソンの社会的感情発達理論]　115
シグナル(合図：signal)　192
次元(ディメンション：dimension)　45
自己観　59, 64, 172
　自立的——　75
　自立的観点からの——　63, 65, 78
　相互依存的——　75

相互依存的観点からの―― 65, 78
自己概念　59, 60
「自文化」化 (enculturation)　32, 33, 83, 84, 91, 95, 103, 104, 105, 116, 118, 144, 194
自民族中心　68
自民族中心主義　43, 194
社会化　33, 84, 91, 93, 95
シャクター・シンガー説　155
集団主義　47, 52, 128
少数派（マイノリティ）グループ親和仮説（minority group affliation hypothesis）　183
自律性 対 恥・疑惑［エリクソンの社会的感情発達理論］　114
人格（パーソナリティ）　31
親密性 対 孤立［エリクソンの社会的感情発達理論］　115

■す
数学成績における国際比較　96, 97
数詞（助数辞）　170
スキーマ　104, 118, 216
スクリプト　144, 216
ステレオタイプ　28, 31, 33, 43, 81, 184, 195, 206

■せ
生産的（生殖性）対 停滞［エリクソンの社会的感情発達理論］　115
生得的性質　83, 98
生物学的要因　→生得的性質を参照
積極性（主導性）対 罪悪感［エリクソンの社会的感情発達理論］　114
sex　37
前慣習的道徳観［コールバーグの道徳理論］　111
潜在的要素　148
前操作期［ピアジェの理論］　106
選択的注意　206

■そ
相互影響（干渉）　→親子相互作用（インタラクション）を参照
属性　32, 38, 61, 82, 101, 195
　内在する――　65
　内在的――　67

■た
退行　215
達成動機　68, 69
ダニ語　177

■ち
調節［ピアジェの理論］　106

■て
伝達経路　192

■と
同化［ピアジェの理論］　106
統語論（シンタックス）　164, 180
同種中心的傾向　51
道徳的推論　111
トップダウン・アプローチ　11

■な
内集団　128

■に
認知的スキーマ　→スキーマを参照
認知発達　105

■は
バイカルチュラル　184
ハイ・コンテクスト文化［ホールの概念］　iii
ハイ・コンテクスト・コミュニケーション　203
バイリンガリズム　164, 181
バイリンガル　184, 193
発達的ニッチ　104
発達的ニッチェ　→発達的ニッチを参照
発展的辺縁化　212

■ひ
ピアジェの理論　105
ピジン語　167
批判的思考　5, 15, 215
表情の中で見られる文化的相違　124

■ふ
不確実性回避 (uncertainty avoidance = UA)　47
不確実性縮小理論 (uncertainty reduction theory)　201
符号化（エンコーディング, encoding）　189, 191
符号解読（ディコーディング, decoding）　189, 191
プラグマティクス　→語用論を参照
「文化化」　→「自文化」化を参照
文化親和仮説 (culture affiliation hypothesis)　183
文化と教育　96
文化の再確認　iv, 81
文化の定義　26
文化表示規則　124, 130, 160, 194
文化フィルター　194

■へ
ベネットのモデル　211

■ほ
ボトムアップ・アプローチ　11

■ま
摩擦管理　213
マルチリンガル　181

■み
民族性アイデンティティ　→アイデンティティを参照

■め
メッセージ　192

■も
モノリンガリズム　181

■り
領域（ドメイン：domain）　45

■れ
レプリケーション（replication：反復・再生）　4

■ろ
ロウ・コンテクスト文化［ホールの概念］　iii
ロウ・コンテクスト・コミュニケーション　203

<監訳者紹介>

南　雅彦
（みなみ・まさひこ）

大阪府出身
1995年、ハーバード大学教育大学院より「人間発達と心理学」で教育学博士号を取得。その後マサチューセッツ大学ローエル校心理学部で教鞭をとる。
現在、サンフランシスコ州立大学人文学部教授ならびに国立国語研究所　日本語教育研究・情報センター客員教授。*Journal of Japanese Linguistics* 編集主幹。

<主著：英語>
Language Issues in Literacy and Bilingual/Multicultural Education (Harvard Educational Review, 1991年，共編)
Culture-Specific Language Styles: The Development of Oral Narrative and Literacy (Multilingual Matters, 2002年，単著)
Studies in Language Sciences (3, 4, 5, 6) (Kurosio Publishers, 2004, 2005, 2006, 2007年，共編)
Applying Theory and Research to Learning Japanese as a Foreign Language (Cambridge Scholars Publishing, 2007年，単編)
Telling Stories in Two Languages: Multiple Approaches to Understanding English-Japanese Bilingual Children's Narratives (IAP-Information Age Publishing, 2011年，単編)
Journal of Japanese Linguistics, Volume 28, Special Issue: Selected Papers from the 7th International Conference on Practical Linguistics of Japanese (The Ohio State University, 2012年，単編)

<主著：日本語>
言語学と日本語教育 II, III, IV, V, VI: *New Directions in Applied Linguistics of Japanese*（くろしお出版，2001, 2004年，共編，2005, 2007, 2010年，単編）
ヨウチエン：日本の幼児教育，その多様性と変化（北大路書房，2004年，共著）
よくわかる言語発達〈やわらかアカデミズム・わかるシリーズ〉（ミネルヴァ書房，2005年，分担執筆）
言語と文化：言語学から読み解くことばのバリエーション（くろしお出版，2009年，単著）

<主論文：英語>
Minami, M. (1997). Cultural Constructions of Meaning: Cross-Cultural Comparisons of Mother-Child Conversations about the Past. In C. Mandell & A. McCabe (Eds.), *The Problem of Meaning: Cognitive and Behavioral Approaches* (pp. 297-345). Amsterdam: North-Holland.
Minami, M. (2000). Crossing Borders: The Politics of Schooling Asian Students. In C. J. Ovando & P. McLaren (Eds.), *The Politics of Multiculturalism and Bilingual Education: Students and Teachers Caught in the Cross Fire* (pp. 188-207). New York: McGraw-Hill.
Minami, M. (2008). Telling Good Stories in Different Languages: Bilingual Children's Styles of Story Construction and Their Linguistic and Educational Implications. *Narrative Inquiry*, 18(1), 83-110.

<主論文：日本語>
語用の発達－ナラティヴ・ディスコース・スキルの習得過程－（単著）　心理学評論　第49巻第1号　114-135　2006年

佐藤公代
（さとう・きみよ）

福島県出身
1973年、東北大学大学院教育学研究科教育心理学専攻博士課程単位取得満期退学。
元、愛媛大学教育学部教授（Ph.D.）。

<主著>
新版・児童心理学概論（単著）　高文堂出版　1978年
人間理解の心理学（共著）　福村出版　1985年
人と人とのかかわりの発達心理学（共著）　福村出版　1985年
絵本の挿絵の役割に関する研究－発達・教育心理学の立場から考える－（単著）　近代文藝社　1993年
挿絵の役割に関する発達・教育心理学的研究－外的条件と内的条件を通して－（単著）　近代文藝社　1995年

<主論文>
幼児の思考の発達に関する研究－課題の提示形式と量概念の形成について－（単著）　教育心理学研究　第21巻第1号　21-31　1973年
絵本の挿絵の役割に関する研究－しかけ絵本を通して－（単著）　読書科学第39巻第3号　58-64　1995年
大学教育における教授・学習過程と学生の発達過程の関連－集中講義の授業評価による教授・学習過程の検討－（共著）　愛媛大学教育学部紀要第1部教育科学　第47巻第2号　1-20　2001年

文化と心理学

―比較文化心理学入門―

2001年7月10日　初版第1刷発行	定価はカバーに表示
2013年5月10日　初版第6刷発行	してあります。

　　　著　　者　　D．マツモト
　　　監訳者　　南　　雅彦
　　　　　　　　佐藤　公代
　　　発行所　　㈱北大路書房
　　　　　　〒603-8303　京都市北区紫野十二坊町12-8
　　　　　　　　電話　(075) 431-0361㈹
　　　　　　　　FAX　(075) 431-9393
　　　　　　　　振替　01050-4-2083

©2001　制作　ラインアート日向　印刷／製本　創栄図書印刷㈱
検印省略　落丁・乱丁本はお取り替えいたします。

　　　ISBN978-4-7628-2220-9　　　　Printed in Japan

・ JCOPY 〈㈳出版者著作権管理機構 委託出版物〉
本書の無断複写は著作権法上での例外を除き禁じられています。
複写される場合は，そのつど事前に，㈳出版者著作権管理機構
（電話 03-3513-6969,FAX 03-3513-6979,e-mail: info@jcopy.or.jp)
の許諾を得てください。